W9-CTB-183

IMMIGRATION ET DIVERSITÉ À L'ÉCOLE

LE DÉBAT QUÉBÉCOIS DANS UNE PERSPECTIVE COMPARATIVE

paramètres ▽

Marie Mc Andrew

IMMIGRATION ET DIVERSITÉ À L'ÉCOLE

LE DÉBAT QUÉBÉCOIS DANS UNE PERSPECTIVE COMPARATIVE

LES PRESSES DE L'UNIVERSITÉ DE MONTRÉAL

Données de catalogage avant publication (Canada)

Mc Andrew, Marie

Immigration et diversité à l'école : le débat québécois dans une perspective comparative

(Paramètres)

Comprend des réf. bibliogr..

ISBN 2-7606-1824-2

1. Éducation interculturelle – Québec (Province).
2. Immigrants – Éducation – Québec (Province).
3. Immigrants – Intégration – Québec (Province).
4. Pluralisme – Québec (Province).
5. Immigrants - Éducation.
I. Titre. II. Collection.

LC1099.5.C3M32 2001   370.117'09714   C2001-941177-4

Dépôt légal : 4ᵉ trimestre 2001
Bibliothèque nationale du Québec
© Les Presses de l'Université de Montréal, 2001

Les Presses de l'Université de Montréal remercient le ministère du Patrimoine canadien du soutien qui leur est accordé dans le cadre du Programme d'aide au développement de l'industrie de l'édition.

Les Presses de l'Université de Montréal remercient également le Conseil des Arts du Canada et la Société de développement des entreprises culturelles du Québec (SODEC).

Imprimé au Canada

SOMMAIRE

REMERCIEMENTS

Nous tenons à remercier les organismes suivants dont le soutien a permis la réalisation de cet ouvrage :

- Documentation et recherche : le Fonds canadien d'aide à la recherche (FCAR), le Conseil de recherche en sciences humaines du Canada (CRSHC) et Immigration et métropoles, le Centre de recherche interuniversitaire de Montréal sur l'immigration, l'intégration et la dynamique urbaine (CRSHC-CIC).
- Publication et diffusion auprès de publics-cibles variés : le ministère du Patrimoine canadien

L'apport de divers collaborateurs mérite également d'être souligné :

- Documentation relative à la Grande-Bretagne, recherche bibliographique générale et édition : Marie-Hélène Chastenay, étudiante au doctorat en psychologie, Université de Montréal
- Documentation relative à la France et aux États-Unis : Coryse Ciceri, étudiante au doctorat en sciences humaines appliquées, Université de Montréal
- Documentation relative à la Belgique : Marc Lavallée, étudiant au doctorat en sociologie, Université Libre de Bruxelles

- Révision linguistique : Nicole Vincent
- Secrétariat : Louise Simard

Nous avons aussi bénéficié de l'aide de nombreux décideurs, chercheurs et intervenants des diverses sociétés à l'étude qui ont accepté de répondre à nos questions, notamment, la Direction des Services aux communautés culturelles du ministère de l'Éducation du Québec dont la collaboration a été appréciée.

INTRODUCTION

Depuis une trentaine d'années, l'École québécoise a été radicalement transformée par l'importance accrue de la diversité ethnoculturelle au sein de sa clientèle. Le secteur de langue française, traditionnellement homogène, a subi l'impact de la Charte de la langue française[1], adoptée en 1977, qui a fait du français la langue commune de scolarisation des nouveaux arrivants et de la majorité francophone. La diversification de la population scolaire résulte aussi d'une politique québécoise de recrutement des immigrants plus active et surtout moins discriminatoire au plan des origines nationales que celle qui avait prévalu, au Canada comme au Québec, jusqu'au début des années 1960. En effet, l'immigration dite non traditionnelle, soit celle qui provient de l'Asie, de l'Amérique centrale et du Sud et de l'Afrique compte désormais pour 80 % des flux alors qu'elle n'en représentait alors qu'environ 20 %[2].

---

1. Chapitre c-11 des lois du Québec, appelée communément la Loi 101 (projet de loi 101).
2. Gouvernement du Québec (1977a, b); Ministère des Communautés culturelles et de l'Immigration (MCCI) (1990a); Ministère des Relations avec les citoyens et de l'Immigration (MRCI) (1997a).

Sur l'île de Montréal, où se concentrent près de 80 % des nouveaux arrivants, ainsi que dans certaines municipalités de la grande région métropolitaine, la multiethnicité des écoles est ainsi devenue une réalité incontournable[3]. Dans l'ensemble du Québec, les élèves d'origine immigrée, soit les immigrants eux-mêmes ou ceux dont les parents sont nés à l'étranger, ne représentent que 10 % de la population scolaire totale. À Montréal, cette clientèle compte pour 46,4 % des effectifs du réseau scolaire de langue française. En outre, plus d'un tiers des écoles atteignent des taux de densité ethnique supérieurs à 50 %. Bien que moins marquée par la présence des nouveaux arrivants, qui fréquentent désormais à près de 95 % le secteur français, l'école montréalaise de langue anglaise demeure, elle aussi, un milieu pluriethnique. En conformité avec la Loi 101 qui a garanti le droit à un enseignement en anglais aux communautés d'implantation plus ancienne qui fréquentaient déjà ce secteur, 25 % de sa clientèle y est, en effet, d'une langue maternelle autre que l'anglais ou le français[4].

Trente ans d'interventions québécoises

La réaction du système scolaire québécois à cette diversité linguistique et culturelle a largement relevé d'une dynamique commune à l'ensemble des sociétés occidentales confrontées à ce défi[5]. Toutefois, certaines spécificités, qui tiennent notamment à la complexité sociolinguistique de la société québécoise, peuvent y être identifiées.

Une première phase, dont l'amorce remonte à 1969, date de mise en place des premières classes d'accueil, mais qui n'a connu son plein essor qu'avec l'adoption de la Loi 101 en 1977, a été caractérisée par le développement des services visant l'apprentissage du français par les nouveaux arrivants. L'approche compensatoire dominait, la présence immigrante étant interprétée essentiellement comme un défi linguistique. Le Québec a fait alors le choix d'un modèle, unique en Amérique du Nord, de services spécifiques aux nouveaux arrivants pour l'apprentissage de la langue, auquel il

---

3. Mc Andrew et Jodoin (1999).
4. Ministère de l'Éducation du Québec (MEQ) (1998a).
5. Banks (1988a); Lynch (1988); Moodley (1988).

a d'ailleurs consenti des ressources importantes. Ce choix reflète l'enjeu central que représentait la francisation des immigrants dans le débat démolinguistique qui venait de connaître son apogée[6].

Assez rapidement toutefois, du moins lorsqu'on compare le Québec à des sociétés où l'adaptation du système scolaire à la diversité issue de l'immigration s'est étendue sur un horizon temporel plus vaste, la nécessité d'une prise en compte du pluralisme linguistique et culturel s'impose. Comme ailleurs, cette reconnaissance se fait d'abord sous forme de services spécifiques favorisant chez les élèves issus de l'immigration le maintien de leur langue et de leur culture d'origine. Rappelons la création du Programme d'enseignement des langues d'origine (PELO) en 1977, réservé à cette clientèle jusqu'en 1988, et d'activités diverses, souvent à caractère folklorique, permettant ponctuellement à l'ensemble des élèves, pour reprendre ici les termes alors à la mode, *de mieux connaître les autres ethnies et les autres cultures*[7].

Ce multiculturalisme *additif*[8] connaîtra son apogée dans les années 1980. Il sera graduellement enrichi, au fur et à mesure que la présence ethnoculturelle devenait un phénomène constitutif de l'École montréalaise et non plus une réalité perçue comme exotique, par une troisième phase, qu'on peut caractériser comme celle de l'adaptation systémique à la diversité. Cette approche, où nous sommes encore engagés, touche l'ensemble des dimensions de la vie scolaire. Elle s'incarne à travers une multitude de petites, et parfois plus ambitieuses, interventions visant à rendre plus *sensibles culturellement* la formation et le recrutement des maîtres, les programmes, les stratégies d'enseignement et le matériel didactique, les codes de vie et règlements des établissements ainsi que les mesures favorisant le lien école/famille[9]. Lors de chacune de ces adaptations, se pose le débat, toujours ouvert, sur l'équilibre à trouver entre la reconnaissance du

---

6. MEQ (1988a); Plourde (1988).
7. MEQ (1978); Pagé (1988).
8. Banks (1988b).
9. Pour chacun de ces domaines, voir successivement: D'Anglejan *et al.* (1995) et Mc Andrew (1988a); MEQ (1983a) et Conseil supérieur de l'éducation (CSE) (1987); CSE (1983) et MEQ (1994a) ainsi que Mc Andrew (1988b) et MEQ (1995a).

pluralisme, garante de l'équité, et le respect des valeurs communes, permettant le maintien d'un espace de significations partagées.

Trois tendances ont marqué la dynamique de développement de l'approche québécoise en matière d'intégration scolaire des immigrants et de prise en compte de la diversité culturelle à l'école qui, sans être uniques à ce contexte, sont suffisamment particulières pour qu'on les mentionne.

Tout d'abord, à l'opposé d'autres sociétés où défavorisation socio-économique et multiethnicité coïncident, au Québec, les deux problématiques, ainsi que le train de mesures qu'elles ont généré, sont des réalités parallèles et manquant souvent d'articulation. En effet, si de nombreux milieux montréalais sont aujourd'hui à la fois multiethniques et défavorisés, la corrélation à cet égard est loin d'être systématique[10] — ce dont il faut se réjouir. Les politiques et programmes de lutte à l'échec scolaire et de soutien aux milieux socioéconomiquement faibles ont donc traditionnellement été conçus en fonction d'un public francophone dit de *vieille souche* et non de la clientèle immigrante. Cette tendance reflète la spécificité des politiques canadienne et québécoise de sélection de l'immigration, qui induisent des flux migratoires diversifiés au plan socioéconomique ; on peut aussi y voir l'effet de l'ambiguïté de dominance ethnique caractéristique du Québec, où le groupe majoritaire francophone a longtemps été le plus défavorisé au plan scolaire[11]. Elle constitue toutefois un défi pour l'avenir, au fur et à mesure que s'estompe l'avantage relatif dont bénéficiaient les immigrants, quant à la mobilité scolaire et sociale, dans une société dominée par la minorité anglophone.

Par ailleurs, en lien sans doute avec le processus inachevé de transformation pluraliste de l'identité québécoise, voire les résistances de certains secteurs à cet égard, nous avons longtemps tardé à développer un cadre cohérent en matière d'intégration scolaire des immigrants et de prise en compte de la diversité à l'école. Ce cas de figure n'est pas unique, plusieurs sociétés préférant définir *ad hoc* leurs interventions en cette matière. Il tranche toutefois avec la tendance québécoise à valoriser la planification et l'intervention étatique dans d'autres domaines de la vie publique. Pendant

---

10. Mc Andrew et Ledoux (1995).
11. Sylvain *et al.* (1985) ; MCCI (1990a).

longtemps, en effet, a prévalu la perception que *le problème* de l'immigration n'était pas *québécois* mais *montréalais* et que l'action gouvernementale devait se limiter au développement de services à l'intention des nouveaux arrivants[12].

C'est pourquoi, alors que le *Rapport Chancy* réclamait, dès 1985, l'adoption d'une politique d'éducation interculturelle, une demande réitérée depuis par une multitude de documents gouvernementaux, syndicaux ou communautaires[13], il aura fallu attendre jusqu'en 1997 pour que le ministère de l'Éducation du Québec (MEQ) rende public un projet de *Politique d'intégration scolaire et d'éducation interculturelle*. Celui-ci est devenu, en 1998, suite à diverses consultations et après quelques modifications, la politique officielle en cette matière. Cet attentisme, qu'il faut déplorer notamment pour sa contribution à l'accentuation du hiatus Montréal/régions en matière de prise en compte de la diversité, n'a pas eu que des aspects négatifs. Il aura permis, entre autres, à la nouvelle politique gouvernementale de jeter un regard rétrospectif sur le bilan de trente ans d'interventions, tout en ouvrant la porte à divers questionnements sur l'adaptation de ces mesures à un phénomène en pleine mutation.

Ce processus d'examen critique est facilité par une dernière caractéristique québécoise, le développement appréciable des recherches fondamentales et évaluatives sur l'intégration scolaire de la clientèle d'origine immigrée, ainsi que sur l'adaptation institutionnelle au pluralisme et la qualité des relations interethniques dans les écoles montréalaises. Du fait de leur caractère extrêmement sensible dans le contexte de redéfinition des rapports linguistiques et ethniques qu'a vécu le Québec, nous avons, en effet, accès à un éventail de données sur ces enjeux, souvent plus large qu'ailleurs[14].

---

12. MEQ (1988a).
13. Conseil de la langue française (CLF) (1987a, b), CSE (1987, 1993) ; Berthelot (1991) ; Conseil scolaire de l'île de Montréal (CSIM) (1991) ; Mc Andrew et Jacquet (1996).
14. Lorcerie et Mc Andrew (1996) ; Mc Andrew (1997) ; Mc Andrew et Proulx (2000).

Une problématique en transformation

Le bilan d'ensemble, que nous approfondirons sous chacun des enjeux de politique débattus dans cet ouvrage, s'avère globalement positif. On peut mentionner, à cet égard, les compétences linguistiques et la performance scolaire appréciables d'une très large majorité de la clientèle d'origine immigrée, son projet d'intégration sociale somme toute assez similaire à celui des jeunes francophones d'implantation plus ancienne ainsi que ses usages linguistiques, beaucoup plus favorables au français que la rumeur publique ou médiatique ne le laisse entendre[15]. Réciproquement, dans ce processus d'adaptation mutuelle qui définit l'intégration, le milieu scolaire québécois a franchi des étapes importantes en ce qui a trait aux structures, aux services, aux programmes, au matériel didactique, à la formation des maîtres ainsi qu'à l'ethos institutionnel[16].

De nombreux défis perdurent toutefois, que le Québec partage souvent avec d'autres sociétés également confrontées au pluralisme grandissant de leur population scolaire. Certains de ces enjeux tiennent à l'inadéquation de nos approches traditionnelles face aux changements qu'ont connus les flux migratoires, tant en ce qui concerne leur diversification de plus en plus marquée que leur profil socioéconomique, linguistique et culturel, plus complexe que par le passé. C'est le cas de notre modèle d'enseignement de la langue d'accueil, qui fera l'objet du premier chapitre de cet ouvrage. La formule d'une classe d'accueil universelle est, en effet, peu adaptée aux besoins des élèves sous-scolarisés arrivant en cours de scolarité, et peu arrimée au courant actuellement dominant en matière d'apprentissage de la langue scolaire par les nouveaux arrivants, celui d'une intégration étroite entre services spécifiques et classe régulière[17].

De même, la pertinence de notre programme d'enseignement des langues d'origine — qui sera traité au chapitre 2 — a besoin d'être évaluée.

---

15. Pour chacun de ces domaines, voir respectivement: Conseil des communautés culturelles et de l'immigration (CCCI) (1990) et MEQ (1994b, 1997a); Jodoin *et al.* (1997) et Pagé *et al.* (1998) ainsi que Mc Andrew, Veltman *et al.* (1999) et Mc Andrew *et al.* (2000).
16. Mc Andrew (1996a); MEQ (1998b).
17. Gress-Azzam (1987); Boyzon-Fradet (1993b); Cummins (1994); MEQ (1996a).

Visant encore essentiellement une clientèle d'implantation ancienne, ce programme doit mieux répondre, d'une part, aux problèmes d'apprentissage vécus par les groupes plus récents et, d'autre part, aux attentes de l'ensemble des parents québécois en matière de plurilinguisme[18]. L'imposition d'une formule unique dans ces deux domaines est d'ailleurs aujourd'hui fortement questionnée par le milieu scolaire, notamment par le MEQ dans sa *Politique d'intégration scolaire et d'éducation interculturelle*.

Par ailleurs, il serait sans doute utile de *revisiter* les liens qui devraient exister entre nos actions de lutte à l'échec scolaire et de soutien aux milieux socioéconomiquement faibles, et nos politiques et programmes d'intégration des immigrants. C'est le sujet du chapitre 3. Ces deux problématiques coïncident davantage que par le passé. De plus, les moyennes globalement favorables des groupes d'origine immigrée en termes de performance scolaire masquent souvent des variations importantes. Celles-ci tiennent à la polarisation des flux migratoires et aux obstacles différents vécus par les *minorités visibles*, davantage susceptibles d'être discriminées au sein du système scolaire[19].

Dans d'autres cas, même si le profil de la clientèle joue un certain rôle, c'est plutôt la société québécoise, voire même l'ensemble du discours occidental, qui a changé. Les identités multiples sont, en effet, désormais plutôt la norme que l'exception chez les majorités comme les minorités[20]. Cette tendance peut résulter des origines diversifiées de la population, comme c'est le cas à Montréal. Toutefois, dans l'ensemble du Québec, la multiplicité des choix personnels des citoyens y contribue également, dans un contexte où l'individualisme accru et les pressions de la mondialisation affaiblissent les appartenances groupales.

Les approches manichéennes, qui postulaient l'existence de frontières intergroupes clairement identifiables et d'une certaine homogénéité à l'intérieur même des communautés, sont donc aujourd'hui largement délégitimées[21]. La relation même qu'entretiennent les démocraties avec un

---

18. Gouvernement du Québec (1996) ; Laurier *et al.* (1999).
19. Mc Andrew et Potvin (1996) ; Gagné et Chamberland (1999) ; Mc Andrew et Jodoin (1999).
20. Tajfel (1982) ; Camilleri (1985).
21. Touraine (1994) ; Kymlicka (1995) ; Juteau (2000a).

pluralisme multiforme a ainsi été transformée, au fur et à mesure que la *culture des droits de la personne* s'impose comme une valeur universelle transcendant les particularismes. Celle-ci vient éroder les projets d'homogénéité, qu'ils soient étatiques ou communautaires, et remettre en question le relativisme culturel. De plus, la promotion de l'égalité ainsi que l'arbitrage des droits s'imposent comme des enjeux incontournables.

Les controverses[22], parfois houleuses, qu'a connues la société québécoise sur la définition des balises relatives à une prise en compte raisonnée de la diversité culturelle et religieuse à l'école relèvent largement de ce changement de paradigme, qui sera approfondi au chapitre 4. C'est le cas également de la proposition récente du MEQ d'inclure, sous la perspective plus large de l'*éducation à la citoyenneté*, les pratiques d'*éducation interculturelle* qui dominaient jusqu'alors au Québec — sujet du cinquième chapitre. Toutefois, cette évolution tient aussi à l'état d'avancement de la redéfinition pluraliste de la société québécoise et de son École, où c'est désormais le *vivre ensemble* plutôt que le *connaître l'Autre* qui représente l'objectif prioritaire.

Dans le débat québécois, les conceptions divergentes relatives à la nature de l'espace scolaire commun ont toutefois occupé nettement plus de place que la légitimité d'en partager davantage. La ségrégation scolaire des communautés d'origine immigrée et de la population francophone d'implantation plus ancienne est, en effet, un vieil héritage que nous n'avons que partiellement redéfini il y a vingt-cinq ans par la Loi 101 et surtout, plus récemment, par la mise en place de commissions scolaires linguistiques. À l'opposé des enjeux discutés plus haut, ce défi — abordé au chapitre 6 — témoigne donc davantage d'une donne traditionnelle assez spécifique au Québec que d'une réalité en mutation. Il reflète l'ambiguïté de dominance ethnique et la division qui ont caractérisé notre société jusqu'au début des années 1960[23].

Toutefois, il est aujourd'hui rendu plus complexe par deux tendances récentes que nous partageons avec d'autres sociétés occidentales. Il s'agit, d'abord, de la surreprésentation des populations d'origine immigrée dans

---

22. Proulx (1995a); MEQ (1998b); Ciceri (1999).
23. Laferrière (1983); Proulx (1995b); Juteau (2000b).

certaines écoles pourtant *de jure* communes, résultant des dynamiques de choix résidentiels et scolaires divergentes chez les nouveaux arrivants et les natifs. De plus, une spécificité québécoise moins connue, celle du financement public d'institutions ethnoreligieuses, est susceptible de connaître de nouveaux développements, étant donné le retour en force, au plan international, des idéologies du libre choix et du contrôle communautaire des institutions scolaires[24].

Intérêt et limites de la démarche comparative

La problématique québécoise relative à l'intégration des immigrants et à la prise en compte de la diversité ethnoculturelle en milieu scolaire, tout en présentant des spécificités, n'est pas sans lien avec les grandes tendances occidentales en cette matière. Dans un contexte de circulation rapide de l'information et d'échanges pédagogiques accrus, les services, programmes ou interventions que nous avons développés depuis trente ans sont généralement proches de ce qui se fait ailleurs, lorsqu'ils ne sont pas carrément calqués sur des expériences étrangères. Par ailleurs, bien qu'à des degrés divers, les questions que nous nous posons sont communes à bien d'autres contextes. Certaines controverses ont même été directement influencées par des dynamiques extérieures.

Cette intégration des problématiques et des actions s'exerce non seulement dans ce champ mais dans l'ensemble des domaines de la vie sociale. Elle plaide résolument en faveur d'une approche comparative, ou du moins d'un enrichissement de nos perspectives. En effet, lors du processus d'examen critique de nos pratiques, l'analyse des expériences d'autres sociétés, et sans doute davantage celle des débats qu'elles ont suscités, est susceptible de générer des pistes de questionnement qu'une démarche en vase clos ne favorise pas toujours[25].

---

24. Pour le premier phénomène, voir CSE (1993) et Mc Andrew et Ledoux (1998); pour le second, MEQ (2000c), Swanson (1995) et Tooley (1997).
25. Miguelez (1977); Le Thàn Khôi (1981); Broadfoot (2000).

Toutefois, malgré la fécondité potentielle de l'approche comparative, celle-ci n'est pas sans défis ni sans limites, que la littérature en éducation comparée a d'ailleurs identifiés depuis longtemps[26].

Tout d'abord, il s'agit de bien choisir les sociétés que l'on veut contraster avec la sienne. Il ne faut pas, comme on l'entend souvent naïvement, qu'elles soient similaires, ce qui rendrait impossible ou fortement stérile toute comparaison. Elles doivent plutôt présenter un ensemble pertinent de ressemblances et de différences susceptible de favoriser le caractère heuristique de la comparaison, en fonction de la question spécifique que l'on explore. En effet, comprendre pourquoi des sociétés qui partagent de nombreuses caractéristiques idéologiques, politiques, économiques, scolaires ou même linguistiques font des choix pédagogiques divergents ou, à l'inverse, pourquoi des réalités apparemment opposées génèrent des pratiques largement similaires peut éclairer la prise de décision future.

Dans le contexte québécois, deux types de société paraissent s'imposer pour favoriser la fécondité d'une approche comparative dans le domaine des politiques et des pratiques relatives à l'intégration des immigrants et à la diversité culturelle à l'école. Dans le premier cas, il s'agit de nos sociétés de référence spontanées, celles qui influencent *naturellement* les décideurs, les intervenants et l'opinion publique. On pense d'abord au Canada anglais avec lequel nous partageons un cadre politique, institutionnel et juridique commun ainsi que des approches largement similaires en matière d'immigration et de rapport à la diversité, même si notre dynamique sociolinguistique est différente[27]. Trois pays, avec lesquels les différences sont toutefois plus grandes, doivent aussi être considérés. La France constitue une référence obligée, pour des raisons historiques et linguistiques évidentes, notamment à cause du rôle important qu'occupent les intellectuels français dans certains de nos débats. Les États-Unis influencent souvent plus directement, sans que nous en soyons toujours conscients, nos pratiques scolaires, notamment à cause de leur domination massive du champ de l'innovation pédagogique et de la recherche évaluative. Finalement, la Grande-Bretagne a été à l'origine des caractéristiques de notre système

---

26. Farrell (1979) ; Holmes (1981).
27. Mc Andrew (1995a) ; Pietrantonio *et al.* (1996).

scolaire et, notamment, du rapport étroit qu'il entretient avec les appartenances linguistiques, religieuses ou communautaires diverses que l'on retrouve au Québec[28].

La spécificité de notre société, où l'ambiguïté sociolinguistique est grande et où les immigrants font l'objet d'une double sollicitation identitaire, nous amènera également à considérer un second type de cas de figure, dont la dynamique de relations ethniques est plus proche de celle qui prévaut au Québec[29]. Il s'agira, entre autres, de la Catalogne et de la Flandre, même si d'autres contextes seront aussi explorés lorsque l'enjeu justifie la pertinence de ce choix. Leur rapport à l'immigration et à la diversité est bien différent du nôtre, influencé par la perspective nord-américaine ; mais nous partageons de nombreux défis, notamment au plan de l'intégration linguistique et de la redéfinition pluraliste d'une communauté majoritaire, elle-même en situation de fragilité[30]. Moins connues et plus difficiles d'accès à cause de la barrière de la langue, certaines des expériences pédagogiques menées dans ces deux contextes apparaissent d'un intérêt certain pour les décideurs et intervenants québécois.

Un second danger de l'approche comparative consisterait à sous-estimer certaines des différences de départ lorsqu'il s'agira, non plus d'éclairer la problématique ou le débat québécois mais d'examiner la transférabilité des conclusions des recherches menées ailleurs, ou même la possibilité d'une adaptation de certaines initiatives à notre contexte. D'une façon générale, c'est un travers que l'on peut limiter par des mises en garde claires et systématiques sur la comparabilité des populations étudiées, du vocabulaire employé, où des termes parfois similaires cachent souvent des réalités différentes, ainsi que de la manière même dont sont définis les enjeux. À cet égard, il faut rappeler que ce sont souvent les questions non posées dans une société qui sont révélatrices, surtout lorsqu'elles apparaissent si évidentes dans une autre[31].

---

28. Pour la justification de chacun de ces choix, se référer respectivement à Lorcerie et Mc Andrew (1996), Lessard et Brassard (1998) et Charland (2000).
29. Anctil (1984) ; Juteau (2000b) ; Mc Andrew (2000).
30. Boussetta (2000) ; Solé (2000).
31. Le Thành Khôï (1981) ; Rust et al. (1999).

Par ailleurs, en ce qui concerne plus spécifiquement l'emprunt pédagogique, on ne redira jamais assez son caractère périlleux, même s'il est dans la nature des choses que le décideur ait souvent moins de réserve à cet égard que le comparatiste. Si les limites de transférabilité des expériences d'un contexte à l'autre ont été bien cernées, on peut espérer que les conditions nécessaires à une adaptation réussie seront réunies. Toutefois, cet objectif dépasse le cadre de cet ouvrage, qui veut davantage susciter des questions qu'apporter des réponses définitives.

1

L'APPRENTISSAGE DU FRANÇAIS PAR LES NOUVEAUX ARRIVANTS : SERVICES SPÉCIFIQUES OU INSERTION DIRECTE EN CLASSE RÉGULIÈRE ?

La problématique québécoise

Les classes d'accueil : historique et évolution

Le contexte qui a prévalu à la création des classes d'accueil en 1969, et même à leur généralisation à partir de 1977, apparaît rétrospectivement comme bien différent de celui que nous connaissons aujourd'hui. Tout d'abord, la clientèle était moins diversifiée, tant en ce qui concerne le nombre de langues parlées que leur degré d'éloignement par rapport au français. De plus, au plan socioéconomique, la population immigrée était moins polarisée[1]. Mais surtout, les rapports ethnolinguistiques étaient encore fortement marqués par la division qui a caractérisé la société québécoise jusqu'au processus de normalisation économique et linguistique induit par la Révolution tranquille et le mouvement nationaliste des années 1970[2]. Les frontières entre allophones et francophones étaient étanches. Ce dernier groupe coïncidait presque totalement avec celui des Québécois

---

1. Ministère des Communautés culturelles et de l'Immigration (MCCI) (1990b) ; Gagné et Chamberland (1999).
2. Gouvernement du Québec (1977a) ; Levine (1990) ; MCCI (1990a).

d'ethnicité canadienne-française qui n'avaient, pour ainsi dire, jamais partagé leurs institutions scolaires avec d'autres groupes ni exercé une fonction d'intégration à leur égard. Chez les allophones, le caractère francophone du Québec était souvent peu connu des nouveaux arrivants, encore principalement sélectionnés par le gouvernement fédéral, alors que les communautés d'implantation plus ancienne s'opposaient activement au processus de francisation de la vie publique alors en cours[3].

Le choix politique d'un modèle d'enseignement de la langue d'accueil, axé sur des services spécifiques et intensifs sous forme d'une classe fermée, paraissait alors pertinent. Cette formule répondait bien à la fragilité sociolinguistique du français — une langue, pour reprendre ici une boutade bien connue, qui doit *s'apprendre alors que l'anglais s'attrape*. On pensait aussi qu'une clientèle relativement *légère* pourrait, en quelque dix mois et avec un ratio maître/élèves réduit, acquérir suffisamment les bases du français pour fonctionner de manière satisfaisante en classe régulière[4]. Une classe d'accueil bénéficie, en effet, d'un enseignant pour 16 élèves alors qu'au primaire, le ratio est d'un enseignant pour 25 élèves et au secondaire, d'un enseignant pour 30 élèves.

L'apprentissage du français par les nouveaux arrivants est alors conçu comme un processus structuré et systématique, visant le développement des habiletés de communication et la maîtrise de la langue scolaire mais également une initiation aux réalités et aux codes culturels de la société d'accueil[5]. Durant le séjour en classe d'accueil, même si l'on enseigne également les mathématiques, la priorité est clairement accordée à cet apprentissage, au sein duquel les langues d'origine ne jouent aucun rôle. La pédagogie prescrite insiste sur l'usage du français et décourage, en accord avec l'approche communicative, toute traduction des concepts par l'enseignant, dans l'hypothèse, peu probable pour la majorité des langues, où celui-ci serait capable d'y recourir. À cet égard, il est clair qu'à cette époque et peut-être encore aujourd'hui, on redoute particulièrement l'emploi de

---

3. Cappon (1975) ; Plourde (1988).
4. Pelletier et Crespo (1979) ; Attar (1981).
5. Ministère de l'Éducation du Québec (MEQ) (1984, 1986, 1988a).

l'anglais avec les élèves qui maîtriseraient déjà cette langue. Par ailleurs, un corps professoral spécifique, les enseignants des classes d'accueil, émergera graduellement sous l'impact conjugué des efforts de formation et de perfectionnement des autorités scolaires et des universités.

Malgré l'aspect systématique et planifié du modèle de la classe d'accueil, une certaine incompréhension semble s'être installée, dès l'origine, entre décideurs et intervenants quant aux objectifs mêmes de cette mesure. Dès l'élaboration du programme en 1984, le ministère est, en effet, très clair sur le fait que la classe d'accueil ne vise qu'à une initiation à la langue française qui devra être complétée par la scolarité subséquente. Toutefois, le manque de préparation des élèves d'accueil ainsi que la revendication d'une augmentation de sa durée émergent rapidement dans le discours des acteurs de terrain[6].

En réponse à la mobilisation des commissions scolaires et des syndicats et face à l'évolution de la clientèle, désormais plus diversifiée et plus polarisée au plan socioéconomique, le séjour en classe d'accueil a eu tendance à s'allonger systématiquement depuis vingt ans[7]. Dès 1988, le *Rapport Latif* faisait le constat que 30 % de la clientèle y passait deux ans ou plus. Cette proportion était sans doute plus élevée si l'on tient compte de la création, par diverses commissions scolaires, d'autres services spécifiques, dits de *post-accueil*, visant les clientèles analphabètes ou sous-scolarisées au secondaire. Aujourd'hui, ce pourcentage avoisine les 50 %, selon les études annexes réalisées dans le cadre de l'élaboration de la *Politique d'intégration scolaire et d'éducation interculturelle*.

Cependant, à partir des années 1990, on note, dans certains milieux, une préoccupation inverse, soit celle des conséquences du modèle de classe fermée sur l'intégration sociale et même linguistique des élèves nouveaux arrivants[8]. On déplore la faiblesse de leurs contacts avec des locuteurs natifs du français et on redoute, pour certains, une marginalisation plus ou moins permanente au plan scolaire. Ces développements ont entraîné la mise sur pied d'expériences d'intégration partielle des élèves nouveaux

---

6. Conseil de la langue française (CLF) (1987a, b) ; Berthelot (1991).
7. MEQ (1988a, 1995b, 1998b).
8. Plante-Proulx (1988) ; Messier (1997).

arrivants dans les classes régulières[9]. Le ministère a aussi tenté de freiner la durée des services spécifiques, en offrant un soutien linguistique additionnel durant les deux premières années où les élèves d'accueil intègrent la classe régulière. Cette nouvelle dynamique reflète le fait qu'en milieu montréalais, il n'est désormais plus possible, comme à l'époque qui a précédé l'adoption de la Charte de la langue française, d'opposer une classe d'accueil caractérisée par sa diversité linguistique à une classe régulière conçue comme homogène. L'idée d'une frontière étanche et d'un seuil clair entre ces deux lieux résiste aussi de moins en moins à l'examen des faits. Presque tous les enseignants sont aujourd'hui confrontés à des classes pluriethniques et l'enseignant d'accueil peut difficilement être considéré comme l'unique spécialiste de l'intégration des allophones.

Par ailleurs, en région, lorsque le nombre d'élèves n'est pas suffisant pour justifier l'ouverture de classes spécifiques, c'est le modèle d'insertion directe en classe régulière, avec retrait périodique pour soutien linguistique, qui prévaut. À ce jour, aucune recherche d'envergure n'a contrasté l'efficacité respective de ces deux formules. Certaines données semblent indiquer que les élèves d'accueil en région connaîtraient un cheminement scolaire plus favorable que ceux de Montréal[10]. Toutefois, le rôle d'une intégration plus rapide en classe régulière n'est pas clair. En effet, d'autres facteurs, notamment le poids respectif des élèves francophones et des élèves allophones au sein de la classe et de la communauté, ont probablement plus d'impact.

Le débat relatif aux classes d'accueil au Québec a aussi touché la question de leur localisation. Le ministère et diverses commissions scolaires[11] privilégiaient et privilégient encore, en principe, une répartition équilibrée de ces services et, si possible, leur intégration à l'école de quartier. Toutefois, sur le terrain, on a souvent constaté une tendance au regroupement dans certaines écoles, pour des motifs administratifs ou même

---

9. Commission scolaire Sainte-Croix (CSSC) (1991) ; Commission des écoles catholiques de Montréal (CECM) (1993) ; Commission des écoles protestantes du Grand Montréal (CEPGM) (1994).
10. MEQ (1996a).
11. CECM (1984) ; MEQ (1985, 1988a) ; CSSC (1989a).

pédagogiques. La concentration des clientèles d'accueil permet, en effet, d'assurer une plus grande homogénéité des groupes ainsi que l'accès des élèves et des enseignants à des ressources plus nombreuses et plus variées. À l'inverse, selon les opposants de cette formule, elle pourrait avoir des effets pervers sur l'intégration sociale et linguistique[12]. Quoi qu'il en soit, en 1999-2000, seulement 22 % des écoles de l'île de Montréal recevaient des élèves d'accueil, un pourcentage inférieur à celui que la densité de cette clientèle permettrait si la politique de répartition équilibrée était véritablement appliquée. Le nombre moyen de classes d'accueil au sein de ces écoles s'élève, par ailleurs, à 4,2.

L'état de la recherche

L'ensemble des recherches évaluatives menées au Québec sur l'efficacité de la formule de la classe d'accueil au plan de l'intégration linguistique des nouveaux arrivants reflète cette tension et, plus spécifiquement, l'opposition entre les données dites objectives — qui ne sont pas sans limites — et les perceptions.

D'une part en effet, l'ensemble des études longitudinales réalisées auprès de diverses cohortes de l'accueil[13] montre que celles-ci vivent généralement un cheminement ultérieur positif au sein du système scolaire. Ces résultats s'inscrivent dans la foulée de la performance globalement favorable de l'ensemble des allophones à l'école québécoise, qui sera discutée au chapitre 3. Ainsi, selon l'étude la plus récente à cet égard, une forte majorité de la clientèle arrivée au préscolaire ou au primaire, quelle que soit son origine, connaît un parcours scolaire *normal* et même un taux de diplômation supérieur à la moyenne, sans aucun retard scolaire pour quelque 37,6 % d'entre eux. C'est en soi un phénomène remarquable puisqu'il suppose que ces élèves ont été suffisamment performants pour compenser leur séjour en classe d'accueil. Pour les autres, on note une seule année de retard, reflétant le coût de l'apprentissage d'une langue seconde. Toutefois, les élèves arrivés au secondaire, surtout lorsqu'ils étaient sous-scolarisés

---

12. MEQ (1990) ; Mc Andrew et Jacquet (1996).
13. Pelletier et Crespo (1979) ; Globensky (1987) ; Maisonneuve (1987) ; MEQ (1996a).

dans leur langue d'origine, vivent des difficultés nettement plus importantes : 48,4 % d'entre eux ont, en effet, deux années ou plus de retard et 33,7 % quittent l'école sans obtenir un diplôme, un pourcentage légèrement supérieur à la moyenne québécoise.

Les résultats des élèves allophones aux épreuves ministérielles de français[14], au sein desquels on ne peut toutefois distinguer la clientèle de l'accueil, montrent également que ceux-ci s'en tirent relativement bien ou, du moins, lorsqu'on les compare aux locuteurs natifs du français, que leur performance est inférieure mais pas de façon marquée. Les moyennes des élèves allophones à chacune des trois épreuves (écriture, lecture, oral) sont, en effet, de 57 %, 66 % et 69 % alors que celles des francophones s'élèvent respectivement à 64 %, 71 % et 73 %.

Ce bilan tend à corroborer l'efficacité de la classe d'accueil dans sa durée actuelle, et même potentiellement plus courte, pour une forte majorité de la clientèle. Il cerne aussi clairement une clientèle cible, les sous-scolarisés au secondaire, pour laquelle un séjour de deux, ou même parfois trois ans, ne paraît pas avoir généré les résultats escomptés.

D'autre part, depuis plus de vingt ans, diverses études des perceptions des décideurs locaux et surtout des intervenants scolaires[15] viennent contredire ces données ou, plus probablement, indiquer la nécessité de les nuancer. Systématiquement en effet, les enseignants de classe régulière semblent considérer qu'un pourcentage important d'élèves d'accueil intègrent leur classe insuffisamment préparés et que leur tâche s'alourdit d'année en année.

L'interprétation de ce hiatus est complexe. Il est probable d'abord que l'on fait face ici à un phénomène de baisse du seuil de tolérance lié à l'existence d'un service spécifique, bien connu pour d'autres clientèles. Cette tendance reflète une certaine déresponsabilisation des enseignants face à l'intégration linguistique des élèves nouveaux arrivants, qu'on voudrait voir entièrement réalisée par la classe d'accueil. Des craintes plus générales sur la situation sociolinguistique et les attitudes des allophones à l'égard du français au Québec ont probablement aussi une influence, plus discrète

---

14. MEQ (1994b).
15. CLF (1987a) ; MEQ (1988a) ; Lessard (1991).

mais réelle, sur l'attachement réitéré des enseignants au maintien de services spécifiques. Finalement, les données quantitatives sur les cheminements et les performances scolaires ne cernent que partiellement la maîtrise qualitative de la langue ainsi que les problèmes spécifiques vécus par les allophones, que les enseignants connaissent souvent mieux[16].

Quoi qu'il en soit de cette guerre de chiffres, il est évident que l'attitude des enseignants est un élément central de la solution. Tant que ceux-ci seront convaincus que c'est l'allongement de la classe d'accueil et non un arrimage plus étroit entre les services spécifiques et la classe régulière qui s'impose, la marge de manœuvre des partisans de cette dernière approche sera limitée.

La prospective

Cette difficulté à examiner critiquement un modèle développé il y a plus de trente ans, afin de cerner jusqu'à quel point il est encore adapté aux réalités nouvelles, a été particulièrement évidente lorsque le ministère a soulevé divers questionnements à cet égard dans le projet qui a précédé la *Politique d'intégration scolaire et d'éducation interculturelle*[17]. Un des principes directeurs de ce document affirmait: « La classe ordinaire doit être le principal lieu d'intégration des élèves nouvellement arrivés au Québec. » On y suggérait aussi qu'une diversification des modèles pourrait s'avérer pertinente, notamment aux *deux extrêmes*. Les clientèles *légères* du premier cycle du primaire pourraient bénéficier d'une intégration plus rapide en classe régulière. Pour la clientèle très *lourde* des sous-scolarisés au secondaire, des formules alternatives, entre autres, un enseignement associant plus étroitement langue d'accueil et langue d'origine, pourraient être expérimentées.

Cette proposition, qui ne remettait pas en question la légitimité de la classe d'accueil mais plutôt son monopole comme formule unique, apparaît somme toute assez modérée. Elle n'en a pas moins suscité une grande

---

16. Pour chacun de ces facteurs, voir respectivement Illich (1978), Hohl (1996) et Mc Andrew et Jacquet (1996) ainsi que Gress-Azzam (1987) et Messier (1997).
17. MEQ (1997a).

résistance de la part des syndicats d'enseignants, dont certains ont durci leur position traditionnellement favorable à des services spécifiques, en mettant désormais de l'avant le modèle d'écoles entièrement consacrées à l'accueil ou, du moins, où ce secteur serait fortement concentré[18].

Bien que le débat et l'expérimentation discrète de formules alternatives se poursuivent au ministère, dans certaines commissions scolaires et au sein des associations professionnelles, la résistance enseignante semble également avoir suscité un repli stratégique des décideurs. Le principe définitif se lit désormais dans la *Politique*: « La responsabilité de l'intégration des élèves nouvellement arrivés incombe à l'ensemble du personnel », un objectif nettement plus modeste que les orientations antérieures, *testées* par le ministère lors du processus de consultation.

L'expérience canadienne et internationale

Dans la controverse que vit actuellement le milieu scolaire québécois quant à la pertinence d'un modèle d'offre de services spécifiques pour l'apprentissage du français ou d'une insertion directe en classe régulière, un examen de la variété des formules et des débats qui ont cours dans d'autres sociétés est susceptible d'apporter un éclairage intéressant. Nous nous intéresserons ici à la Grande-Bretagne, au Canada anglais (notamment à l'Ontario et à la Colombie-Britannique qui sont, avec le Québec, les principales provinces d'accueil des immigrants), à la France et aux États-Unis. Il s'agit de sociétés où l'immigration est importante mais dont la dynamique sociolinguistique simple représente une limite à la comparabilité avec le contexte québécois. Nous présenterons d'abord chacune de ces expériences, qui opposent aux deux extrêmes du continuum *insertion directe en classe régulière/services spécifiques*, d'une part, la Grande-Bretagne et le Canada anglais et, d'autre part, la France et les États-Unis. Nous réfléchirons par la suite sur leur contribution potentielle au débat québécois.

---

18. Alliance des professeurs de Montréal (2000a, b, c).

La Grande-Bretagne

En Grande-Bretagne, la question linguistique représente un enjeu relativement mineur dans le débat relatif à la scolarisation de la clientèle d'origine
immigrée[19]. Celle-ci provient, en effet, très largement du Commonwealth
et sa motivation à apprendre l'anglais, voire même sa connaissance préalable assez fréquente de cette langue, fait l'objet d'un large consensus. Les
difficultés linguistiques, vécues par les élèves nouveaux arrivants, paraissent souvent davantage se situer au niveau de la maîtrise de la langue scolaire que de son simple apprentissage. Ainsi, la situation scolaire des
locuteurs de l'anglais *as a second dialect* — euphémisme par lequel on dési-
gne les Antillais anglophones — est souvent plus problématique que celle
des locuteurs de l'anglais *as a second language*, surtout lorsqu'ils sont originaires du sous-continent indien. Cette réalité a d'ailleurs récemment amené le *Department for Education and Employment* à redéfinir la
provision financière qui soutenait traditionnellement l'enseignement de
l'anglais aux allophones (*Section 11*) en une mesure plus large, l'*Ethnic
Minority Achievement Grant*, qui vise indistinctement les élèves *à risque*[20].

Conjuguée à la dominance de la question *raciale* au sein de la société et
de l'éducation antiraciste en milieu scolaire[21], cette liaison étroite des interventions visant l'apprentissage de la langue d'accueil et la lutte à l'échec
scolaire fait qu'il est souvent difficile de les distinguer au niveau des pratiques comme de l'évaluation.

On peut toutefois retenir que, depuis le rapport *Education for All* de la
Commission d'enquête sur l'éducation des enfants de minorités ethniques,
le modèle de classe fermée, qui a longtemps coexisté avec d'autres formules accordant un rôle plus important à la classe régulière, est fortement dis-
crédité. La *Commission for Racial Equality* a même statué que toute offre
de services parallèles à caractère plus ou moins permanent, qui aurait pour
effet, même indirect, d'isoler les élèves sur une base *raciale*, doit être considérée comme potentiellement discriminatoire. Quelques exceptions sont

---

19. Mason (1995); Gillborn et Gipps (1996); Commission for Racial Equality (CRE)
    (1999).
20. Office for Standards in Education (OFSTED) (1999).
21. Laperrière (1986); Foster (1990); Gillborn (1995).

toutefois prévues pour les élèves fortement sous-scolarisés, mais il faut alors démontrer la réalité du handicap vécu par cette clientèle. Même le modèle d'intégration à la classe régulière, où l'on retire l'élève à périodes fixes pour recevoir un soutien linguistique, est considéré avec méfiance. On craint, en effet, que l'élève ne prenne du retard dans ses matières scolaires lorsqu'il est hors de la classe ordinaire et que sa séparation des autres ne génère une stigmatisation. C'est donc le modèle d'intégration du spécialiste *ESL (English as a Second Language)* dans la classe régulière en *team-teaching* avec l'enseignant régulier qui est privilégié, en ce qui concerne l'offre de services et lors de la formation initiale et du perfectionnement du personnel[22].

Par ailleurs, les langues d'origine sont absentes, tant comme matière enseignée que comme langue d'enseignement. On ne retrouve pas de moniteurs bilingues ou de pratiques multilingues en appui à la première intégration. Il s'agit donc essentiellement d'une approche assimilationniste au plan linguistique et intégratrice au plan scolaire, ce qui reflète bien une société où la préoccupation antiraciste, plutôt que purement multiculturelle, est dominante.

D'une façon générale, le modèle d'intégration directe en classe régulière semble appuyé par les parents d'origine immigrée, même si certains sont moins satisfaits de l'absence de leur langue d'origine. Au plan des principes, les spécialistes ainsi que les syndicats d'enseignants le soutiennent également. Toutefois, le manque de moyens permettant une véritable intégration en classe régulière a été souvent dénoncé, notamment durant les années Thatcher[23]. Diverses évaluations ont de plus montré que l'intégration du spécialiste *ESL* dans la classe régulière est une formule exigeante. Elle nécessite, d'une part, un projet clair et une excellente coordination au niveau de l'équipe-école et, d'autre part, un grand professionnalisme des enseignants concernés[24].

22. Swann (1985) ; CRE (1986) ; Geach et Broadbent (1989) ; Loewelberg et Wass (1997) ; OFSTED (1999).
23. Gabb (1989) ; Bourne et McPake (1991) ; Troyna et Siraj-Blatchford (1993).
24. OFSTED (1996, 1997) ; Blair et Bourne (1998).

Le Canada anglais

À l'opposé de la perception dominante au Québec, la question linguistique est un enjeu important dans le débat concernant l'intégration scolaire des élèves d'origine immigrante au Canada anglais. On y connaît, notamment en Ontario, des niveaux d'immigration inégalés dans le reste du monde par rapport à la population totale. Le milieu scolaire, par le biais de ses associations professionnelles ou syndicales, réitère régulièrement ses préoccupations relatives aux compétences linguistiques des élèves nouveaux arrivants qui, dans les grandes villes comme Toronto ou Vancouver, représentent souvent la majorité des clientèles scolaires[25]. Cependant, comme en Grande-Bretagne, c'est la maîtrise de la langue scolaire par les allophones et même les anglophones sous-scolarisés, plutôt que la simple connaissance de l'anglais, qui est posée comme problématique.

En ce qui concerne l'offre de services visant l'apprentissage de la langue d'accueil par les immigrants, le Canada anglais est probablement la société où la variété des formules est la plus abondante. Celles-ci peuvent être regroupées schématiquement sous trois modèles types qui sont mis en œuvre, selon les caractéristiques du nouvel arrivant, son niveau scolaire et la densité du milieu[26]. C'est pourquoi l'évaluation des compétences de l'élève à son arrivée, effectuée centralement, est généralement très serrée, puisque de celle-ci dépend le placement dans l'une ou l'autre des formules[27].

Le modèle le plus répandu est celui de l'insertion de l'élève en classe régulière avec un soutien linguistique, qui prend la forme d'un retrait (quelques heures par semaine) pour un entraînement intensif à l'apprentissage de l'anglais. On rencontre également, de plus en plus, comme en Grande-Bretagne, le modèle d'intégration de l'enseignant *ESL* en classe régulière où l'élève allophone reçoit son soutien. Toutefois, la formule de classe fermée est présente au secondaire pour les élèves fortement

---

25. Emploi et Immigration Canada (1991) ; Kilbride (1997) ; Mc Andrew et Ciceri (1997) ; Messier (1997).
26. British Columbia Teacher Federation (BCTF) (1994) ; Messier (1997).
27. Toronto Board of Education (TBE) (1990) ; North York Board of Education (NYBE) (1996) ; Ministère de l'Éducation de la Colombie-Britannique (MECB) (1999a).

sous-scolarisés, la plupart du temps à très court terme mais parfois à plus long terme (jusqu'à un an). Cependant, on tente toujours d'assurer une intégration partielle en classe régulière[28].

Dans les deux premiers modèles, le mandat de l'enseignant *ESL* est défini de manière beaucoup plus large. En effet, cet enseignant joue le rôle d'un conseiller pédagogique auprès des enseignants réguliers, afin de les aider à adapter leur pédagogie aux besoins des non-locuteurs de l'anglais, et auprès de la direction, lors de la prise de décision relative au classement de l'élève ou à son passage en classe régulière.

Le rôle des langues d'origine est également important, tant au sein de la classe régulière que lors de l'offre de services spécifiques, surtout en Ontario, une province très dynamique à cet égard — comme nous le verrons au chapitre suivant. La Colombie-Britannique manifestait, en effet, jusqu'à tout récemment, beaucoup plus de résistance à la valorisation du plurilinguisme au sein du système scolaire public. Cette présence des langues d'origine, comme instrument de soutien à l'apprentissage de l'anglais, prend des formes diverses, telles le jumelage avec des élèves plus âgés de même langue, la présence de moniteurs bilingues bénévoles de la communauté ou le développement d'un matériel multilingue visant à assurer que les apprentissages scolaires continuent pendant que l'élève maîtrise sa nouvelle langue[29]. Toutefois, à l'opposé des États-Unis, le Canada anglais ne pratique pas l'éducation bilingue transitoire pour les nouveaux arrivants.

Même s'il n'existe pas d'évaluation formelle contrastant les forces et les faiblesses de chacune des formules, le modèle dominant d'intégration de l'élève nouvel arrivant à la classe régulière avec retrait pour soutien linguistique semble généralement apprécié[30]. On considère notamment qu'il est plus facile à mettre en œuvre que la formule de *team-teaching*, très exigeante au plan pédagogique et professionnel, tout en étant plus efficace au plan de l'apprentissage rapide de la langue et de l'intégration sociale que le modèle fermé. Ce dernier est, en effet, considéré comme une solution de dernier recours pour les clientèles *lourdes*. Il existe toutefois un large con-

---

28. Messier (1997) ; MECB (1999b).
29. TBE (1994) ; NYBE (1995).
30. BCTF (1994) ; Messier (1997).

sensus à l'effet qu'aucune formule gagnante n'a encore été trouvée pour répondre véritablement aux besoins de ce type d'élèves.

Par ailleurs, comme en Grande-Bretagne, les deux modèles à intégration directe sont critiqués par les spécialistes et les syndicats d'enseignants comme bénéficiant de moyens insuffisants[31]. Dans les deux cas, le fait qu'il s'agit de programmes définis sous des gouvernements sociaux-démocrates mais mis en œuvre par des gouvernements conservateurs n'est certainement pas étranger à ce hiatus entre les principes et la réalité.

La France

Tout comme en Grande-Bretagne, la question linguistique joue un rôle limité dans la problématique française relative à l'intégration scolaire des élèves issus de l'immigration[32]. En effet, le nombre d'élèves allophones nouveaux arrivants est peu élevé, puisque, *officiellement*, les flux migratoires sont arrêtés depuis 1974. Ainsi, en 1995-1996, on ne comptait dans toute la France qu'environ 6 000 élèves bénéficiant de mesures d'apprentissage du français. Toutefois, il s'agit d'une clientèle assez *lourde*, constituée essentiellement de réfugiés ou de clandestins. Le débat est donc axé sur l'intégration des élèves de seconde génération, dont les problèmes ne sont pas d'abord linguistiques mais liés à leur marginalisation sociale et scolaire.

L'offre de services destinés à la clientèle des nouveaux arrivants est assez proche de celle que nous connaissons au Québec[33]. Ainsi, au secondaire, c'est la classe d'accueil fermée qui domine, souvent pour une clientèle sous-scolarisée, auprès de laquelle diverses formules d'initiation à la culture de l'écrit et à la maîtrise de la langue scolaire sont expérimentées[34]. Au primaire, toutefois, la classe d'accueil, même si elle existe sur papier, est plus ouverte, notamment grâce à la mesure de double inscription. Chaque élève nouvel arrivant se voit, en effet, comptabilisé deux fois dans le ratio maître/élèves. Cette approche facilite son intégration à la classe régulière

---

31. BCTF (1994) ; Curtis et Taborek (1994).
32. Lorcerie (1995) ; Boyzon-Fradet et Chiss (1997) ; Payet (1999).
33. Boyzon-Fradet (1993a, b) ; Ministère de l'Éducation Nationale, de la Recherche et de la Technologie (MENRT) (1996, 1997a, 1998a).
34. Biarnes (1997) ; Ould-Sidi-Fall (1997).

pour certaines matières et contribue à responsabiliser l'ensemble du personnel scolaire face à l'intégration linguistique des primo-arrivants.

En cours préparatoire (soit la première année du primaire), c'est d'ailleurs l'insertion directe en classe régulière qui est recommandée par les autorités, même si ce principe est inégalement respecté[35]. Dans les deux cas, il faut rappeler que l'offre de services est assez restrictive, puisque limitée aux seuls primo-arrivants, dont la très forte majorité compte moins d'un an de séjour au pays.

Le modèle de la double inscription, bien que son efficacité n'ait pas été formellement évaluée, paraît intéressant. On reconnaît, en effet, dans cette mesure, la préoccupation française de lutter contre les ghettos et de favoriser l'intégration sociale, tout en évitant l'aspect improvisé que peut parfois revêtir l'immersion directe avec soutien à l'intérieur de la classe[36]. En effet, si cette approche est conforme au processus non linéaire d'apprentissage de la langue chez des élèves relativement jeunes[37], elle suscite souvent beaucoup d'anxiété chez certains enseignants, tout en étant sans doute largement étrangère à l'esprit cartésien.

Toutefois, la double inscription présente plusieurs défis. Tout d'abord, elle exige une excellente collaboration entre le personnel régulier et le personnel des services spécifiques. De plus, il faut que les autorités soient disposées à investir les fonds nécessaires à une double comptabilisation des élèves nouveaux arrivants dans les ratios maître/élèves, ce qui est nettement plus facile lorsqu'il s'agit de nombres réduits comme en France. Finalement, c'est une mesure qui fonctionne bien lorsqu'on peut opposer des classes d'accueil fortement pluriethniques à des classes régulières relativement homogènes. Or, en France comme dans d'autres contextes, cette réalité se présente de moins en moins souvent, même s'il existe une politique, plus ou moins appliquée, de répartition des classes d'accueil sur tout le territoire afin d'éviter leur concentration dans des zones de forte immigration.

---

35. MENRT (1998b).
36. Boulot (1991); Boyzon-Fradet (1993b); Boyzon-Fradet et Chiss (1997).
37. Painchaud *et al.* (1993).

Au primaire comme au secondaire, les langues d'origine ne jouent aucun rôle. Cet enseignement, largement contrôlé par les pays ou les communautés d'origine, vise, en France, le retour au pays — de moins en moins — ou la valorisation de l'élève et le maintien de sa langue, mais non le soutien à l'apprentissage du français[38].

Les États-Unis

Ce peu d'importance des langues d'origine dans la stratégie d'accueil des nouveaux arrivants en France constitue un contraste important avec la situation prévalant aux États-Unis. En effet, en autant qu'on puisse dire quelque chose de vrai sur une société si complexe qui comprend 50 États et 50 systèmes d'éducation, le modèle dominant, depuis l'adoption du *Bilingual Education Act* en 1968, y a été celui de l'éducation bilingue transitoire[39]. Il s'agit d'une scolarisation des nouveaux arrivants en langue d'origine, avec un apprentissage de l'anglais qui augmente graduellement en cours de scolarité jusqu'à devenir la seule langue d'enseignement, bien que la langue d'origine demeure langue enseignée. L'utilisation de la langue d'origine est considérée comme compensatoire. En effet, en théorie, on ne vise pas son maintien, comme c'est le cas dans les programmes de langues d'origine au Canada anglais ou au Québec — ce dont nous discuterons au chapitre suivant. Il s'agit plutôt de favoriser l'apprentissage normal des matières scolaires parallèlement à celui de l'anglais, tout en permettant à l'élève de combler certains de ses déficits cognitifs ou scolaires.

Ce choix traditionnel reflète l'enjeu central que représente la question linguistique dans le débat américain relatif à la scolarisation des élèves d'origine immigrée[40]. Cette importance a de quoi surprendre — surtout d'un point de vue québécois — quand on connaît la claire dominance de l'anglais aux États-Unis et dans le monde. On peut toutefois mieux comprendre la dynamique américaine lorsqu'on considère la nature et la concentration de sa population immigrante. Puisque la sélection de candidats

---

38. Inspection Générale de l'Éducation Nationale (IGEN) (1992).
39. Anderson et Boyer (1970); Fishman (1976); Genesee (1987); Crawford (1999).
40. August et Hakuta (1977); Hakuta (1986); Crawford (1997a).

indépendants est aujourd'hui limitée, les flux migratoires se composent surtout, en effet, de réfugiés et de clandestins, dont une très forte majorité est issue de l'Amérique centrale et du Sud. De plus, les immigrants se concentrent dans quelques États où existe une importante communauté hispanophone d'implantation ancienne, notamment la Californie et la Floride. Cette communauté jouit d'une forte complétude institutionnelle et continue d'entretenir des liens importants avec ses pays d'origine. Ainsi donc, l'intégration linguistique des nouveaux arrivants est loin d'être automatique. De plus, au plan scolaire, étant donné qu'il s'agit aussi d'une population défavorisée, elle pose de nombreux défis[41].

La contestation de l'éducation bilingue compensatoire, bien qu'elle ne soit pas nouvelle, connaît aujourd'hui un nouveau regain aux États-Unis. Les opposants de l'éducation bilingue[42] lui reprochent, entre autres, d'être utilisée, notamment par la communauté latino-américaine, comme un programme de maintien de langue et de culture, de ne pas vraiment favoriser l'apprentissage de l'anglais, de coûter cher et de n'être applicable qu'à certaines minorités nombreuses et concentrées. De plus, notamment pour les clientèles sous-scolarisées du secondaire, l'éducation bilingue se transformerait souvent en une scolarité ségréguée et de second ordre.

Ce mouvement, qui coïncide avec le retour de la droite et avec une préoccupation renouvelée pour le statut de l'anglais comme langue commune aux États-Unis, a amené divers États à interdire ou à fortement limiter l'usage des langues d'origine dans leurs interventions auprès des nouveaux arrivants[43]. Ce fut le cas, entre autres, en Californie, où les opposants à l'éducation bilingue ont obtenu son abolition suite à l'adoption par référendum (à plus de 70 %) de la proposition 227, *English Language Education for Immigrant Children*. Depuis, on a assisté à l'apparition d'un foisonnement de contre-formules où l'apprentissage de l'anglais est mis en priorité et la place des langues d'origine, inexistante ou moindre. Pour l'essentiel, il s'agit de classes fermées, nommées aux États-Unis *Sheltered Instruction* ou

---

41. Institute for National Statistic (1997) ; Waldinger (1997) ; Passell (1998).
42. McQuillan et Tsé (1996) ; Crawford (1997a) ; English for the Children (1997a, b).
43. Schmidt (1993) ; The Stanford Working Group (1995) ; California State Board of Education (1998) ; Ovando et Collier (1998).

Structured Immersion, d'une intégration en classe régulière avec retrait pour soutien linguistique, *ESL Pull Out*, ainsi que d'une intégration en classe régulière avec soutien à l'intérieur de la classe.

À l'opposé, les défenseurs de l'éducation bilingue[44] considèrent que la préoccupation obsessive quant au statut de l'anglais est absurde et qu'elle reflète le racisme des *nativistes* américains. De plus, ils font valoir que la recherche montre que les programmes bilingues sont plus efficaces, ou au moins aussi efficaces que les autres approches d'apprentissage de l'anglais.

Or, à cet égard, les conclusions de la recherche sont en fait moins univoques que l'un ou l'autre camp ne l'invoque. La littérature scientifique américaine récente et même ancienne foisonne, en effet, de résultats contradictoires émanant d'études diverses, dont on se plaît à dénoncer de part et d'autre les limites méthodologiques[45]. Au-delà de ce foisonnement, il est possible de tirer quelques grandes tendances qui ne sont toutefois pas des plus directement utiles à la prise de décision.

En effet, d'une part, il semble confirmé, en principe, lorsqu'on se base non sur des études évaluatives de l'efficacité de divers modèles mais sur le corpus de recherches psycholinguistiques portant sur les locuteurs eux-mêmes, que la maîtrise de la langue d'origine a un impact positif sur l'apprentissage de la langue seconde. D'autre part, ce qu'on évalue sous le vocable de programmes bilingues est si disparate, tout comme ses contre-modèles, qu'il n'existe pas de conclusions définitives en ce qui concerne l'efficacité sur le terrain d'une approche ou d'une autre[46].

Les réflexions potentiellement les plus intéressantes, face aux enjeux qui confrontent aujourd'hui le milieu scolaire québécois, paraissent résider dans le rapport effectué pour le *US Department of Education* par le *National Research Council* (1997). À partir d'une méta-analyse de trente ans de recherches sur les pratiques les plus efficaces en matière d'apprentissage de la L_2, les auteurs de ce rapport concluaient, en effet, que :

---

44. Fishman (1992) ; Krashen (1996) ; Crawford (1999).

45. Rossell et Baker (1996) ; Greene (1998).

46. Pour contraster ces deux approches, on peut se référer respectivement à Hakuta et Diaz (1985), Cummins (1989), Bialystok (1991), d'une part, et, d'autre part, à Ramirez *et al.* (1991), Dolson et Meyer (1992), Gandara et Merino (1993) et Greene (1998).

1. Ce n'est pas le modèle qui compte mais ce qui s'y passe : il faut identifier les pratiques pédagogiques bien différentes que peuvent cacher des étiquettes similaires ;

2. Les pratiques pédagogiques qui fonctionnent sont les suivantes :
   - un programme structuré visant un apprentissage systématique de la langue,
   - une reconnaissance et une utilisation de la langue d'origine, du moins en début de programme,
   - un corps enseignant formé de spécialistes,
   - une intégration maximale avec le reste de l'école et des pairs de langue anglaise ;

3. D'une façon plus générale, ce sont les écoles et leur personnel et non les modèles qui ont le plus d'impact sur la réussite scolaire des élèves appartenant à des minorités. Ceux-ci réussissent bien dans les écoles où l'ensemble des élèves réussit ou, du moins, atteint une performance satisfaisante en tenant compte de la composition socioéconomique du milieu.

Ces conclusions reprennent celles d'autres études plus anciennes ou de prises de position émanant de groupes professionnels[47]. De plus, les auteurs rappellent que l'ensemble des constats des nombreuses recherches sur les écoles et les classes *efficaces*[48] s'appliquent également aux services destinés aux nouveaux arrivants. Il s'agit, entre autres, d'une philosophie du succès pour tous, d'un *leadership* clair de la direction, d'une équipe-école bien intégrée avec une vision commune, et d'un lien étroit avec les parents.

Contribution potentielle au débat québécois

Ce rapide survol de quelques approches visant l'apprentissage de la langue d'accueil par les nouveaux arrivants et des débats qu'elles suscitent révèle d'abord qu'il n'y a pas de *formule miracle*, gagnante à tout coup. Dans chacune des sociétés étudiées, des limites ont été identifiées au(x) modèle(s)

---

47. Garcia (1988) ; California State University Institute for Educational Reform (1995).
48. Sammons *et al.* (1995) ; Johnson et Acera (1999).

privilégié(s), qu'il(s) se situe(nt) à l'un ou à l'autre extrême du continuum *insertion directe en classes régulières/services spécifiques*. En effet, on fait face partout à la même difficile tension entre, d'une part, la nécessité d'une forme de traitement particulier pour soutenir l'apprentissage de la langue d'accueil chez les nouveaux arrivants et, d'autre part, le danger que ces mesures ne deviennent des voies d'évitement. Ainsi, on rejette clairement l'immersion sauvage, le *sink or swim*, mais on s'inquiète des conséquences d'une ségrégation trop longue, notamment en ce qui concerne l'accès à d'autres modèles linguistiques que le seul professeur d'une classe fermée. Cette inquiétude est d'autant plus justifiée qu'il faut de cinq à sept ans à des élèves immigrants allophones pour atteindre une maîtrise de la langue scolaire équivalente à celle des locuteurs natifs[49]. Dans chacun des contextes, selon l'âge de l'élève et ses caractéristiques linguistiques ou scolaires, on s'interroge donc sur le meilleur moment où, sur un continuum de services, ce devrait être la classe ordinaire qui prenne la responsabilité première.

On note aussi souvent un important hiatus entre les modèles théoriques et leur mise en œuvre sur le terrain. Ainsi, dans les sociétés qui ont fait le choix d'une intégration plus rapide en classe régulière, les ressources promises, lorsqu'on a procédé au démantèlement des services spécifiques, n'ont pas toujours suivi. C'est une problématique bien connue des enseignants qui ont déjà vécu *l'intégration* d'autres types de clientèle. À l'inverse, dans les sociétés où les services spécifiques sont privilégiés, la rhétorique voulant qu'ils aient un caractère temporaire et qu'on favorise leur intégration maximale à l'intérieur des structures communes n'est pas toujours relayée sur le terrain, où des phénomènes de marginalisation permanente semblent émerger.

De plus, dans tous les cas, on réussit beaucoup mieux avec les élèves dont le profil socioéducatif et l'âge d'arrivée sont favorables qu'avec les clientèles *lourdes*, pour lesquelles on expérimente diverses approches alternatives dont aucune n'est encore clairement concluante. Bien que ce dernier commentaire ressemble un peu à une lapalissade, il n'est pas sans rappeler la boutade connue voulant que les succès des élèves doivent leur

---

49. Painchaud *et al.* (1993).

être imputés alors que leurs échecs seraient *la faute du professeur* ou, ici, celle des décideurs…

On peut toutefois retenir de l'expérience canadienne et internationale trois constats susceptibles d'éclairer le débat québécois.

Tout d'abord, la variété et la flexibilité des formules paraissent préférables au modèle unique, ne serait-ce que parce que les clientèles elles-mêmes sont diversifiées, tant en ce qui concerne leurs caractéristiques que leurs attentes. À cet égard, une première distinction évidente est celle qui oppose les ordres primaire et secondaire. En effet, les sociétés les plus *intégratrices immédiates*, telles la Grande-Bretagne ou le Canada anglais, font quand même toujours une exception pour les élèves arrivés tardivement. À l'inverse, les sociétés les plus axées sur les services spécifiques, la France et, dans une moindre mesure, les États-Unis, ont généralement des approches plus *légères* auprès des élèves plus jeunes. Une seconde différence résiderait dans le rôle que sont appelées à jouer les langues d'origine en soutien à l'apprentissage de la langue d'accueil, un domaine où le milieu scolaire québécois n'a encore manifesté que beaucoup de timidité. Là encore, puisque les résultats de la recherche sont non concluants, il faudrait éviter d'imposer une approche unique, tant aux enseignants qu'aux parents. Certains peuvent avoir des réserves à l'égard de programmes bilingues trop formalisés alors que d'autres manifesteraient beaucoup d'enthousiasme à expérimenter des formules alternatives en cette matière. Rappelons qu'en Californie, le fait que le référendum relatif à la proposition 227 ait été adopté à 70 % démontre clairement qu'une proportion importante des parents hispanophones s'oppose aussi à l'éducation bilingue.

Par ailleurs, si l'insertion directe en classe régulière avec divers modèles de soutien linguistique à l'élève ou à l'enseignant n'est pas une panacée, elle ne se révèle pas non plus, à la lumière de l'approche comparative, comme le désastre annoncé par certains au Québec. Au minimum et quelle que soit la décision finale adoptée à cet égard, on peut retenir que la responsabilité collective de l'intégration linguistique des nouveaux arrivants et la nécessité d'un lien étroit entre les services spécifiques et la classe régulière s'imposent comme des principes fondamentaux. Leur pertinence est confirmée par les méta-analyses des nombreuses études, surtout américaines, contrastant l'efficacité de diverses formules.

Les conclusions qui en émanent plaident également pour un déplacement du débat, des modèles et formules vers les pratiques pédagogiques et les stratégies d'enseignement ou, si l'on préfère, des officines des ministères et des commissions scolaires vers les écoles et les classes. Malgré ce qu'on pourrait penser à première vue, ce changement de paradigme réclame davantage un élargissement de nos perspectives qu'une concentration sur un axe plus étroit. En effet, il s'agit d'articuler, davantage que par le passé, ce que nous savons de la réussite scolaire en général et de celle des allophones en particulier à notre expertise relative aux approches efficaces auprès des nouveaux arrivants.

Qu'en est-il de la transférabilité de ces conclusions au contexte spécifique du Québec? Notre dynamique sociolinguistique particulière la rend-elle difficile, voire impossible? Bien que diverses mises en garde puissent être faites, il semble plausible de penser que ce n'est pas le cas.

En effet, à l'opposé d'un emprunt généralisé et non critique des diverses formules, dont nous avons souligné au fur et à mesure de leur présentation le type de contexte ou de clientèle auxquels elles répondent, il s'agit ici de tendances suffisamment générales, nous semble-t-il, pour être utiles aux décideurs et intervenants québécois dans leur analyse de la situation qui nous est propre.

En ce qui concerne plus spécifiquement la désirabilité d'une variété d'approches, certains pourraient faire valoir que, dans des contextes où le statut de la langue d'accueil est plus fragile, les modèles *légers*, ou qui valorisent le plurilinguisme, ne sont pas souhaitables. En l'absence de données de recherche sur lesquelles on pourrait s'appuyer pour infirmer ou confirmer cette perception, on peut souhaiter que, à très court terme, différentes expériences pilotes de cette nature soient mises sur pied et que leur efficacité soit étroitement évaluée. Toutefois, il est possible d'ores et déjà de faire valoir, aux opposants de ce type de formules, que l'expérience de sociétés plus similaires au Québec au plan sociolinguistique ne leur donne que partiellement raison.

En effet, il est vrai que tant la Catalogne que la Flandre privilégient généralement le modèle de classe fermée pour les nouveaux arrivants[50].

---

50. Byram et Leman (1990); Medhoune et Lavallée (2000); Rasero *et al.* (2000).

Toutefois, en Catalogne, c'est le modèle d'intégration à la classe régulière qui prévaut au premier cycle du primaire et, dans les écoles néerlando-phones de Bruxelles, la formule privilégiée est celle d'une éducation trilin-gue (français, néerlandais, langue d'origine) de la population d'origine immigrée. Bien entendu, d'autres différences de contexte peuvent expliquer cette ouverture. Dans le premier cas, il faut signaler l'accès à la maternelle dès l'âge de deux ans et, dans le second, la compétition linguistique entre écoles francophones et néerlandophones, dans une ville où la fréquenta-tion scolaire de l'un ou l'autre réseau n'est pas régulée par la loi. Mais, quand on compare la fragilité objective du catalan dans l'ensemble de la Catalogne et du flamand à Bruxelles avec la situation nettement plus assu-rée du français à Montréal, force est de constater que ces sociétés apparais-sent nettement moins frileuses que la nôtre.

Par ailleurs, les résistances plus grandes que semble susciter le principe d'une responsabilité collective du milieu scolaire dans l'intégration linguis-tique paraissent liées à la dynamique spécifique de relations ethniques de notre société. La scolarisation des immigrants au sein des institutions de la majorité y est, en effet, un enjeu beaucoup plus récent que dans les quatre sociétés étudiées. Le sentiment de sécurité que procure une expertise transgénérationnelle à cet égard n'a pas encore pu s'y développer pleine-ment. De plus, l'étanchéité des frontières entre un *Nous* canadien-français, qui est encore largement celui des enseignants, et les *Autres* y est sans doute plus marquée que dans des contextes où le personnel est déjà largement multiethnique[51]. Il est toutefois évident qu'une partie de la résistance ac-tuelle des enseignants à la remise en question des anciens modèles n'est pas liée à la spécificité québécoise mais relève d'une dynamique corporatiste que nous partageons avec d'autres sociétés. À cet égard, on peut la compa-rer, par exemple, à la réaction des syndicats d'enseignants ontariens face au *Heritage Language Program*, qui sera discutée au chapitre suivant.

À plus long terme, pour utiliser ici un lieu commun, *le temps ne peut qu'arranger les choses*. La problématique de l'intégration scolaire des immi-grants tend de plus en plus à se *normaliser* dans un Québec qui a mis les

---

51. Hohl (1996) ; Hohl et Normand (2000).

bouchées doubles en ce qui concerne son rythme d'adaptation à ce nouveau défi. De plus, si notre dynamique sociolinguistique est plus complexe, il ne faut pas oublier que nous jouissons de nombreux avantages par rapport à trois des quatre sociétés étudiées, soit la France, la Grande-Bretagne et les États-Unis. En effet, la composition socio-économique nettement plus favorable de nos flux migratoires ainsi que la marginalisation et la ségrégation beaucoup moins importantes des nouveaux arrivants au Québec favorisent nettement leur intégration scolaire. Cette réalité ne peut avoir que des conséquences positives sur leur maîtrise de la langue d'accueil.

2

L'ENSEIGNEMENT DES LANGUES D'ORIGINE : QUEL AVENIR AU SEIN DU SYSTÈME SCOLAIRE PUBLIC ?

La problématique québécoise

Le PELO : origines et évolution

Tout comme la mise en place du système d'accueil, la création du Programme d'enseignement des langues d'origine (PELO) en 1977 nous ramène à une époque où la dynamique de relations ethniques était sans commune mesure avec celle que nous vivons aujourd'hui. Le Parti québécois n'était au pouvoir que depuis six mois. La remise en question de l'*ordre linguistique* venait à peine d'être amorcée, suscitant généralement l'enthousiasme des francophones mais une forte résistance au sein de la communauté anglophone et des communautés d'origine immigrante anglicisées ou anglophiles[1].

L'ouverture au pluralisme linguistique et surtout la reconnaissance d'un rôle de l'État à cet égard s'inscrivent clairement dans la foulée de ces développements. C'est, en effet, dans le cadre de la *Politique québécoise de la langue française*, de mars 1977, le Livre blanc qui a précédé l'adoption de la

---

1. Cappon (1975) ; Marleau (1980).

Charte de la langue française, que le gouvernement a annoncé son intention de soutenir désormais l'enseignement des langues et des cultures d'origine à tous les niveaux du système scolaire. Les communautés allophones sont alors bien davantage préoccupées de préserver leur capacité d'intégration à long terme à la minorité anglophone dominante que de réclamer un soutien étatique à leur dynamisme culturel ou linguistique. À l'opposé d'autres contextes, ce n'est donc pas suite à leur mobilisation que se crée le PELO, mais en réponse aux intérêts du gouvernement et du groupe majoritaire[2].

Dans un tel contexte, il est évident que plusieurs, notamment les porte-parole des groupes les plus engagés dans la lutte contre la Loi 101, ont considéré cette annonce comme une manœuvre politique. Il s'agissait, pensait-on, d'amadouer les allophones en vue de briser leur alliance stratégique avec les anglophones et de les amener à accepter la fréquentation de l'école française. Certains allaient même jusqu'à imputer au Parti québécois l'intention de favoriser ainsi un renversement du vote ethnique lors du futur référendum.

Bien que cette vision cynique ait pu comporter quelques éléments de vérité, vingt-cinq ans après l'adoption du PELO, alors que les émotions sont retombées, elle apparaît rétrospectivement trop restrictive et trop étroite. Il aurait fallu, en effet, être bien naïf pour espérer de telles retombées, à court terme, d'une mesure dont l'ampleur était limitée et visible surtout par les parents concernés. En fait, pour le leadership ethnique, indépendamment du contexte de polarisation linguistique, l'enseignement des langues d'origine à l'école publique, loin d'être un élément pacificateur, risquait d'être perçu comme une mesure entrant en compétition avec les services offerts par les communautés elles-mêmes[3]. Il est donc plus probable que les décideurs de l'époque investissaient à long terme, confiants que la nouvelle reconnaissance du pluralisme linguistique au sein du système scolaire contribuerait à l'amélioration des relations interethniques. On voulait, entre autres, envoyer des signaux aux nouveaux arrivants que la fréquentation de l'école française n'avait pas pour but de leur imposer

---

2. Gouvernement du Québec (1977a) ; Laferrière (1983, 1985a) ; Mc Andrew (1991).
3. Communauté hellénique de Montréal (1980) ; Van Dromme *et al.* (1985).

l'assimilation linguistique, et aux communautés plus anciennes que le Québec, dont le français serait désormais la langue commune de la vie publique, soutiendrait le développement de leur langue d'origine[4].

Au-delà de sa dynamique particulière, le Québec s'inscrivait aussi dans une tendance internationale de valorisation des langues et des cultures d'origine des immigrants pour des motifs pédagogiques. L'année 1977 représente, en effet, celle de la création du *Heritage Language Program* en Ontario et celle de l'adoption de la Directive de la Communauté européenne en cette matière, alors que les États-Unis étaient déjà activement engagés dans le mouvement d'éducation bilingue depuis la fin des années 1960. Rappelons d'ailleurs que c'est le ministre québécois de l'Éducation, Camille Laurin, qui présidait cette année-là la Conférence des ministres de l'éducation du Canada, où le dossier avait été activement discuté[5].

Lorsque le programme est effectivement créé en 1978, les objectifs mis de l'avant visent ainsi, essentiellement, l'intégration scolaire des élèves allophones. On fait valoir, d'une part, que la recherche internationale démontre que la maîtrise de la langue d'origine favorise l'apprentissage de la langue d'accueil et, d'autre part, que la reconnaissance de la diversité linguistique contribue au développement du sentiment d'appartenance des élèves à l'école. Le maintien des liens familiaux intergénérationnels est aussi évoqué comme un objectif souhaitable au plan psychologique[6].

Les caractéristiques du programme reflètent toutefois le contexte particulier de rapports ethniques qui prévaut alors au Québec, et notamment la position de demandeur qu'occupe la communauté francophone face aux communautés culturelles. L'enseignement des langues d'origine se voit reconnaître au Québec une légitimité certaine, notamment lorsqu'on compare son statut avec la situation prévalant dans d'autres provinces ou pays. Considéré comme un programme scolaire régulier, il est dispensé par des enseignants dont la formation doit être reconnue par les autorités scolaires et qui sont payés selon la même échelle salariale que leurs collègues. Il

---

4. Gouvernement du Québec (1977a, 1978).
5. US Government (1968) ; Conseil des Communautés européennes (1977) ; Ministère de l'Éducation de l'Ontario (MEO) (1977) ; Mc Andrew (1991).
6. Ministère de l'Éducation du Québec (MEQ) (1978, 1983b) ; Bitton (1984a, b).

relève directement du ministère de l'Éducation du Québec (MEQ) qui en assure le financement et élabore les programmes types pour chaque niveau, du moins en ce qui concerne les quatre premières langues : italien, portugais, grec et espagnol. Ces programmes sont étroitement arrimés aux autres disciplines scolaires, notamment aux approches privilégiées dans le domaine de l'enseignement de la langue d'accueil. La culture et l'expérience qu'on y présente sont celles des immigrants et des allophones *ici et maintenant* et non principalement celles du pays d'origine. Par ailleurs, c'est le modèle d'intégration à l'horaire scolaire régulier qui est privilégié au départ, une revendication centrale dans d'autres contextes[7].

Malgré ces augures favorables, le PELO, sans être un échec, ne connaîtra pas dans les années subséquentes un développement remarquable, tant aux plans quantitatif que qualitatif. Il rencontre d'abord quelques résistances au sein des communautés, liées au contexte sociopolitique décrit plus haut ; mais ces réticences se sont graduellement dissipées, notamment lorsque le programme a pu être offert au sein des écoles anglaises qui comptent désormais pour plus de la moitié de la clientèle. Il atteint sa fréquentation maximale dans les années 1990 avant de se stabiliser autour de 7000 élèves étudiant quelque 14 langues. Au sein de celles-ci, l'italien demeure dominant (80 %), mais la création de nouvelles classes touche de plus en plus les langues des communautés d'arrivée plus récente et de complétude institutionnelle plus faible, par exemple l'espagnol, l'arabe ou les langues du sud-est asiatique[8].

Plusieurs facteurs peuvent expliquer cette relative stagnation[9]. Tout d'abord, il faut mentionner l'existence d'écoles privées dites *ethniques* mais qui sont en fait des écoles religieuses (orthodoxes, juives, arméniennes et musulmanes) subventionnées à même les fonds publics. Les parents les plus intéressés au maintien et au développement de leur langue et de leur culture d'origine ont ainsi accès *de facto*, sans frais exorbitants, à des écoles privées bilingues et mêmes trilingues. De plus, au secondaire, le PELO a

---

7. MEQ (1978, 1983c, d) ; Mc Andrew (1991).
8. MEQ (1996b) ; Mc Andrew et Ciceri (1998).
9. Pour chacun de ces facteurs, voir respectivement Genesee (1987) ; MEQ (1985) et MEQ (1982, 1983e).

rarement été offert, les élèves et les parents préférant se prévaloir de la possibilité de faire reconnaître, par le MEQ, les cours offerts par les organismes communautaires, comme crédits supplémentaires dans le cadre de la certification de fin d'études. Par ailleurs, les intervenants scolaires ont souvent manifesté beaucoup de réticence à intégrer le programme à l'horaire scolaire régulier, notamment dans les écoles françaises qui comptaient peu de concentration importante d'un seul groupe linguistique.

Le programme, qui consiste en un enseignement de deux heures et demie par semaine, a donc été de plus en plus souvent offert comme une activité extracurriculaire, avant ou après l'école. Cette dernière formule n'a pas nécessairement limité son attrait auprès des parents. On peut même penser que la non-intégration, qui est un modèle plus souple, a plutôt contribué à maintenir les niveaux d'inscription au PELO. Toutefois, elle a contribué à faire du PELO un programme dont le statut est peu important aux yeux du personnel scolaire, tout en créant un certain hiatus entre les enseignants réguliers et les enseignants de langue d'origine[10].

Au plan qualitatif, le programme a souffert d'un manque de *focus* lié à l'évolution rapide de ses objectifs ainsi qu'à la faiblesse de l'arrimage entre ceux-ci et ses caractéristiques mêmes. Ainsi, la dimension *intégration au milieu scolaire et apprentissage de la langue d'accueil* a graduellement occupé moins d'importance dans les arguments avancés par le ministère et par les partisans du PELO. En effet, deux réalités s'inscrivaient en faux face à cet objectif. D'une part, la clientèle est constituée à plus de 80 % d'italophones de deuxième ou de troisième génération. La plupart possèdent généralement une meilleure maîtrise du français et de l'anglais que de l'italien, dont leurs parents ou leurs grands-parents ne connaissent souvent d'ailleurs qu'une variante dialectale. D'autre part, les concepteurs du programme ont décidé de ne pas l'offrir aux élèves fréquentant l'accueil et d'y privilégier l'oral aux dépens de la maîtrise du code écrit, ce qui est contraire aux conclusions de la recherche internationale sur les conditions favorables au transfert des habiletés en langue maternelle vers la langue d'accueil. On peut voir, dans ce choix, contestable au plan pédagogique, un reflet de la préoccupation québécoise relative à la fragilité du français et à

---

10. Mc Andrew (1991).

la nécessité de ne pas exposer l'élève, en début d'apprentissage, à une double sollicitation linguistique[11].

L'enrichissement interculturel a donc été de plus en plus mis de l'avant et, dès 1988, le PELO a été ouvert aux non-locuteurs des langues d'origine à la condition que ceux-ci ne représentent pas plus du tiers de la clientèle. Ces limites sont apparues nécessaires suite à certaines résistances des communautés concernées à voir un programme, visant le maintien de leur langue et de leur culture d'origine, transformé en une occasion de contacts interculturels pour les francophones. Toutefois, même si cette ouverture avait été adoptée en réponse aux résistances de certains parents ou intervenants majoritaires, il faut noter que la base n'a guère suivi. On évalue aujourd'hui que seulement 10 % de la clientèle du PELO, surtout des cours d'espagnol et d'italien, serait composée de non-locuteurs. Par ailleurs, dans le cas des communautés d'arrivée plus récente, le PELO a souvent été associé aux mesures d'accroissement des liens avec les familles, le même personnel assumant les fonctions d'agent de liaison et d'enseignant du PELO[12].

Malgré ces limites, le PELO semble apprécié tant des parents que des intervenants scolaires dans les milieux où il est offert[13]. En effet, bien que des résistances larvées continuent de se manifester chez certains enseignants, il existe désormais un certain consensus quant à la désirabilité, pour l'élève d'origine immigrante, de maintenir des liens significatifs avec sa langue et sa culture d'origine. Toutefois, cet appui ne s'étend pas nécessairement au PELO, mesure d'enrichissement interculturel, surtout lorsque ce sont les immigrants allophones qui choisissent d'étudier une troisième langue étrangère plutôt que leur langue d'origine.

En ce qui concerne les débats sociaux plus larges, on doit noter que le programme, qui jouit d'une visibilité réduite, a suscité extrêmement peu de controverse en milieu québécois, surtout lorsqu'on compare cette question aux tensions suscitées par la prise en compte de la diversité culturelle ou religieuse[14]. Le seul conflit médiatisé, qui a touché la Commission sco-

---

11. MEQ (1978, 1983c, d) ; Mc Andrew et Ciceri (1998).

12. MEQ (1988a, 1996b) ; Mc Andrew et Hardy (1992).

13. Azzam et Mc Andrew (1987) ; *La Presse* (1988a) ; Mc Andrew (1988c) ; *The Gazette* (1988).

14. Proulx (1995a) ; Mc Andrew et Ciceri (1998) ; Ciceri (1999).

laire Sainte-Croix (CSSC) en 1988, semblait relever davantage de considé-
rations sociopolitiques ou économiques locales que de la seule dimension
linguistique. En effet, dans cette commission scolaire à forte proportion
immigrante, on a offert, pendant plus de dix ans, des programmes en cam-
bodgien, laotien et chinois, sans que cet enseignement ne fasse l'objet
d'une quelconque contestation. Toutefois, lorsqu'une demande similaire a
émané de parents arabophones, les tensions se sont multipliées dans une
école de milieu favorisé traditionnellement francophone, où vivait désormais une importante communauté arabophone. La perception stéréotypée
de ce groupe comme une menace à la démocratie, à l'égalité des sexes et à
la séparation des sphères publique et privée était centrale dans le discours
tenu par les opposants à l'enseignement de l'arabe. De plus, leur résistance
paraissait étroitement liée à la transformation résidentielle que connais-
saient alors leur quartier et leur municipalité[15].

La faiblesse des études évaluatives

À l'opposé des classes d'accueil qui ont fait l'objet de diverses évaluations
perceptives ou quantitatives, l'efficacité du PELO à répondre à l'un ou l'autre
des objectifs qu'on lui imputait a été peu explorée. De plus, les quelques recherches menées à cet égard datent, ce qui représente un handicap majeur
dans un contexte d'évolution rapide comme celle qu'a connu le système scolaire québécois depuis vingt-cinq ans dans son rapport à la diversité.

Une première étude réalisée à la Commission des écoles catholiques de
Montréal (CECM) en 1987[16] et qui portait sur les relations entre le rendement scolaire et l'inscription au PELO a démontré, minimalement, l'absence d'un lien négatif entre ces deux variables. L'auteur n'a toutefois pas
été en mesure, pour des raisons méthodologiques, de confirmer l'existence
d'un impact positif de l'apprentissage de la langue d'origine sur la maîtrise
de la langue d'accueil, tel qu'évalué, par exemple, par les résultats en français. Dans ce domaine, même si des études à petit échantillon d'élèves
bilingues et trilingues fréquentant ou non le PELO semblent corroborer les

---

15. Commission scolaire Sainte-Croix (CSSC) (1988, 1989b) ; *Journal de Montréal*
(1988) ; *La Presse* (1988b).
16. Globensky (1987).

tendances internationales[17], on en est donc réduit au Québec à assumer la transférabilité des conclusions positives émanant de la littérature étrangère. Or, les contextes sociolinguistiques et pédagogiques sont largement différents, notamment en ce qui concerne le statut de la langue d'accueil et les caractéristiques relativement *légères* du PELO par rapport aux programmes bilingues internationaux qui font l'objet de telles évaluations.

Une seconde étude[18], toujours dans la même commission scolaire, explorait les attitudes des intervenants et des parents. Elle a montré le rôle essentiel des directions d'école dans l'acceptation du programme, ainsi qu'un large consensus, parmi le personnel scolaire et les familles, quant à son impact positif sur le sentiment d'appartenance de l'élève à l'école. Les deux groupes s'entendaient cependant sur le peu d'influence du PELO sur la participation des parents. En effet, celle-ci est considérée comme une problématique multidimensionnelle. La présence ou l'absence des langues d'origine à l'école n'y apparaît pas comme centrale. Toutefois, bien que les attitudes à cet égard ont sans doute évolué depuis, il faut rappeler que les parents et les directions semblaient bien plus convaincus que les enseignants des conséquences positives du PELO sur l'apprentissage du français.

Étrangement, pour un programme dont l'objectif principal est le maintien des langues et des cultures d'origine et qui est en compétition directe avec les services équivalents offerts par les communautés, on n'a jamais tenté d'en évaluer les résultats au plan des compétences des élèves en langue d'origine. Bien entendu, au niveau de chaque classe, il existe un bulletin descriptif et il peut arriver que les élèves fassent l'objet d'une évaluation non seulement formative mais également sommative, selon l'expérience ou le style pédagogique des enseignants de langue d'origine. Toutefois, puisque ces données ne sont pas comparatives, elles sont de peu d'utilité pour le décideur. De même, l'impact de la fréquentation du PELO sur les clientèles de non-locuteurs, tant au plan linguistique qu'à celui des attitudes à l'égard de la diversité, n'a jamais été évalué depuis que le programme est théoriquement ouvert à tous[19].

---

17. Maravélaki (1993) ; Painchaud *et al.* (1993).
18. Azzam et Mc Andrew (1987).
19. Mc Andrew et Ciceri (1998) ; Laurier *et al.* (1999).

La prospective

Amorcé en lion, dans un contexte de polarisation marquée, le PELO québécois semble aujourd'hui transformé en mouton sommeillant dont la pertinence est sujette à questionnement. Relativement bien accepté là où il est mis en œuvre, il ne jouit pas d'un grand statut dans l'ensemble du système scolaire québécois ni d'une visibilité importante au sein des communautés d'origine immigrée, si ce n'est lorsque leurs enfants sont directement bénéficiaires du service. De plus, ayant poussé un peu dans tous les sens, sans grand souci de vérification de l'atteinte des objectifs assignés, le programme manque aujourd'hui de légitimité aux yeux des décideurs, désormais plus soucieux que par le passé de l'imputabilité des fonds publics.

On peut aussi considérer que c'est un programme qui a mal vieilli. En effet, au-delà de la multiplicité des arguments invoqués pour justifier sa mise en œuvre, son rôle spécifique semble avoir été de favoriser le développement du sentiment d'appartenance des élèves allophones à l'école française ainsi que la perception de celle-ci comme un lieu d'accueil de la diversité. Or, il s'agit d'une fonction dont on ressent nettement moins l'urgence, vingt-cinq ans après l'adoption de la Loi 101, que lors de la création du programme.

Le PELO fait aujourd'hui l'objet d'une importante remise en question gouvernementale[20]. Plusieurs intervenants et décideurs aimeraient, en effet, que le programme retrouve sa vocation première de soutien à l'intégration scolaire. Ils font valoir qu'on devrait y mettre en priorité les communautés linguistiques d'arrivée récente, et le développer davantage à l'école secondaire où l'échec scolaire des immigrants récents est plus marqué qu'au primaire. Dans le cadre de la *Politique d'intégration scolaire et d'éducation interculturelle*, le MEQ ouvre d'ailleurs la voie à ce que les commissions scolaires aient plus de liberté pour utiliser les sommes consenties à l'enseignement des langues d'origine, afin de mieux répondre aux besoins des nouveaux arrivants. Toutefois, les dés sont loin d'être jetés car on peut s'attendre à des résistances des communautés plus anciennes, plus organisées que les groupes qui auraient à gagner à ce changement.

---

20. MEQ (1997b, 1998b).

À l'inverse, les attentes des parents québécois de toutes origines en matière de plurilinguisme à l'école sont désormais de plus en plus élevées. Il serait donc pertinent de s'interroger sur la difficulté qu'a éprouvée le système scolaire québécois à bénéficier de la présence de l'enseignement des langues d'origine dans un objectif de développement des compétences linguistiques de l'ensemble de sa clientèle. Un *post mortem* de l'expérience PELO à cet égard s'impose donc, et ce, d'autant plus que, dans le cadre de la réforme scolaire, le ministère a déjà annoncé son intention d'inclure une troisième langue au curriculum obligatoire des écoles secondaires[21].

L'expérience canadienne et internationale

Mal adapté à l'évolution des rapports linguistiques au sein du système scolaire québécois, le PELO est donc aujourd'hui à la croisée des chemins. On peut, dans la foulée de la tendance actuellement dominante au Canada, tenter d'encourager son évolution *naturelle* vers une approche élargie d'enseignement des langues internationales, visant à soutenir le plurilinguisme de l'ensemble de la clientèle. À l'inverse, on peut en resserrer les objectifs originaux pour en faire essentiellement un programme transitoire à l'intention des clientèles *lourdes* de nouveaux arrivants du secondaire. À l'extérieur du Québec, deux expériences que nous examinerons successivement sont particulièrement susceptibles d'illustrer les forces et les faiblesses de ces approches opposées, soit, d'une part, le *Heritage Language Program* ontarien et, d'autre part, le mouvement de *Bilingual Education* aux États-Unis. Toutefois, étant donné les difficultés d'implantation du modèle transitoire d'enseignement des langues d'origine et surtout sa transférabilité limitée au Québec et au Canada, où la valorisation normative du pluralisme linguistique est nettement plus importante[22], nous nous intéresserons également à deux variantes de cette approche. Dans le premier cas, il s'agit de l'éducation bilingue albertaine, qui vise le maintien des langues et des cultures de groupes d'implantation plus ancienne ; dans le second, de l'enseignement trilingue à Bruxelles et de l'enseignement des langues d'origine

---

21. Gouvernement du Québec (1996) ; MEQ (1997c).
22. Breton et Reitz (1994).

intégré à la classe régulière en communauté wallonne, deux approches récentes visant les nouveaux arrivants, développées dans un contexte d'ambiguïté sociolinguistique qui n'est pas sans lien avec la situation québécoise. Par ailleurs, faute de pertinence, les expériences britannique et française en matière d'enseignement des langues d'origine ne seront pas discutées ici. La première, comme on l'a vu plus haut, est presque inexistante et la seconde se situe nettement en deçà des acquis québécois en la matière. En effet, l'enseignement des langues d'origine stagne en France, encore plus qu'au Québec. Conçu au départ comme un programme de retour aux pays d'origine et contrôlé par ceux-ci, il a acquis, dans les années 1980 et 1990, davantage de permanence, sans toutefois que son statut essentiellement extracurriculaire et limité n'en soit modifié[23].

L'Ontario

Le programme d'enseignement des langues d'origine de l'Ontario, le *Heritage Language Program* (*HLP*), constitue l'intervention la plus importante dans ce domaine dans l'ensemble des provinces canadiennes, tant par l'ampleur de sa clientèle que par le nombre de langues touchées[24]. Les origines du programme remontent à 1977 lorsque le gouvernement ontarien a décidé de répondre à des demandes, déjà anciennes et très pressantes, de la part des communautés ethniques pour une meilleure reconnaissance de leurs langues d'origine au sein du système scolaire public. Cette mobilisation émanait de groupes de seconde ou même de troisième génération, bien intégrés politiquement et économiquement, notamment les Italiens, ainsi que d'une communauté d'implantation plus récente, les Chinois de Hong Kong, caractérisés par leur profil socioéconomique relativement favorable et leur maîtrise de la langue anglaise[25]. Elle visait donc à amener l'État ontarien à reconnaître sa responsabilité à l'égard du pluralisme et

---

23 Inspection Générale de l'Éducation Nationale (IGEN) (1992) ; Lorcerie (1995).
24. Majhanovich (1992) ; Filewych (1997).
25. Toronto Board of Education (TBE) (1976a) ; Harney (1983) ; March (1983).

non à répondre aux problèmes d'intégration que pouvait vivre la clientèle immigrante[26].

La décision du gouvernement a été arrachée après une longue lutte et, lorsque celui-ci a enfin cédé, le programme qu'il a accepté de mettre en place avait relativement peu de statut. En effet, il était extracurriculaire, ne dépendait pas du ministère de l'Éducation mais d'un ministère nommé *Continuing Education*, c'est-à-dire celui de la formation continue, et aucun objectif ou programme pédagogique n'avait été développé. On n'exigeait pas que les enseignants, rémunérés comme des animateurs d'activités parascolaires, aient une formation ontarienne mais tout simplement des compétences jugées pertinentes dans le pays d'origine. Les seuls critères mis de l'avant par le gouvernement concernaient la durée du programme et le fait que ces classes ne devaient pas servir à l'enseignement de la religion ou de la culture au sens folklorique[27].

Encore aujourd'hui, une très grande liberté prévaut dans l'organisation de ces programmes, qui peuvent être offerts autant par un organisme communautaire le samedi ou le dimanche matin que par une commission scolaire en dehors de l'horaire scolaire régulier ou même, depuis quelques années, à l'intérieur du cursus scolaire. C'est sans doute à cause de cette liberté que le programme, bien que critiqué par certains membres des communautés ethniques pour son manque de prestige, a connu une grande popularité. En 1995-1996, on y comptait près de 130 000 inscriptions dans une soixantaine de langues, dont les plus importantes sont l'italien, le cantonais et le mandarin[28].

Par ailleurs, le *HLP* a acquis graduellement un meilleur statut[29]. Tout d'abord, les commissions scolaires à forte clientèle immigrante, notamment le *Toronto Board of Education*, l'ont de plus en plus souvent intégré à leur horaire régulier dans le cadre d'une journée scolaire allongée. Elles répondaient ainsi à la demande des parents, non seulement allophones mais aussi anglophones, de plus en plus intéressés à ce que leurs enfants

26. TBE (1976b) ; Bublick (1979) ; Mc Andrew (1991).
27. Davis (1977) ; Cummins (1979) ; MEO (1980).
28. TBE (1982) ; Shamaï (1985) ; Ministère de l'Éducation et de la Formation de l'Ontario (MEFO) (1996a).
29. MEO (1987) ; MEFO (1995) ; Laurier *et al.* (1999).

puissent s'inscrire à de tels cours, surtout lorsque ceux-ci touchent des langues à statut international. Cette décision avait pour conséquence d'augmenter le temps de présence à l'école des enseignants réguliers, ce qui a suscité, en 1982, la plus importante controverse qu'ait connue l'Ontario sur la légitimité de l'enseignement des langues d'origine à l'école publique[30]. Durant plus d'un an, par médias et tribunaux interposés, la polémique a opposé la commission scolaire, alors dominée par des élus néodémocrates, et les porte-parole des groupes ethnolinguistiques aux syndicats d'enseignants et aux partisans du retour à l'*anglo conformity*, pour des motifs corporatistes chez les uns et davantage idéologiques chez les autres. C'est le second camp qui a gagné la bataille et aujourd'hui, dans certaines écoles de Toronto, surtout celles qui ont une importante clientèle hispanophone ou sinophone, les non-locuteurs peuvent compter jusqu'à 25 % de la clientèle inscrite à des cours de langue d'origine.

De plus, suite à des conflits dans certaines commissions scolaires, notamment au *Scarborough Board of Education*, où la demande des parents d'origine chinoise pour un enseignement de leur langue avait été rejetée à huit reprises (!), un article a été ajouté à l'*Education Act* en 1988. Celui-ci stipule que l'offre d'un programme de langue d'origine est obligatoire si 25 parents ou plus de la langue cible en font la demande.

Finalement, on doit noter que, dans les années 1990, on a changé le nom du programme, devenu désormais le *Programme de langues internationales*. Ce changement de vocabulaire, s'il visait surtout à influencer positivement l'opinion publique, a eu des conséquences pédagogiques. Celles-ci sont moins importantes au primaire où, pour l'essentiel, le programme original d'enseignement des langues d'origine, avec une présence importante de non-locuteurs limitée aux grandes commissions scolaires de Toronto, est demeuré le même. Toutefois, au secondaire, les transformations administratives qu'il a suscitées ont créé un plus grand lien entre les langues traditionnellement enseignées comme langue tierce (surtout l'allemand, l'espagnol et l'italien) et les langues d'origine. Il est désormais possible, dans l'ensemble de l'Ontario, de voir reconnaître, comme crédits menant à

---

30. TBE (1982) ; Shamaï (1985) ; Mc Andrew (1991).

la certification secondaire, les cours donnés dans les 60 langues d'origine soutenues par le *HLP*, que ceux-ci soient offerts à l'école publique ou dans les organismes communautaires. À cet égard, un dernier élément d'évolution mérite d'être signalé. Le gouvernement de l'Ontario a produit en 1999 un programme-cadre minimal pour les langues offertes, bien qu'il n'ait pas consenti d'autres investissements en termes de programmes détaillés par langue ou de matériel didactique[31]. C'est une responsabilité qui demeure du ressort des conseils scolaires locaux, dont le dynamisme varie en fonction de l'importance de leur diversité linguistique.

Cette évolution, ou peut-être simplement la normalisation du plurilinguisme de moins en moins perçu comme menaçant au sein de la société et du système scolaire ontarien, semble avoir eu des effets positifs sur l'acceptation du programme[32]. En effet, la contestation de l'enseignement des langues d'origine a été extrêmement limitée dans les années 1990. Cette mesure représente même un des rares traitements différentiels que le néo-conservatisme du gouvernement Harris n'ait pas attaqué. La définition du *Heritage Language Program* comme une mesure de plus en plus universelle, défendue par ses partisans au nom de la compétitivité économique au plan mondial, a probablement joué un rôle central à cet égard.

Récemment toutefois, le nouveau conseil scolaire intégré du Toronto métropolitain, d'influence plus conservatrice, a rouvert le débat en proposant de limiter les programmes intégrés, dont les coûts sont élevés, aux écoles où plus de 50 % des parents en feraient la demande[33]. Aucune décision n'a encore été prise à cet égard et il sera intéressant de suivre l'évolution de ce dossier, surtout à la lumière de l'extrême mobilisation qu'avait suscitée la première crise du *HLP* au *Toronto Board of Education*.

L'enseignement des langues d'origine à l'école publique en Ontario est donc aujourd'hui un programme dont la pertinence fait l'objet d'un large consensus, en plein essor quantitatif et qualitatif. Il vise une multiplicité d'objectifs où le maintien des langues et des cultures d'origine demeure central mais où l'enrichissement interculturel et le développement des

---

31. MEFO (1995, 1999a).
32. Cummins et Danesi (1997) ; Kilbride (1997) ; Mc Andrew et Ciceri (1998).
33. Toronto District School Board (TDSB) (1999a).

compétences linguistiques chez l'ensemble des élèves occupent de plus en plus d'importance. Cependant, comme le PELO québécois, c'est une mesure dont on connaît peu l'impact réel, vu l'absence, ici encore presque totale, d'évaluation à cet égard.

Les États-Unis

À l'opposé du modèle ontarien, l'adoption du *Bilingual Education Act*, en 1968, s'inscrivait d'abord et avant tout dans la foulée des mesures de lutte à la pauvreté et d'égalisation des chances en éducation que le président Johnson avait synthétisées sous son slogan électoral de la *Great Society*. Le gouvernement fédéral américain connaît alors une période d'interventionnisme, inégalée dans l'histoire des États-Unis, où le respect de l'autonomie des États, notamment au plan éducatif, fait généralement l'objet d'un large consensus. L'urgence d'agir est justifiée suite à la série d'émeutes *raciales* qui secouent le pays durant le *Long Hot Summer* de 1968[34].

Après s'être attaqué prioritairement à la problématique scolaire touchant la communauté noire, dont les racines sont plus anciennes, le gouvernement fédéral veut répondre aux besoins de la seconde communauté minoritaire en importance, celle des hispanophones. Dans le premier cas, loin du *Black is beautiful* et du *Community Control*, la réponse est définie essentiellement en termes de déségrégation et d'accès égalitaire aux mêmes ressources et programmes[35]. Dans le second, toutefois, la nécessité d'un traitement spécifique est reconnue, même si celui-ci est clairement balisé[36]. L'éducation bilingue américaine, comme on l'a vu plus haut, est, en effet, un programme à la fois transitoire et compensatoire, qui n'a pas pour but le maintien des langues et des cultures d'origine mais une meilleure égalité des chances pour les élèves appartenant à des minorités linguistiques.

Cette rupture, ou du moins ce repli stratégique, face à la tendance américaine traditionnelle à l'assimilationnisme des immigrants et à la

---

34. National Advisory Commission on Civil Disorders (1968); Anderson et Boyer (1970).
35. Coleman (1966); US Commission on Civil Rights (1975); Banks (1988a).
36. Fishman (1976); Crawford (1999).

promotion du monolinguisme, paraît relever d'une variété de facteurs[37]. Tout d'abord, le contexte idéologique de l'époque est beaucoup plus favorable que par le passé à une certaine reconnaissance du pluralisme au sein du système scolaire. La nouvelle popularité de la théorie du bilinguisme additif, qui fait valoir que les habiletés développées en langue première (L_1) se transfèrent en langue seconde (L_2), alors que l'immersion sauvage produirait des semilingues, y est pour beaucoup. De plus, à l'opposé des communautés immigrantes traditionnelles, le groupe hispanophone jouit d'avantages certains. D'une part, en effet, bien que globalement défavorisé, il compte une importante élite politique composée surtout de réfugiés cubains particulièrement actifs dans la lutte pour la reconnaissance du statut de l'espagnol au sein des écoles de Floride. Celles-ci, notamment dans le *Dade County*, seront les premières à établir un programme bilingue, avant même que la législation à cet égard n'ait été adoptée. D'autre part, la communauté hispanophone n'est que partiellement une communauté immigrante. Elle résulte aussi de la conquête de la Californie et du Nouveau-Mexique et du colonialisme à Porto Rico, où l'espagnol jouit d'ailleurs d'une reconnaissance institutionnelle au sein du système scolaire.

La tension entre un gouvernement et une communauté majoritaire, qui veulent limiter l'enseignement des langues d'origine à un outil d'intégration, et des communautés minoritaires, qui veulent lui voir accorder un statut plus ou moins permanent, sera perceptible durant toutes les controverses qu'a suscitées, depuis trente ans, l'éducation bilingue aux États-Unis[38]. Ainsi, en 1973, un jugement important de la Cour suprême américaine confirme le caractère compensatoire et transitoire de cette mesure. Des étudiants d'origine chinoise et leurs parents faisaient valoir que le refus de la commission scolaire de San Francisco d'organiser des programmes bilingues violait leur droit de recevoir une éducation de valeur, équivalente à celle donnée aux écoliers anglophones. Le plus haut tribunal du pays leur donne partiellement raison mais précise que la commission scolaire, tenue d'offrir des services de soutien aux minorités linguistiques, demeure libre de les définir. Le choix de programmes bilingues ou de cours

---

37. Spolsky (1975) ; Gaarder (1977) ; Paulston (1980) ; Simon (1980).
38. Kjolseth (1975) ; Grant et Goldsmith (1979) ; Galindo (1997).

supplémentaires d'anglais langue seconde doit être fondé, selon le tribunal, sur l'évaluation de leur efficacité dans la promotion de l'égalité en éducation et non en vertu d'un quelconque droit des communautés minoritaires à un encouragement de l'État à leur langue et à leur culture. Pour reprendre ici les termes mêmes du jugement : « *Sound educational theory may require so, but the Constitution does not.* » Ultérieurement, la Cour suprême a d'ailleurs ordonné, à plusieurs reprises, le démantèlement de programmes bilingues parce qu'ils avaient été maintenus au-delà des besoins des élèves.

Malgré ces claires limites, on a constaté, dans plusieurs contextes, que les groupes minoritaires utilisaient les ambiguïtés de la législation et le difficile contrôle de sa mise en œuvre pour obtenir le prolongement des classes bilingues durant toute la durée de l'élémentaire et même parfois au secondaire. La décentralisation du système scolaire américain ainsi que le poids politique de certaines communautés dans divers États auraient favorisé un important contrôle des groupes minoritaires sur ces programmes, tant au niveau de leur offre effective qu'en ce qui concerne les orientations linguistiques, culturelles et pédagogiques qui y prévalent. Plusieurs États ont ainsi dépassé l'esprit du *Bilingual Education Act* en adoptant des législations non seulement permissives mais contraignantes à cet égard[39].

Par ailleurs, lors de la troisième réautorisation du programme en 1984, le gouvernement fédéral a entrebâillé la porte à la création de programmes expérimentaux à caractère sensiblement moins transitoire ou compensatoire, nommés *Developmental Bilingual Education*. Ces programmes peuvent, en effet, viser un développement à plus long terme des compétences en L_1 et on y encourage, lorsque possible, la présence de non-locuteurs de la langue d'origine. Ils sont alors nommés *Two-Way Bilingual Education*. Cette mesure visait surtout à rendre ces programmes, dont le caractère est plus ou moins permanent, compatibles avec l'*Antidiscrimination Act*, qui interdit la ségrégation, autre que temporaire, sur une base ethnolinguistique ou *raciale* aux États-Unis[40].

39. Kjolseth (1975) ; Epstein (1977) ; Garcia et Morgan (1997).
40. US Department of Education (USDE) (1995a) ; Crawford (1997b).

La popularité de l'éducation bilingue a connu son apogée dans les années 1980, alors qu'on estimait que près d'un demi-million d'élèves appartenant à des minorités linguistiques bénéficiaient de cette mesure, financée, dans plus de 40 États américains, par le gouvernement fédéral. Dans 80 % des cas, l'espagnol était la langue enseignée[41].

Plus récemment toutefois — tel que discuté dans le chapitre précédent — le vent semble avoir tourné en faveur des opposants à l'éducation bilingue[42]. Dans les années 1980, ceux-ci attaquaient directement la pertinence du maintien du plurilinguisme aux États-Unis, ce qui suscitait une contre-mobilisation efficace des communautés minoritaires et des anglo-saxons libéraux ou internationalistes. Rappelons à cet égard le rôle important que jouait, et que joue encore dans une certaine mesure, le contre-exemple québécois dans leur discours. Plus récemment, la nouvelle droite a pris comme cible le manque d'efficacité imputé à ces programmes dans l'atteinte de leur objectif explicite de maîtrise de l'anglais chez les élèves allophones. Cette stratégie lui a permis de recueillir un soutien important des parents hispanophones défavorisés qui, face à l'échec scolaire persistant de leurs enfants, pensent sans doute qu'ils n'ont rien à perdre à essayer de nouvelles formules. De plus, elle a placé les tenants de l'éducation bilingue dans un rôle inconfortable de pluralistes naïfs ou de corporatistes, peu préoccupés des conséquences de leur choix pour les groupes dont ils prétendent défendre les intérêts[43]. Le fait que la recherche sur l'efficacité relative des diverses formules au plan de la maîtrise de la langue d'accueil ne soit pas concluante, et même probablement plus favorable aux approches bilingues, a eu peu d'impact sur ce débat, caractérisé par une polarisation politique et médiatique peu propice aux nuances.

Les dés sont toutefois loin d'être jetés et malgré la défaite californienne, on ne peut assumer que l'éducation bilingue ait perdu la guerre aux États-Unis. Ainsi, en 1999-2000, la forte majorité des États américains offraient encore de tels programmes et rien ne laisse croire à un effet de dominos qui mènerait à la disparition de cette approche. De plus, la dimension lin-

---

41. Ovando et Collier (1998).
42. Chavez (1991); English for the Children (1997a); California Secretariat of State (1998).
43. Krashen (1996); McQuillan et Tsé (1996); Crawford (1997a).

guistique de l'échec scolaire des Noirs a été récemment reconnue par l'adoption de divers programmes d'enseignement de l'*Ebonic*[44]. Cette mesure a suscité bien des débats sur lesquels il ne convient pas de s'étendre ici. Ceux-ci ne sont pas sans rappeler la controverse relative à l'utilisation du joual que nous avons connue au Québec dans les années 1960.

L'Alberta

En Alberta, l'enseignement des langues d'origine à l'école publique se fait selon un modèle traditionnel d'éducation bilingue de maintien. À l'opposé de l'expérience américaine, cette initiative a suscité et suscite encore peu de contestation.

Le programme a été mis en place suite à une importante mobilisation de la communauté ukrainienne vivant au Canada depuis le début du siècle[45]. Celle-ci, surtout jusqu'à la chute de l'ancienne URSS, se considérait investie d'une mission particulière de préservation de la langue et de la culture ukrainiennes puisqu'à ses yeux, l'Ukraine subissait alors un processus massif de russification. De plus, les Canadiens d'origine ukrainienne, comme d'autres groupes immigrants de l'Ouest, avaient souvent manifesté des résistances face à la politique fédérale de promotion des langues officielles. Ils considéraient avoir contribué à développer l'Ouest, autant et sinon plus que les minorités francophones, dont le statut de *peuple fondateur* s'avérait assez problématique dans le contexte spécifique de ces provinces. Pour cette raison, le gouvernement de l'Alberta, plutôt que d'accorder des droits spécifiques aux francophones, a décidé, en 1971, que toutes les commissions scolaires qui le souhaitaient pouvaient établir des programmes bilingues, que ceux-ci touchent l'anglais et le français ou l'anglais et d'autres langues. Par la suite, après le rapatriement de la Constitution canadienne et l'adoption de la Charte des droits et libertés en 1982, le statut légal et scolaire des francophones a connu des modifications importantes dans cette province — sur lesquelles nous ne nous attarderons pas.

---

44. Perry et Delpit (1997).
45. Gouvernement du Canada (1969) ; Sokolowski (1993) ; Ministère de l'Éducation de l'Alberta (MEA) (1997).

Profitant de cette ouverture, la communauté ukrainienne s'est engagée activement dans le développement d'un programme bilingue, dont la mise en œuvre a commencé en 1974. Aujourd'hui, l'ensemble de ces programmes, qui touchent également l'hébreu, l'arabe, le mandarin et le polonais, regroupent près de 4 000 élèves, même si l'ukrainien continue de représenter plus de 80 % des effectifs. Il s'agit donc, à l'opposé de l'Ontario, d'un programme de petite envergure mais très intensif et où les deux langues ont un statut équivalent, tant en ce qui concerne le curriculum que le personnel enseignant. De plus, l'essentiel de sa clientèle n'est pas composé de nouveaux arrivants mais d'élèves de deuxième ou troisième génération, qui ont souvent une aussi bonne, sinon meilleure, maîtrise de l'anglais que de la langue d'origine. Généralement, une demi-journée se fait dans la langue d'origine et l'autre dans la langue seconde, avec une spécialisation des matières selon la langue ou une reprise des mêmes matières par les deux enseignants. L'implication pédagogique du ministère est importante. Des programmes, du matériel pédagogique ainsi que des instruments d'évaluation ont été développés pour chacune des langues[46]. Dans l'ensemble, même si les critères du programme ne l'excluent pas, la présence de non-locuteurs au sein de la clientèle est peu importante. En effet, celui-ci porte sur des langues à rayonnement international relativement limité et suppose un engagement plus soutenu que la simple fréquentation de cours de langues d'origine.

Même s'il a été suivi par des programmes similaires au Manitoba et en Saskatchewan, le programme albertain constitue l'exemple le plus poussé en Amérique du Nord d'un programme bilingue axé essentiellement sur le maintien du plurilinguisme. De plus, l'investissement pédagogique y est sérieux et, comme il s'agit d'un programme régulier évalué à partir des mêmes échelles que l'ensemble des autres activités pédagogiques, le ministère est en mesure d'en connaître l'efficacité. On considère, en général, que les résultats sont probants. Les élèves inscrits à cette mesure, qui ne sont généralement pas des élèves *à risque*, ont une performance équivalente, et même supérieure dans certains cas, en anglais et dans l'ensemble des matières scolaires, tout en développant diverses compétences dans la L_1[47].

---

46. MEA (1988a, 1997).
47. Filewych (1997) ; MEA (1999).

Toutefois, ces tendances favorables, similaires à celles qui émergent de la recherche relative aux programmes d'immersion visant des groupes linguistiques dominants, comme les anglophones à Montréal[48], ne peuvent être transférées à d'autres contextes ou types de clientèle.

La Belgique

Dans l'ensemble de la Belgique, il existe peu de marge de manœuvre linguistique au plan scolaire, l'enseignement devant se dérouler en néerlandais en Flandre et en français en Wallonie. Toutefois, Bruxelles-Capitale est une zone de libre marché linguistique où les parents peuvent choisir la langue dans laquelle ils veulent éduquer leurs enfants. C'est aussi, avec 40 % d'étrangers, la principale zone d'accueil d'une immigration très polarisée au plan socioéconomique. On y compte, en effet, à la fois une importante présence de fonctionnaires européens et une population de réfugiés récents et d'immigrants de plus longue date issus de pays en développement. La population immigrée, dans son ensemble, fait l'objet d'un certain maraudage entre secteurs scolaires, ce qui n'est pas sans rappeler la situation vécue à Montréal avant l'adoption de la Loi 101. Pour des motifs évidents, les écoles néerlandophones sont nettement moins populaires que les écoles de langue française[49].

C'est sans doute pour cette raison que c'est au sein du secteur néerlandophone qu'a été mise en œuvre l'expérience la plus intéressante pour nos débats, soit celle de l'enseignement trilingue du Foyer. Commencée en 1981, celle-ci s'étend maintenant à plus de la moitié des écoles préscolaires et primaires de ce réseau à Bruxelles[50]. Elle vise à favoriser le trilinguisme intégral des élèves flamands et étrangers à la fin de la scolarité primaire, tout en développant les habiletés interculturelles nécessaires au *vivre ensemble*. On espère aussi, le cas échéant, que la maîtrise des langues d'origine permette le retour au pays des élèves dont les parents le désirent.

---

48. Rebuffot (1993); Johnson et Swain (1997).
49. Leman (1993); Boussetta (2000); Medhoune et Lavallée (2000).
50. Byram et Leman (1990).

Le modèle type du Foyer suppose des périodes d'instruction ségréguée par groupe linguistique. Celles-ci s'établissent à environ 50 % au préscolaire et durant les deux premières années du primaire, mais diminuent graduellement à partir du deuxième cycle du primaire où les deux groupes sont intégrés durant près de 90 % du temps. En plus des matières régulières données en néerlandais, les élèves partagent alors un même enseignement du français et de la langue d'origine (surtout l'italien mais aussi l'espagnol et le turc).

L'expérience du Foyer a fait l'objet d'une vaste évaluation à la fin des années 1980[51]. Celle-ci a d'abord montré que les élèves étrangers recevant un enseignement trilingue ne manifestaient pas une plus faible maîtrise du néerlandais que leurs pairs scolarisés uniquement dans cette langue. Ce groupe contrôle était plutôt limité, vu le très petit nombre d'élèves étrangers choisissant le système flamand non trilingue. La performance du groupe cible étranger demeurait cependant plus faible que celle des élèves néerlandophones et son utilisation du néerlandais, ainsi que le rapport affectif entretenu avec cette langue, nettement plus limitée. Les chercheurs expliquent cette dernière tendance, non pas par le maintien de leur langue d'origine mais plutôt par la situation sociolinguistique particulière du flamand à Bruxelles. Les élèves étrangers valorisaient aussi fortement le multilinguisme ainsi que le métissage identitaire, en contraste avec les attitudes de leurs parents, au sein desquels le *mythe du retour* demeurait central.

La principale limite du modèle réside dans le défi qu'il présente pour des enseignants flamands, provenant surtout de l'extérieur de Bruxelles et donc peu habitués au multiculturalisme. Le fait que la présence des enfants étrangers a également pour effet d'augmenter le statut du français au sein des écoles néerlandophones de Bruxelles contribuait aussi à un certain inconfort chez ces derniers. En effet, les communautés impliquées dans l'expérience du Foyer, qui choisissent l'école néerlandophone parce que celle-ci est plus ouverte à leur langue d'origine, sont souvent de langue seconde française ou intégrées à la communauté francophone de Belgique. Toutefois, le lien développé entre les enseignants réguliers et les enseignants

---

51. Byram (1990a, b) ; Jaspaert et Lemmens (1990) ; Smeekens (1990).

d'origine étrangère s'est avéré un des éléments les plus positifs de l'expérience. Cela contraste avec les critiques négatives qu'on adresse généralement à l'enseignement non intégré des langues d'origine en cette matière.

Dans le reste de la Flandre, l'enseignement des langues d'origine est traditionnel et sans grand intérêt heuristique, face aux enjeux du débat québécois. En communauté wallonne cependant, celui-ci connaît une évolution intéressante[52]. Comme en France, il s'agissait, jusqu'à tout récemment, d'un enseignement contrôlé par les pays d'origine, confié le plus souvent à des enseignants étrangers hors de l'horaire scolaire régulier. Le Décret du 13 juillet 1998 confère désormais à cet enseignement un meilleur statut, puisqu'il peut être intégré à l'horaire scolaire régulier et qu'il est ouvert aux non-locuteurs. L'innovation la plus intéressante réside dans l'expérimentation, au préscolaire et au primaire, d'un modèle où l'enseignant de langues d'origine est intégré à la classe régulière et travaille en *team-teaching* avec l'enseignant régulier, ce qui rapproche certaines de ces classes d'un enseignement bilingue. La *Charte du Partenariat*, établie avec les divers pays d'origine, montre qu'on tente de poursuivre, par l'enseignement des langues d'origine, à la fois la lutte à l'échec scolaire et la préservation de l'identité multiculturelle des jeunes. Cela situe l'expérience wallonne à la croisée des chemins américain et albertain.

Il existe peu ou pas d'évaluations de l'efficacité du modèle d'intégration à la classe régulière, sans doute à cause du caractère récent de l'expérience belge francophone dans ce domaine. Toutefois, à la lumière d'entrevues informelles réalisées par l'auteur, il semble que l'arbitrage de ces deux objectifs ne soit guère facile et se fasse, le plus souvent, aux dépens de la pérennité des langues d'origine. Les enseignants d'origine étrangère se plaindraient, notamment, d'être souvent réduits à jouer le rôle d'un assistant à l'apprentissage de la langue française plutôt que d'assumer pleinement leur mandat d'enseignement de la langue d'origine.

---

52. Sensi (1995) ; Communauté Française de Belgique (1997) ; Laurier *et al.* (1999).

Contribution potentielle au débat québécois

Comme on peut le voir suite à ce bref survol de diverses expériences, l'enseignement des langues d'origine au sein du système scolaire public est aujourd'hui en pleine redéfinition, voire même, dans certains contextes, en crise. Partout, bien qu'à des degrés divers, on semble, en effet, confronté à des dilemmes similaires à ceux que nous vivons au Québec. Ceux-ci tiennent, pour l'essentiel, à la nécessité de définir de manière plus précise le(s) objectif(s) prioritaire(s) de cette mesure.

L'enseignement des langues d'origine est souvent présenté par ses partisans comme une panacée, susceptible de favoriser à la fois l'apprentissage de la langue d'accueil et le succès scolaire des immigrants ou des clientèles *à risque*, le maintien des langues et des cultures d'origine ainsi que l'enrichissement interculturel et le développement des compétences linguistiques dans l'ensemble de la population. Au plan des principes, et même de la recherche fondamentale, ces prétentions ne sont pas sans fondement. Il n'en demeure pas moins que, dans un monde où les ressources sont limitées, des choix particuliers doivent souvent être faits.

L'ordre de priorité des autorités scolaires apparaît alors plus clairement. Ainsi, par exemple, si l'on privilégie l'accroissement de la compétitivité économique par le développement du plurilinguisme, on ne choisira pas nécessairement de soutenir les mêmes langues, et donc les même groupes, que si l'objectif est de lutter contre les problèmes scolaires vécus par certains immigrants. De même, la présence de non-locuteurs, nécessaire à l'ouverture interculturelle d'un programme, peut remettre en question le développement des compétences linguistiques chez les locuteurs de la langue cible.

Étrangement, les programmes qui semblent susciter aujourd'hui le moins de questionnements et de controverses sont ceux qui, comme en Alberta, s'inscrivent dans la foulée du multiculturalisme le plus traditionnel. Ayant comme clientèle cible des communautés d'implantation plus ancienne, visant le maintien à plus long terme du plurilinguisme, ils s'incarnent dans des services ethnospécifiques et intensifs. C'est une dynamique qui n'est pas sans lien, *mutatis mutandis*, avec l'évaluation globalement positive ainsi que le peu de débat que suscitent les programmes trilingues

offerts au Québec au sein des écoles ethnoreligieuses partiellement financées par des fonds publics — sur lesquelles nous reviendrons au chapitre 6.
Dans les deux contextes, le fait qu'il s'agisse de communautés bien intégrées au plan socioéconomique et linguistique semble paradoxalement
donner plus de légitimité à leur revendication d'un traitement différentiel.
L'*ethnic revival* de troisième génération suscite ainsi nettement moins de
craintes, même s'il donne lieu à un système ségrégatif plus poussé, que la
demande de reconnaissance de la diversité linguistique et culturelle par le
système scolaire public provenant de groupes d'arrivée plus récente.

C'est le cas également aux États-Unis, où il est fascinant de contraster
les résistances que suscite l'éducation bilingue visant la communauté hispanophone à l'engouement pour l'enseignement du français qui a permis
la mise sur pied d'un programme comme celui du *Codofil* en Louisiane.
Son objectif est pourtant non seulement le maintien du plurilinguisme à
long terme mais aussi la renaissance d'une langue largement disparue. Ces
différences de réactions peuvent sans doute s'expliquer, au Canada comme
aux États-Unis, par le phénomène que Fishman a caractérisé comme la
majority love for ethnic irrelevancy, soit l'amour du majoritaire pour les
groupes ethniques les moins menaçants, surtout dans un contexte de polarisation préalable[53].

Toutefois, les formules ethnospécifiques qui visent les groupes d'implantation ancienne ne sont guère utiles face à divers enjeux dont l'urgence
est nettement plus immédiate, comme la lutte à l'exclusion scolaire de certains nouveaux arrivants ou le défi d'assurer, dans un contexte de mondialisation économique et culturelle, un plurilinguisme accru au sein de
l'ensemble de la population.

Dans le premier cas, qui représente la priorité des décideurs québécois,
les expériences étrangères ne sont guère concluantes. L'éducation bilingue
américaine, cas de figure au plan international, illustre, en effet, la difficulté de limiter l'enseignement des langues d'origine à une mesure transitoire, face aux résistances émergeant des communautés qui revendiquent
une approche pluraliste. De plus, l'évaluation contrastée de ces program-

---

53. Fishman (1976) ; Mc Andrew (1982).

mes confirme la difficulté de définir et de mettre en œuvre des mesures réellement efficaces d'égalisation des chances pour les clientèles *lourdes*, quelle que soit la pertinence théorique des principes pédagogiques et psycholinguistiques sur lesquels celles-ci se fondent. La première limite serait moins opérante en contexte québécois, où l'on viserait une clientèle d'arrivée très récente et beaucoup plus diversifiée, ce qui diminuerait son potentiel de mobilisation. Le second défi demeure toutefois entier pour les décideurs et intervenants québécois. Ceux-ci devront, entre autres, évaluer la pertinence des approches plurilingues pour de telles clientèles et, le cas échéant, le degré et les modalités précises d'emploi des L_1 et L_2. Pour ce faire, il faudra réaliser des expériences pilotes qui, seules, pourraient confirmer la transférabilité des conclusions émanant de contextes à dominance linguistique simple à des sociétés, comme le Québec, où l'ambiguïté sociolinguistique est importante.

Un examen attentif de l'expérience bruxelloise du Foyer pourrait, certes, faciliter cette démarche. Toutefois, il ne faut pas oublier qu'il s'agit d'une expérience volontaire, à très petite échelle et réalisée dans un contexte où le groupe majoritaire est demandeur de légitimité face à des communautés d'origine immigrée, nettement plus portées à choisir le système scolaire francophone. C'est une situation particulièrement favorable à l'ouverture du personnel scolaire à une présence accrue du plurilinguisme, que le Québec ne connaît plus depuis près de vingt-cinq ans. Le fait que la problématique québécoise concerne presque exclusivement les élèves de niveau secondaire, alors que le modèle du Foyer touche les élèves du primaire, limite sa transférabilité. Par ailleurs, au fur et à mesure qu'il se développera, il sera intéressant de suivre la mise en œuvre et l'évaluation du nouveau modèle d'enseignement des langues d'origine intégré à la classe régulière, amorcé en communauté wallonne.

En ce qui concerne le second défi, sortir l'enseignement des langues d'origine de son ghetto afin que l'ensemble du système scolaire puisse bénéficier du plurilinguisme déjà existant au sein de la société, ce qui manque au Québec, ce ne sont pas tant les formules intéressantes dont on pourrait s'inspirer mais plutôt la volonté politique. Durant une courte période, à la fin des années 1980, qui a coïncidé avec l'ouverture du programme à la clientèle de non-locuteurs, on a manifesté une certaine sensibilité à cet enjeu. Depuis, on semble avoir plus ou moins accepté, peut-être pour des raisons budgétaires, que le PELO vivote, demeure limité au primaire alors que le développement des langues étrangères se fait au secondaire, et soit peu connu du grand public, notamment des parents francophones. On peut certes invoquer les différences de contexte sociolinguistique pour expliquer cette apparente indifférence, qui contraste avec le dynamisme ontarien. Rappelons, par exemple, qu'il n'y a qu'au Québec que les élèves ont véritablement besoin de maîtriser les deux langues officielles. De plus, il est difficile d'envisager des développements d'une envergure équivalente dans un système nettement plus bureaucratisé. En effet, quand on voit les difficultés que semble susciter la simple instauration de l'espagnol comme troisième langue étrangère au secondaire, on peut imaginer le cauchemar que représenterait la reconnaissance de quelque 60 langues à des fins de certification d'études secondaires.

Toutefois, à plus petite échelle, on pourrait envisager d'examiner les ententes qui existent déjà avec divers organismes des communautés culturelles et qui permettent aux élèves d'avoir des crédits supplémentaires, afin de les arrimer davantage au nouveau défi d'un plurilinguisme accru au sein du système scolaire. De plus, il faudrait faire preuve d'imagination en inventant de nouvelles formules qui pourraient s'inspirer, en tout ou en partie, des expériences d'autres provinces canadiennes dans le domaine. Dans un contexte où le rôle traditionnel du PELO, comme intermédiaire entre des parents allophones aliénés du système scolaire et des écoles francophones peu ouvertes à la diversité, ne se justifie plus guère, c'est uniquement en se développant dans cette direction que celui-ci pourra garder une place autre que marginale dans le monde de l'éducation au Québec. Sinon, on peut en faire un programme compensatoire limité aux nouveaux arrivants *à risque*, mais ce serait alors priver l'ensemble de la population québécoise d'un apport intéressant.

3

LA PLURIETHNICITÉ, LA LUTTE À L'ÉCHEC SCOLAIRE ET LE SOUTIEN AUX MILIEUX DÉFAVORISÉS : VERS UNE APPROCHE INTÉGRÉE ?

La problématique québécoise

Pluriethnicité et défavorisation scolaire : l'état de la recherche

La politique québécoise de sélection des immigrants, basée sur l'arbitrage d'objectifs divers, démographiques, économiques, linguistiques, humanitaires et familiaux, induit une immigration diversifiée, et ce, tout spécifiquement au plan socioéconomique[1]. Même si elle connaît une mobilité sociale descendante durant les dix premières années d'établissement, la population immigrante présente, en effet, à l'entrée un profil d'appartenance de classe et d'éducation largement similaire à celui de la population d'accueil. On note toutefois une légère bipolarisation aux deux extrêmes, qu'on peut être tenté d'associer à la répartition du mouvement des immigrants durant la dernière décennie sous trois catégories : les indépendants (environ 45 %), la famille (environ 35 %) et les réfugiés (environ 20 %). Cependant, il faut se garder de toute généralisation indue à cet égard,

---

1. Ministère des Communautés culturelles et de l'Immigration (MCCI) (1990a, c) ; Gagné et Chamberland (1999).

notamment en ce qui concerne les réfugiés et la famille, dont le profil est généralement complexe.

Au plan résidentiel, et donc indirectement scolaire, cette diversité socioéconomique des immigrants a pour conséquence qu'au Québec, et notamment à Montréal, les zones de défavorisation et la présence d'une clientèle pluriethnique ne coïncident généralement pas. Ainsi, d'après les résultats d'une étude de 1995-1996 où l'on a classé les écoles de langue française selon leur taux de densité de population d'origine immigrée et leur indice de défavorisation, tel qu'établi par le Conseil scolaire de l'île de Montréal[2], la carte scolaire montréalaise comprend quatre grands types d'écoles. Par ordre d'importance décroissante, on rencontre d'abord les écoles moyennes ou favorisées à faible ou moyenne densité, situées généralement dans les régions nord et est des anciennes commissions scolaires des écoles catholiques de Montréal (CECM) ou Jérôme-Le Royer, suivies par les écoles moyennes ou favorisées à forte concentration ethnique, qui sont surtout des écoles de *banlieue* des autres commissions scolaires. Viennent ensuite les écoles défavorisées à haute densité, qui comprennent plusieurs établissements de la région ouest de l'ancienne CECM et quelques écoles des anciennes commissions des écoles protestantes du Grand Montréal (CEPGM) et Sainte-Croix. Finalement, les écoles défavorisées à faible densité, en plus petit nombre, sont généralement des établissements de la région est de l'ancienne CECM.

Comme le montre le graphique 1, il n'existe pas de corrélation systématique entre les deux phénomènes[3]. La défavorisation touche à la fois les écoles à très haute et à faible concentration de population d'origine immigrée. Il n'en demeure pas moins que cette clientèle a légèrement plus tendance à fréquenter les écoles défavorisées. Ainsi, par exemple, 12,9 % des élèves de cette catégorie, comparativement à une moyenne de 10 %, fréquentent une école ciblée par le Conseil scolaire de l'île de Montréal. Toutefois, ce ne sont pas les élèves nés hors du Canada (12,2 %) qu'on retrouve le plus dans ces milieux mais ceux de deuxième génération (16,2 %), ce qui

2. Conseil scolaire de l'île de Montréal (CSIM) (1991, 1993) ; Mc Andrew et Ledoux (1995).

3. Mc Andrew et Ledoux (1994).

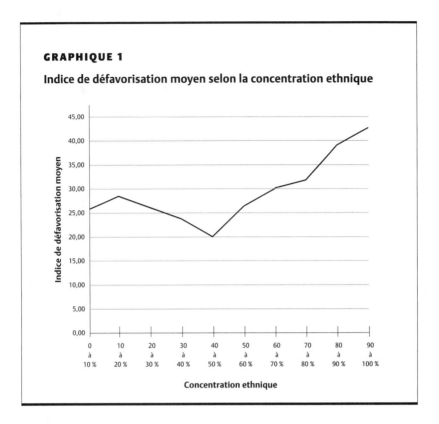

GRAPHIQUE 1

Indice de défavorisation moyen selon la concentration ethnique

paraît lié aux origines des élèves. En effet, les populations d'origine hispanique, chinoise, antillaise anglophone, sud-asiatique et du sud-est sont surreprésentées en milieu défavorisé, ce qui n'est pas le cas des populations arabe, est-européenne, haïtienne et italienne. Cependant, il faut rappeler que la communauté italienne fréquente surtout l'école anglaise, alors que la communauté haïtienne fait l'objet d'un problème de sous-identification liée à la réticence des parents à déclarer le créole comme langue d'origine[4].

Plus récemment, bien qu'aucune étude aussi vaste n'ait été menée, divers phénomènes pointent vers un accroissement des liens entre défavorisation et pluriethnicité sur l'île de Montréal[5]. Ainsi, alors que la présence

---

4. Estinvil (1993).
5. Mc Andrew et Jodoin (1999) ; Jodoin (2000).

des élèves d'origine immigrée au sein des écoles publiques de langue française de l'île de Montréal s'établissait à 40 % en 1992-1993, cette clientèle y représente maintenant 46,4 %. De plus, si le nombre d'écoles à forte densité (de 50 % à 75 %) a légèrement décru, celui des écoles à très forte densité (de 75 % à 100 %) a connu une progression marquée, de 12,4 % à 18,2 %. Cette tendance tient à l'augmentation de la population d'origine immigrée mais surtout à la diminution générale de la clientèle scolaire. Ce phénomène touche davantage la population native francophone, provenant d'un milieu moyen ou favorisé, à cause de son taux de croissance démographique inférieur mais aussi de son choix plus grand des écoles privées. Il n'est donc pas surprenant de constater que la présence de la clientèle pluriethnique au sein des écoles défavorisées semble s'être accrue. Ainsi, par exemple, alors qu'en 1992-1993 un peu moins de la moitié des établissements de cette catégorie avait un taux de clientèle immigrée dépassant les 50 %, en 1999-2000, c'est le cas de 77 des 130 écoles bénéficiant des mesures de soutien de l'*École montréalaise* et du Conseil scolaire de l'île de Montréal.

Si les liens entre la pluriethnicité et la défavorisation socioéconomique sont complexes, les données relatives à la performance scolaire des élèves d'origine immigrée, dans les milieux qui sont à la fois pluriethniques et défavorisés, ont de quoi laisser perplexe. Cela s'explique en partie par la faiblesse des recherches spécifiquement axées sur cet enjeu, qui oblige à inférer nos conclusions à partir d'études à caractère plus général.

Rappelons d'abord la situation scolaire globalement favorable de l'ensemble de la population d'origine immigrée, qu'on cerne le plus souvent par les résultats aux examens ministériels ainsi que par les taux de diplômation au secondaire[6]. Les données disponibles sont toutefois marquées par une limite importante, liée aux critères retenus pour la définition des clientèles cibles. Il s'agissait, en effet, encore tout récemment, exclusivement de la langue maternelle des élèves, même si quelques études récentes innovent en considérant le pays d'origine des élèves ou de leurs parents. Il est donc difficile de cerner la situation vécue par deux groupes, les

---

6. Conseil des communautés culturelles et de l'immigration (CCCI) (1990) ; Ministère de l'Éducation du Québec (MEQ) (1994b, 1996a, 1997a).

Haïtiens et les Antillais anglophones, dont la rumeur veut pourtant qu'ils connaissent une situation scolaire particulièrement difficile. Dans le premier cas, on sous-estime une population largement créolophone mais qui se déclare, souvent indûment, francophone[7]. Dans le second, l'oblitération est encore plus absolue puisque ce groupe est confondu avec l'ensemble des anglophones, une communauté qui demeure, encore aujourd'hui au Québec, la plus favorisée au plan de la performance scolaire.

En ce qui concerne les résultats aux examens ministériels de secondaire 4 et 5, l'étude la plus récente du ministère[8] à cet égard montre, en effet, que le secteur anglais est généralement plus performant que le secteur français, sauf en histoire et en géographie. Cet avantage touche autant la population scolaire dans son ensemble que la seule clientèle allophone. Pour le secteur français, la situation est plus mitigée. Les allophones tirent très légèrement de l'arrière dans toutes les matières, et plus particulièrement en français langue d'enseignement, à l'exception de l'anglais langue seconde. Par ailleurs, les moyennes et les taux de réussite des élèves allophones sont généralement plus faibles en province qu'à Montréal, ce qui vient bouleverser quelque peu le préjugé voulant que l'intégration soit plus facile en région. Divers facteurs peuvent expliquer cette différence, qui n'est d'ailleurs pas corroborée — comme on l'a vu plus haut — par les évaluations relatives au suivi de la clientèle d'accueil. D'une part, en effet, il faut prendre en compte la surreprésentation des réfugiés en région et, d'autre part, la possibilité que les élèves autochtones hors réserve y soient inclus sous la catégorie *allophone*.

La légère sous-performance des élèves allophones dans le secteur français n'est pas suffisamment marquée pour influencer les résultats globaux des écoles à forte densité face à l'ensemble des écoles de l'île de Montréal et de la province, qui sont largement similaires[9]. De plus, quand on compare les taux de réussite et les moyennes dans diverses matières, on note que, lorsqu'il y a sous-performance, celle-ci paraît davantage toucher les milieux à faible densité, soit ceux de vieille pauvreté canadienne-française. La

---

7. Estinvil (1993) ; Mc Andrew et Potvin (1996).
8. MEQ (1994b).
9. Mc Andrew et Jodoin (1999).

TABLEAU 1

La réussite scolaire au Québec (cohortes 1987-1991), selon la langue maternelle

LANGUE MATERNELLE	NOMBRE D'ÉLÈVES	POURCENTAGE DE DIPLÔMÉS
Total, Québec	258 996	72,6 %
Française	225 682	72,3 %
Anglaise	21 033	75,8 %
Autres	12 281	73,0 %
Montréal		
Française	29 434	70,6 %
Anglaise	12 129	78,9 %
Autres	9 475	74,3 %
Ailleurs		
Française	196 248	72,5 %
Anglais	8 904	71,6 %
Autres	2 806	68,7 %

principale exception à cet égard concerne l'écriture en français, où ce sont les milieux à densité élevée et très élevée qui font baisser légèrement la moyenne montréalaise par rapport à celle de l'ensemble du Québec. Toutefois, dans le cas de l'anglais, la surperformance montréalaise est liée à la présence de la clientèle d'origine immigrée.

Les données relatives à la diplômation, qui portent sur les deux secteurs confondus, confirment le profil favorable des anglophones, tout en indiquant une réalité sensiblement plus positive pour les allophones dans l'ensemble du Québec et surtout à Montréal, où ils sont largement concentrés[10]. Le suivi de cinq cohortes de débutants du secondaire de 1987 à 1991 (tableau 1) montre, en effet, que les anglophones ont de 2 à 4 points d'avance sur les allophones qui devancent à leur tour les francophones, très

---

10. MEQ (1997a).

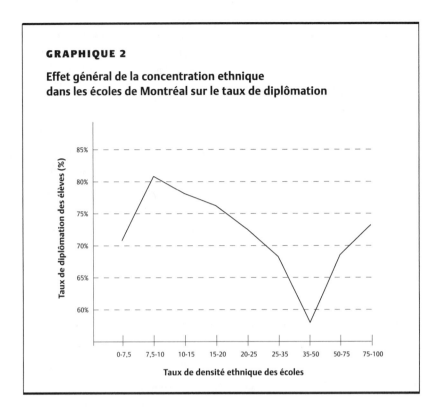

GRAPHIQUE 2

**Effet général de la concentration ethnique
dans les écoles de Montréal sur le taux de diplômation**

légèrement dans l'ensemble du Québec mais par plus de 4 points à Montréal. En revanche, dans le reste du Québec, les francophones ont une mince avance sur les anglophones et les allophones tirent de l'arrière par 3 points.

Comme on peut le voir au graphique 2, les liens existant entre la diplômation et la concentration ethnique, du moins tels que révélés par cette étude, sont pour le moins erratiques. La diplômation est, en effet, plus faible dans les milieux à très faible densité de population immigrée, remonte dans les écoles comptant de 10 à 20 % de cette clientèle pour redescendre dans les écoles à moyenne densité (de 20 à 50 %). Elle demeure dans la moyenne dans les écoles à forte densité (de 50 à 75 %) et enfin, connaît des sommets inégalés dans les milieux à très haute densité (plus de 75 %). Cet apparent paradoxe ne peut être compris que si l'on superpose cette courbe avec celle des liens entre concentration ethnique et défavorisation, ce qui tend à illustrer les effets contradictoires de la densité et de la défavorisation sur la performance scolaire. De plus, il force à revisiter le lien traditionnel que l'on établit généralement entre la défavorisation socioéconomique et l'échec scolaire, du moins dans le cas des populations d'origine immigrée.

En effet, il est relativement facile de comprendre pourquoi les écoles à très faible densité très défavorisées connaissent des taux de diplômation très faibles. Cependant, il est beaucoup plus complexe d'interpréter la baisse de diplômation au sein des écoles à densité de 20 à 50 % où la défavorisation est faible et, encore plus, la haute performance des écoles à très haute densité, dont plusieurs sont également des écoles fortement dé-favorisées. Dans le premier cas, il est possible que le type de population d'origine immigrée qu'on trouve dans ces écoles, soit essentiellement les communautés d'implantation ancienne de classe ouvrière, valorise moins l'éducation comme véhicule de mobilité sociale que les plus récentes. Dans le second, il faut reconnaître que la clientèle allophone semble réussir mieux que prévu en fonction de son origine sociale et, d'une façon géné-rale, en milieu défavorisé, mieux que les francophones. Ces deux tendan-ces, sous-performance des Portugais et des Italiens *de vieille souche* et surperformance des groupes plus récents, notamment face au secteur défa-vorisé de la population majoritaire, ont également été constatées dans d'autres contextes[11].

Plusieurs hypothèses explicatives, dont la validité devrait être testée, peuvent être invoquées à cet égard[12]. Tout d'abord, on peut penser que, en milieu défavorisé, du fait de la mobilité sociale descendante des parents d'origine immigrée, leur situation socioéconomique est un moins grand prédicteur de leur capital culturel que dans le cas des populations natives. Il est possible aussi que l'immigration en elle-même induise des logiques stratégiques de valorisation de l'éducation que le rapport nettement plus passif des populations de vieille pauvreté avec l'école ne favorise pas. Fina-lement, il est probable que, dans le cas des clientèles particulièrement con-

---

11. Swann (1985); Toronto Board of Education (TBE) (1993, 1999); Vallet et Caillé (1996b).
12. Murphy et Dennis (1979); Gibson et Ogbu (1991); CSIM (1993).

centrées dans l'ancienne CEPGM, l'indice de défavorisation de certaines écoles soit moins fiable, étant donné la taille et la variété du territoire qu'elles couvrent.

Quoi qu'il en soit, le caractère nettement moins prédictif du lien entre la défavorisation et l'échec scolaire chez les populations d'origine immigrée semble avoir été en partie confirmé par une étude de Van Dromme *et al.* portant sur la seule CECM, et notamment par un mémoire de maîtrise rédigé à partir de cette banque de données[13]. Celui-ci a montré, en effet, que l'indice de défavorisation de l'école s'avère le principal prédicteur des résultats en français et en mathématiques chez les francophones ou les natifs des deux sexes mais que son impact sur les résultats des allophones ou de la population immigrée est nettement plus limité. Par ailleurs, dans les écoles de milieux défavorisés, le degré de défavorisation est un facteur prédictif des variations de rendement en français et en mathématiques chez les élèves francophones ou non immigrés mais non chez leurs pairs allophones ou immigrés. L'écart à cet égard s'avère même plus important que celui constaté dans l'ensemble des milieux.

Au-delà des données *dures* sur la performance scolaire, qui semblent plaider pour une spécificité du profil des élèves d'origine immigrée en milieu défavorisé, on peut se demander ce qu'il en est de leur intégration sociale. En effet, on sait que la problématique des milieux défavorisés ne se réduit pas uniquement à la seule question de l'échec scolaire. La faible participation des parents et la déstructuration des familles, une aliénation plus grande face à la culture de l'école et de la société ainsi que divers phénomènes de marginalisation y sont également identifiés[14]. On possède, encore aujourd'hui, peu d'indications sur la spécificité — si elle existe — des populations d'origine immigrée par rapport à cette analyse traditionnelle, qui émane surtout de la réalité vécue par les populations francophones de vieille pauvreté. Toutefois, en ce qui concerne deux éléments, les relations entre l'école et les parents ainsi que la participation aux activités parascolaires et aux activités culturelles de la société dans son ensemble, diverses

---

13. Van Dromme *et al.* (1991) ; Rossell (1996).
14. Hohl (1985) ; CSIM (1990) ; Drolet (1992).

données corroborent la similarité des problèmes vécus, tout en identifiant certaines dynamiques distinctes.

Dans le premier cas, une recherche déjà ancienne[15] a montré qu'en milieu défavorisé, les parents natifs et d'origine immigrée partagent une méconnaissance assez grande des caractéristiques du système scolaire et des programmes pédagogiques, une faible participation aux activités de l'école à caractère consultatif et décisionnel ainsi que divers conflits culturels avec les enseignants ou la direction. Toutefois, dans le premier cas, la faible participation paraît liée davantage aux rapports négatifs qu'entretiennent les parents défavorisés francophones avec la scolarisation. Ceux-ci, souvent en chômage ou bénéficiant de l'aide sociale, sont assez disponibles et il est relativement facile de les impliquer à l'école une fois ce premier seuil de méfiance passée. Dans le second, la non-disponibilité relève davantage des conditions de vie des immigrants, qui mènent souvent de front deux ou trois activités rémunérées, ainsi que d'une barrière linguistique nettement plus invalidante. Par ailleurs, la valorisation de l'éducation chez les communautés immigrantes ainsi que leur désir de collaborer à la réussite scolaire de leur enfant sont généralement signalés, à quelques exceptions près, par l'ensemble des intervenants scolaires, en contraste avec l'apparent détachement ou découragement des parents de vieille pauvreté à cet effet[16].

Si l'on considère maintenant le rapport des élèves à la vie scolaire et culturelle, une recherche plus récente[17] a illustré l'impact important de la défavorisation, tant pour les élèves immigrés que pour leurs pairs natifs. En effet, en milieu défavorisé, les deux groupes d'élèves ont des résultats sensiblement similaires mais également très faibles lorsqu'on considère leur engagement au sein des activités de vie étudiante ainsi que leur connaissance des institutions culturelles et leur participation à des activités de cette nature. Les élèves d'origine immigrée paraissent toutefois s'impliquer dans des activités liées à leur communauté d'origine, ce qui est nettement moins le cas des élèves de vieille pauvreté. La légitimité, voire l'existence même de

---

15. Mc Andrew (1988b).
16. Paquette et Brassard (1985) ; Valentine (1971).
17. Mc Andrew, Pagé *et al.* (1999).

la culture ouvrière, bien que soutenue par des initiatives récentes dans certains quartiers, apparaît largement ignorée. Par ailleurs, il est intéressant de noter que le niveau de défavorisation semble influencer légèrement à la négative l'ouverture aux autres groupes chez les élèves d'origine immigrée alors que ce facteur s'est révélé non significatif au sein de la population native.

Une action encore peu adaptée à la conjonction des deux problématiques

Jusqu'à tout récemment, les interventions visant l'intégration des immigrants et l'adaptation de l'école à la diversité ethnoculturelle — qui constituent le cœur de cet ouvrage — et les mesures compensatoires d'égalisation des chances se sont largement développées en parallèle au Québec. Relevant d'instances scolaires nationales ou locales différentes, faisant appel à des organisations professionnelles ayant leur culture propre, et basées sur des traditions de recherche ayant peu de contacts, ces deux réalités, qui pourtant coïncident souvent sur le terrain, ont été peu articulées[18].

D'une part, en effet, durant les années 1980 et 1990, la lutte à l'échec scolaire n'a pas représenté un thème dominant du discours, essentiellement linguistique et culturel, à travers lequel a été analysée la problématique immigrante, ainsi qu'au sein des actions qui en ont découlé[19]. La *Politique d'intégration scolaire et d'éducation interculturelle* de 1998, qui fait de l'égalité des chances un des principes structurants de l'intervention gouvernementale, marque une certaine évolution. Cependant, elle aborde la problématique de l'échec scolaire surtout comme une réalité liée aux nouveaux arrivants, notamment les sous-scolarisés intégrant le système scolaire à l'adolescence. L'identification de cette clientèle cible ainsi que le choix de mettre en priorité la définition d'une action adaptée à ses besoins est certes légitime — comme on l'a vu plus haut. Toutefois, l'absence de données statistiques fiables sur les situations problématiques vécues par certains groupes d'implantation plus ancienne, ou du moins largement composés de Québécois de seconde génération auquel le critère de langue

---

18. Paradis (1987) ; Conseil supérieur de l'éducation (CSE) (1996).
19. Berthelot (1991) ; CSE (1993) ; Moisset *et al.* (1995).

maternelle rend peu justice, conduit probablement à ignorer d'autres phénomènes importants de marginalisation et d'exclusion.

L'invisibilité de ces groupes au sein du discours public, qui sont constitués pour l'essentiel de ce qu'on appelle au Québec et au Canada les *minorités visibles* et plus spécifiquement par les communautés noires, peut relever d'une crainte de nourrir les stéréotypes déjà importants à leur égard. Cependant, on pourrait y déceler plus cyniquement une tendance à l'autojustification, rencontrée également dans d'autres contextes, face à une problématique dont les causes complexes sont à rechercher non seulement dans les caractéristiques prémigratoires de ces groupes mais surtout dans l'expérience qu'ils ont vécue au sein de la société et du système scolaire québécois[20]. Comme nous le verrons plus loin, le fait que l'approche québécoise d'adaptation systémique au pluralisme accorde peu d'importance au racisme vient ajouter à cette absence de suivi étroit de la performance et du profil de cheminement scolaires des élèves appartenant à des minorités *raciales*.

D'autre part, depuis sa mise en œuvre au début des années 1960, le dispositif de soutien aux milieux défavorisés a été conçu essentiellement dans une perspective, sinon carrément monoethnique, du moins peu sensible aux différences culturelles. Ainsi, ce n'est que depuis 1997, avec l'adoption du programme de l'*École montréalaise*[21] — dont le nom est en lui-même significatif de ce changement de paradigme — qu'une prise de conscience de la nécessité de prendre en compte la spécificité des milieux qui sont à la fois pluriethniques et défavorisés commence à être perceptible.

Jusqu'au milieu des années 1990, l'approche québécoise de lutte à la défavorisation[22] vise, en effet, essentiellement la pauvreté des francophones de vieille souche, qui sont longtemps demeurés la clientèle la plus défavorisée au plan des résultats scolaires. Dans les années 1960, étroitement liée à l'expérience américaine, elle analysait l'échec scolaire de la clientèle

---

20. En ce qui concerne la situation québécoise, voir : Groupe de travail sur l'éducation de la communauté noire (1978) ; Noël (1984) et CCCI (1991). Pour le contexte international : Grinter (1992) et Paillé (1996).
21. MEQ (1999).
22. Centrale de l'enseignement du Québec (CEQ) (1972) ; MEQ (1980, 1992) ; Lessard (1987) ; CSIM (1991) ; Drolet (1992) ; CSE (1994).

issue de ces milieux à travers le paradigme du déficit familial et culturel. Une stratégie d'intervention précoce (prématernelle à 4 ans) et de soutien pédagogique accru, conjuguée à des mesures alimentaires quelque peu symboliques (berlingots de lait) est alors mise en place. Dans les années 1970, dans la vague de contestation d'une *École au service de la classe dominante* — pour reprendre ici le slogan de la Centrale de l'enseignement du Québec (CEQ) — et face à diverses évaluations plutôt mitigées de l'impact de ces mesures[23], c'est plutôt l'inadaptation de l'institution scolaire qui est questionnée. À travers des projets pédagogiques novateurs, le perfectionnement des maîtres, l'accroissement des liens école/communauté, on a tenté de *Rapprocher l'école de son milieu*. Le début des années 1990 a marqué un certain retour du pendule avec le *Plan Pagé*, qui remet à l'ordre du jour diverses mesures compensatoires, toutefois à une échelle nettement plus grande qu'à l'origine. La mesure alimentaire devient significative. Au primaire, on généralise la fréquentation des maternelles à 4 ans, on fait passer celle des enfants de 5 ans à temps plein et on développe l'aide aux devoirs et aux leçons. Au secondaire, des postes de techniciens à l'abandon scolaire sont créés pour lutter contre ce phénomène grandissant.

L'*École montréalaise*[24], tout en conservant ces acquis, donne une nouvelle légitimité à la perspective systémique et à une analyse multicausale des raisons de l'échec scolaire en milieu défavorisé. On y privilégie trois grands objectifs : un cheminement scolaire des élèves qui tienne compte de leurs caractéristiques et de leurs besoins ; l'ouverture de l'école sur sa communauté ainsi que l'autonomie et la responsabilité de l'école. Six mesures, qui représentent de fait davantage des programmes, sont mises de l'avant : Action pédagogique ; École orientante ; Valorisation et promotion de la formation professionnelle et technique ; Établissement de liens entre l'école, la famille et la communauté ; Accès aux ressources culturelles et Développement professionnel de la direction et de l'équipe-école. Un double équilibre paraît donc recherché, d'une part entre les approches compensatoires et l'adaptation de l'école et, d'autre part, entre les mesures proprement pédagogiques et celles qui visent le développement social et

---

23. Houle *et al.* (1985).
24. MEQ (1999, 2000a) ; Lamarre, M. (2000) ; Moisan (2000).

culturel des élèves. Par ailleurs, à l'opposé de certaines expériences étrangères que nous examinerons plus loin, l'approche privilégiée, n'établissant pas d'objectifs préalables à atteindre, est largement incitative. De plus, elle prend pour unité d'intervention les établissements individuels et non des zones entières de défavorisation.

L'effort d'intégration de la problématique de la diversité ethnoculturelle aux actions découlant des orientations et des grandes mesures, même s'il est louable, demeure modeste. On le retrouve dans l'identification des élèves sous-scolarisés comme une des clientèles cibles visées par la mesure Action pédagogique ainsi que dans la reconnaissance de la barrière linguistique vécue par les parents immigrants qui amène, sous la mesure Établissement de liens entre l'école, la famille et les communautés, à soutenir les services d'apprentissage du français ou ceux d'interprètes. On propose aussi de mettre sur pied des projets de création visant à sensibiliser les élèves des écoles multiethniques au monde artistique francophone sous la mesure Accès aux ressources culturelles.

Comme le guide pédagogique concernant les liens école/communauté le confirme, on semble privilégier une perspective compensatoire qui fait peu de place à la réciprocité, notamment en matière culturelle, alors même que l'apport des communautés immigrantes est un des éléments dominants du discours gouvernemental relatif à l'adaptation systémique à la diversité[25]. De plus, l'absence de la problématique pluriethnique dans la discussion de la mesure École orientante révèle une certaine méconnaissance d'une des priorités les plus importantes des parents d'origine immigrée, soit celle d'une évaluation et d'un *counselling* professionnel exempts des biais dénoncés souvent, à tort ou à raison[26].

La principale limite de l'action québécoise apparaît toutefois résider dans l'absence de réflexion approfondie sur la spécificité des actions qui devraient viser les milieux qui sont à la fois pluriethniques et défavorisés. Comme on l'a vu plus haut, en effet, les élèves d'origine immigrée dans ces établissements, bien qu'ils partagent de nombreux points communs avec leurs pairs défavorisés, ont un profil qui leur est propre, souvent plus favo-

---

25. CSE (1983, 1987, 1993) ; MEQ (1985, 1988a, 1998b).
26. Mc Andrew (1988b) ; Mc Andrew et Potvin (1996).

rable que ces derniers. Cette réalité n'implique pas qu'ils ne constituent pas une clientèle à cibler mais que leurs besoins peuvent être différents[27]. Ainsi à titre d'exemple, au niveau de l'aide aux devoirs et aux leçons, ce seront souvent moins la motivation et la discipline qui représenteront les défis mais plutôt les difficultés linguistiques de l'élève ainsi que l'incapacité de ses parents à le soutenir dans ses apprentissages. De même, le développement professionnel dont ont besoin les intervenants en milieu défavorisé est probablement différent, selon qu'ils travaillent auprès d'une clientèle monoethnique ou multiethnique.

L'impact de ce manque d'articulation des problématiques d'ethnicité et de défavorisation est toutefois limité par deux caractéristiques de l'*École montréalaise*, soit son insistance sur la flexibilité des mesures ainsi que la grande autonomie qui est laissée aux milieux locaux dans leur définition. On peut penser que les écoles qui sont depuis plus de vingt ans à la fois défavorisées et pluriethniques n'ont pas attendu une réflexion ministérielle approfondie pour créer elles-mêmes des interventions répondant à la double spécificité de leur clientèle. Les rapports annuels des commissions scolaires relatifs à la mise en œuvre des mesures en milieux défavorisés en témoignent d'ailleurs[28]. Toutefois, le danger que domine l'approche compensatoire, où la différence culturelle est définie essentiellement comme un obstacle à aplanir, est bien réel. En effet, les budgets liés à l'*École montréalaise* sont sans commune mesure avec ceux qui soutiennent la *Politique d'intégration scolaire et d'éducation interculturelle*.

De plus, l'adaptation des milieux défavorisés traditionnellement mono-ethniques à l'accroissement récent de la clientèle immigrée en leur sein risque d'être plus difficile, notamment pour un personnel scolaire habitué à la *bonne vieille* défavorisation. Dans ces milieux se pose également la question de la coexistence entre les élèves d'origine immigrée et les élèves natifs, souvent plus défavorisés ou, du moins, plus invalidés au plan scolaire. D'une part, en effet, on peut s'interroger sur l'impact, en ce qui concerne l'intégration symbolique des communautés immigrantes, du fait que ce type de francophones soit leur principal *modèle de rôle*. D'autre part, les

---

27. Mc Andrew et St-Pierre (1993) ; CSE (1996).
28. CSIM (1999).

approches destinées à combattre les préjugés et les stéréotypes doivent être spécifiques, lorsqu'on s'adresse à une population dominante au plan linguistique et ethnoculturel, mais nettement dominée au plan socioéconomique[29].

L'expérience internationale

Face au défi de mieux articuler les mesures de soutien aux milieux défavorisés et de lutte à l'échec scolaire à la réalité pluriethnique, l'examen de sociétés dont l'expertise est plus ancienne en cette matière peut s'avérer pertinent, notamment du fait que le lien entre immigration et défavorisation y est plus marqué. Les approches considérées ici, successivement celles de la France, des États-Unis et de l'Angleterre, se distinguent selon trois caractéristiques de nature différente, ce qui empêche de les classer sur un continuum, comme nous l'avons fait plus haut pour les modèles d'enseignement de la langue d'accueil aux nouveaux arrivants.

À un premier niveau, en effet, les trois systèmes scolaires peuvent être opposés en fonction de l'imputabilité des établissements publics, de la visibilité des statistiques relatives à leur performance, ainsi que du degré de concurrence qu'ils entretiennent les uns avec les autres. L'ensemble de ces facteurs a des conséquences non négligeables sur leur stratégie d'ensemble de lutte à l'échec scolaire, notamment son caractère plus ou moins drastique. En outre, bien que ces trois pays aient choisi une approche centrée sur des zones entières et non sur les seuls établissements scolaires, ils se distinguent par la nature sociale ou pédagogique des critères qui sont à la base de la définition de telles zones, ainsi que des actions qu'on y soutient. Finalement, la place qu'occupe la problématique immigrante varie selon les contextes, et ce, parfois même à l'intérieur d'une même société. La reconnaissance de la spécificité ethnoculturelle n'est pas nécessairement la même, en effet, dans la définition des statistiques colligées par les ministères et des mesures générales de lutte à l'échec scolaire, ou lors de l'établissement d'une zone d'éducation prioritaire et des mesures qui en découlent.

---

29. Mc Andrew et Jacquet (1996) ; Laperrière et Dumont (2000).

La France

Traditionnellement centralisé, le système scolaire français a fait, depuis plusieurs années, de l'amélioration de la qualité de l'enseignement et de ses extrants en termes de diplômation un objectif central. Pour ce faire, il dispose d'un appareil de suivi sans commune mesure avec celui que nous connaissons au Québec. Des examens ministériels communs sont administrés à trois étapes de la scolarisation obligatoire primaire et secondaire. On y mène aussi des suivis systématiques de *panels* d'élèves en fonction de leur sexe, de l'origine sociale de leurs parents, de leur statut d'immigration, de leur région d'origine ainsi que de leurs habiletés. De plus, le caractère public de ces données est assuré par divers mécanismes de rapports annuels à l'Assemblée nationale et de publications officielles, prévus par la loi[30].

À l'opposé de la situation prévalant aux États-Unis et en Angleterre, ce processus de contrôle vise essentiellement à permettre un réajustement centralisé des ressources ou des actions pédagogiques, par le ministère de l'Éducation Nationale (MEN), ou tout au plus par les inspectorats d'académie, autorités scolaires non élues qui tiennent leur pouvoir d'une délégation du ministère. La *révolution* de l'*accountability*, soit l'imputabilité des établissements face à leurs usagers, n'a guère touché la France[31]. Les résultats nominaux des écoles, collèges et lycées ne sont pas publics. De plus, même s'ils l'étaient, l'absence de concurrence officielle entre établissements ainsi que la forte protection syndicale du personnel en limiteraient l'utilité pour les parents ou les élèves. Le refus de faire du service public un marché privé est d'ailleurs un thème dominant du discours pédagogique français. Toutefois, cela n'empêche pas les données relatives à la performance comparative des établissements de circuler sous le manteau. Diverses recherches ont ainsi montré que, tant pour l'obtention de ces renseignements que pour la mise en œuvre de stratégies de choix des établissements, les parents

---

30. Ministère de l'Éducation Nationale (MEN) (1993) ; Thélot (1994) ; Vallet et Caillé (1996a).
31. Henriot-Van Zanten (1994) ; Balls et Van Zanten (1998) ; Van Haecht (1998).

favorisés, le plus souvent français, se montrent meilleurs consommateurs que les parents défavorisés ou immigrants[32].

En ce qui concerne le suivi spécifique des populations d'origine immigrée, l'approche française est limitée[33]. En effet, dans la foulée du modèle républicain qui considère tout traitement différentiel en fonction de l'origine ethnique comme potentiellement discriminatoire, le gouvernement français a refusé jusqu'à tout récemment de recueillir des statistiques sur la performance scolaire des élèves *français de nouvelle souche*, soit ceux dont les parents sont eux-mêmes immigrants. Cette réticence s'étendait également aux populations issues des départements et des territoires dits d'outre-mer (par exemple, la Martinique ou la Guadeloupe) dont la rumeur voulait pourtant qu'ils connaissent d'importants problèmes scolaires. Les élèves d'origine immigrée, rendus invisibles, se voyaient ainsi partagés, selon leur statut juridique, entre la population scolaire *étrangère* et l'ensemble des élèves considérés comme *Français*, sans distinction. Bien que cette position ait probablement été réconfortante au plan éthique, elle limitait singulièrement la possibilité de bilans exhaustifs de leur profil de scolarisation. La décision récente du gouvernement de considérer désormais la catégorie *immigrés ayant acquis la nationalité française* comme légitime à des fins statistiques a donné lieu à une importante controverse médiatique. Son éventuelle mise en œuvre en milieu scolaire sera intéressante à suivre.

Par ailleurs, dans le cas des *panels étrangers* qui figurent depuis longtemps au sein des grandes études évaluatives du MEN, il est intéressant de constater à quel point leur situation a d'abord et avant tout été interprétée comme une question de classe sociale[34]. Plusieurs études ont, en effet, démontré qu'à origine sociale équivalente, ces élèves réussissaient aussi bien que leurs pairs français *de souche*. Le discours français de *désethnicisation* de l'échec scolaire des immigrants est intéressant, en contraste avec la tendance inverse qu'on rencontre en Amérique du Nord. Cependant, il

---

32. Ballion (1986); Broccolichis et Van Zanten (1997).
33. Giraud (1993); Thélot (1994); Paillet (1999); Institut National de la Statistique et des Études Économiques (INSEE) (2000).
34. Boulot et Boyzon-Fradet (1984); Chauveau et Rogovas-Chauveau (1990); Thélot (1994).

néglige l'impact différent, au plan symbolique et pratique, d'un phénomène qui touche une forte proportion de la population immigrée, alors qu'il ne concerne qu'environ 10 % de la population française dans son ensemble. De plus, il a souvent pour effet de délégitimer toute mobilisation spécifique visant à exiger de l'État ou des établissements publics qu'ils rendent des comptes, face à l'échec scolaire des élèves étrangers ou d'origine immigrée[35].

La prise en compte des besoins de cette clientèle se fait donc largement par le biais des mesures qui visent la résolution des problèmes qu'elle partage avec la population française défavorisée *de souche*. L'intervention la plus connue à cet égard est celle de l'établissement des zones d'éducation prioritaire (ZEP)[36], une réforme où la France a joué un rôle de précurseur, imitée par nombre de pays européens.

Au début des années 1980, en effet, avec la prise du pouvoir par la gauche, la légitimité d'un traitement différentiel des établissements scolaires en fonction de leur degré de défavorisation s'impose. Toutefois, afin d'éviter l'atomisation des efforts et surtout de reconnaître que la question scolaire est étroitement liée à des problématiques de quartiers ou de régions rurales marginalisées, une stratégie collective de soutien à un ensemble d'établissements est mise de l'avant. La perspective française de soutien aux milieux défavorisés est donc, dès l'origine et encore aujourd'hui, largement sociale. Les critères retenus pour la reconnaissance d'une ZEP, après un certain flottement, se sont clairement centrés, lors d'une seconde phase de relance au début des années 1990, vers des indicateurs socioéconomiques tels la violence intra et extrascolaire, le chômage et la grande pauvreté du milieu ainsi que la présence des populations d'origine immigrée. De même, parmi les critères d'approbation des projets de zones, figure explicitement leur coordination avec les programmes de développement social des quartiers et l'ensemble des activités des collectivités locales, visant à lutter contre l'exclusion et la marginalisation. Les projets soutenus ont donc comme

---

35. Lorcerie (1994b, 1995) ; Paillé (1996).
36. Henry et Best (1992) ; Charlot (1994) ; Lorcerie (1994b) ; Bouveau (1997) ; Bouveau et Rochex (1997).

objectif, autant et sinon plus, l'intégration socioculturelle des jeunes, le partenariat avec les familles et la collectivité plus large ou la lutte à la violence que le soutien pédagogique proprement dit. À cet égard, plusieurs analystes considèrent que le principal acquis des ZEP est d'avoir amené, du moins à la marge, le système scolaire français, traditionnellement homogène et fermé, à s'ouvrir davantage à la variété de son public ainsi qu'aux réalités diverses du milieu qu'il dessert.

Plus récemment toutefois, certains ont réclamé, face à diverses évaluations mitigées de l'impact des ZEP sur la réussite scolaire[37], leur recentrage sur la fonction d'instruction de l'école[38]. Les auteurs du plus récent rapport de l'Inspection générale de l'Éducation Nationale (IGEN) ont ainsi plaidé pour une accentuation des projets visant directement les apprentissages ainsi que l'accompagnement des maîtres. De plus, ils proposent de resserrer la définition des ZEP afin qu'elle corresponde plus étroitement à celle de la défavorisation scolaire et d'en effectuer un suivi plus étroit, notamment par le biais des contrats de réussite entre les établissements visés et les autorités responsables. Ils rejettent toutefois l'établissement d'objectifs précis d'amélioration des résultats qui prévaut en Angleterre ou aux États-Unis et insistent sur l'importance de prendre en compte la détérioration des conditions socio-économiques du milieu lors de toute démarche d'évaluation.

En ce qui concerne plus spécifiquement les liens entre les ZEP et la pluriethnicité, le document suggère de remplacer le critère de pourcentage d'enfants étrangers ou issus de l'immigration par un indice plus complexe. Divers éléments, qui peuvent représenter des obstacles à la réussite scolaire au sein de cette population, seraient pris en compte, soit le pourcentage d'élèves dont la langue parlée à la maison est autre que le français, la présence des primo-arrivants ainsi que l'existence de tensions intercommunautaires. Toutefois, le rapport ne propose pas de réflexion sur la situation spécifique de cette clientèle, qui pourrait orienter les actions essentiellement ad hoc menées à son intention, au jour le jour, à travers le dispositif des ZEP.

---

37. Meuret (1994) ; Brizard (1995).
38. Ministère de l'Éducation Nationale, de la Recherche et de la Technologie (MENRT) (1997b, 1999) ; Moisan et Simon (1997).

Les États-Unis

À l'opposé de l'approche française, l'expérience américaine de soutien aux milieux défavorisés est caractérisée par une claire dominance pédagogique, tant en ce qui concerne l'identification des clientèles cibles que la définition des mesures. En effet, le programme *Goal 2000*, adopté en 1994, a fixé des objectifs très ambitieux de performance scolaire dans chacune des matières et d'extrants de scolarisation pour l'ensemble des États-Unis. Chaque État a donc été amené, pour bénéficier des importants transferts de fonds fédéraux à cet égard, à développer ses propres programmes en cette matière[39]. Dans l'ensemble, malgré la grande variété qui caractérise généralement l'adaptation locale des programmes mis en œuvre par le gouvernement américain, trois tendances dominent.

Tout d'abord, on note la grande légitimité idéologique du mouvement de l'*accountability*, qui amène les différents ministères de l'Éducation, non seulement à développer mais surtout à rendre accessible au débat public un ensemble de statistiques relatives à la performance de chacun des établissements[40]. On y distingue les diverses clientèles scolaires selon leur statut d'immigration, leur origine ainsi que leur *race*, un concept utilisé de manière beaucoup moins critique aux États-Unis qu'au Canada. D'ailleurs, en ce qui concerne plus spécifiquement les minorités *raciales*, les États ne font que se conformer à cet égard à la législation fédérale déjà en place depuis une trentaine d'années sous l'égide de l'*Office of Civil Rights*.

Une seconde caractéristique, assez générale au sein du système scolaire américain, est celle du mouvement vers la privatisation même des écoles du réseau public[41]. Cette tendance se manifeste, entre autres, par la concurrence qui existe entre les établissements qui, du fait d'une syndicalisation nettement moins poussée qu'en France ou même au Canada, peut souvent se solder par la fermeture des établissements moins populaires, suite à la divulgation de leurs résultats inférieurs à la moyenne de l'État ou du pays.

Finalement, à ce mouvement de privatisation vient s'ajouter la nouvelle popularité des *Charter Schools*, soit des écoles établies par des groupes de

---

39. US Government (1994) ; US Department of Education (1995b, 1996, 1998a).
40. USDE (1994, 1998b, 1999a) ; Ravitch (1999) ; Vallas (1999).
41. Glazer (1993) ; Lieberman (1993) ; Hill (1999).

parents désireux de développer un projet pédagogique particulier[42]. Dans une minorité d'États mais non les moindres, telles la Floride ou la Californie, l'approche des *Voucher*, où les parents se voient remettre des crédits correspondant à la dépense per capita de l'État en éducation qu'ils peuvent appliquer indifféremment aux écoles publiques ou privées ou à la création de nouvelles écoles, représente même la formule privilégiée. Cette réforme a suscité de nombreux débats portant sur la nécessité d'institutions communes — sur lesquels nous reviendrons au chapitre 6. Toutefois, dans le cadre de la question discutée ici, soit celle de la lutte à l'échec scolaire, il est intéressant de noter que diverses recherches américaines[43] ont montré que les parents de groupes minoritaires, notamment les communautés noires, semblaient largement utiliser ce système dans un but de promotion sociale.

Dans un contexte où les résultats des écoles sont scrutés à la loupe par divers groupes de pression et où leur survie dépend souvent d'une logique de marché, il n'est pas étonnant que les programmes de soutien aux milieux défavorisés soient particulièrement volontaristes, certains pourraient même dire drastiques. On peut prendre comme cas de figure à cet égard le programme du bien nommé *Office of Accountability* du *Chicago Board of Education*[44]. Dans cette ville, c'est en fonction de leur performance à divers indicateurs pédagogiques, tels les résultats aux examens ministériels, le taux d'absentéisme et d'abandon scolaire ainsi que les taux de diplômation, que sont choisies les écoles cibles pouvant — ou plutôt devant — bénéficier de soutien. À l'opposé des programmes français et québécois largement incitatifs, la participation à des mesures de redressement pédagogique est, en effet, imposée à tout milieu sous-performant à travers un processus extrêmement rigide. Celui-ci prévoit plusieurs étapes (*remediation, probation, intervention, reingeneering*), dont l'ultime consiste en la *reconstitution*, c'est-à-dire dans la disparition de l'école dont les clientèles et le personnel doivent être redistribués dans d'autres milieux, sous l'égide d'une commission mixte patronale/syndicale. À chacune de ces étapes, des objectifs précis et quantifiables, dont l'atteinte est un prérequis à la poursuite du

---

42. Tashman (1992); Newman (1994); USDE (1999b).
43. Lewis et Nakagawa (1995); USDE (1999b); Wells *et al.* (1999).
44. City of Chicago (1999a, b).

soutien des autorités scolaires, doivent être définis par l'équipe-école. Celle-ci agit en consultation avec l'*Office of Accountability*, les parents siégeant au *Local School Council* ainsi qu'une équipe d'évaluateurs externes comprenant des spécialistes mais aussi des citoyens *ordinaires*.

Le caractère exigeant, voire même irréaliste, de ce type de programme a suscité de nombreuses critiques des milieux libéraux américains, faisant valoir notamment son absence de prise en compte de la situation socio-économique difficile des milieux que desservent les écoles défavorisées[45]. Toutefois, le choix des décideurs de Chicago ne semble pas relever de l'ignorance de cette réalité mais plutôt d'un *a priori* philosophique qui redonne à l'école la responsabilité d'assurer la réussite scolaire des élèves, quel que soit leur milieu d'origine. Les tenants du mouvement de l'*Accountability* considèrent en effet que, pendant trop longtemps, les déterminants sociaux ont été utilisés comme des excuses, par un personnel scolaire peu exigeant, face aux élèves défavorisés ou appartenant à des minorités et qu'il est temps de mettre fin à ce relâchement[46]. Selon eux, tous les enfants peuvent réussir et le système scolaire doit *livrer la marchandise* à l'ensemble des payeurs de taxes.

L'évaluation de l'efficacité d'approches nettement plus coercitives en matière de lutte à l'échec scolaire reste, cependant, encore à faire. Certains systèmes scolaires, comme celui de Chicago, ont minimalement réussi à freiner leur décroissance et à assurer le maintien de leurs meilleures écoles. Toutefois, il est difficile de savoir si ces résultats, qui tiennent pour l'instant à des changements de perception du système public par les parents consommateurs, prendront également la forme de bénéfices à plus long terme pour les clientèles. À cet égard, plusieurs questionnent le climat de contrôle professionnel et d'incertitude généré chez le personnel scolaire, qu'ils considèrent peu susceptible de favoriser l'initiative et l'enthousiasme nécessaires à l'atteinte d'objectifs pédagogiques divers. De plus, dans un contexte de concurrence entre établissements, il est évident que ceux-ci sont parfois amenés à faire des promesses irréalistes aux parents, ce qui

---

45. USDE (1995b) ; Bigelow (1999).
46. Bush (1999) ; Keegan (1999) ; Ravitch (1999).

pourrait avoir des conséquences à plus long terme sur le succès scolaire des élèves les plus marginalisés[47].

Cependant, la grande marge de manœuvre accordée au milieu scolaire dans la définition des mesures représente un facteur positif pour les directions d'école et les enseignants. Elles favoriseraient notamment la prise en compte de la diversité ethnoculturelle et *raciale* des clientèles[48]. Cet élément occupe toutefois peu de place dans le discours explicite de soutien aux milieux défavorisés, sans doute à cause de la coïncidence massive des deux problématiques au sein des grandes villes américaines. Rappelons, par exemple, que le pourcentage de non-Blancs au sein du *Chicago Board of Education* dépasse 80 %.

L'Angleterre

Jusqu'au milieu des années 1990, l'expérience anglaise aurait pu être décrite largement dans les mêmes termes que le cas de figure américain. Se situant dans des mouvances idéologiques très proches, soit celles de la *Moral Majority* aux États-Unis et du *Thatcherism* en Angleterre, les deux sociétés ont mis de l'avant sensiblement les mêmes réformes en éducation. L'imputabilité plus grande des écoles face à leurs usagers, l'établissement d'une logique de marché les amenant à entrer en concurrence les unes avec les autres ainsi que le soutien à diverses initiatives des parents visant à créer leurs propres écoles ont aussi été à l'ordre du jour[49]. Toutefois, cette dernière tendance était, et est encore, moins marquée en Grande-Bretagne où elle a davantage pris la forme d'une aide à l'établissement d'écoles privées traditionnelles, les *Charter Schools*, que d'une redéfinition complète du marché éducatif.

Avec le retour au pouvoir des travaillistes, qui tentent une fusion assez originale entre le conservatisme fiscal et la social-démocratie, l'approche britannique de lutte à l'échec scolaire chez les minorités et de soutien aux

---

47. Elmore (1986); Shanker (1994); Farber (1991).
48. Farber (1991); Boaz (1993); Glazer (1993); Hargreaves (1994).
49. Ball (1992, 1993); Swanson (1995); Van Haecht (1998).

milieux défavorisés est en pleine redéfinition[50]. Tout d'abord, alors que, durant les quinze dernières années, l'imputabilité des écoles a été conçue comme un mouvement répondant aux préoccupations des parents blancs des classes moyennes, tout récemment, une perspective plus antiraciste y a émergé[51]. Les statistiques publiques, qui portaient sur les performances globales des établissements, doivent désormais rendre compte de leurs résultats spécifiques auprès des élèves immigrants récents, allophones ou issus des communautés *racialisées*. L'*ethnic monitoring*, c'est-à-dire le suivi étroit des performances scolaires de ces clientèles par les écoles et les conseils scolaires qui les desservent, a été particulièrement mis de l'avant par la *Commission for Racial Equality* (CRE). On questionne également, de nouveau, le caractère ethnocentrique du curriculum des écoles britanniques comme un des éléments à l'origine des données peu favorables des *minorités visibles*, notamment des communautés noires, en matière d'extrants de scolarisation.

Par ailleurs, une étude récente, réalisée pour le *Department for Education and Employment* (DfEE) sur les pratiques les plus efficaces pour favoriser la réussite scolaire des minorités[52], concluait à la nécessité d'associer les approches coercitives et incitatives, ce qui fait de l'expérience britannique une formule plus en douceur que le modèle américain. L'obligation des milieux concernés de rendre publiques leurs statistiques relatives aux résultats des clientèles selon l'origine, la *race* ou la langue était considérée comme centrale dans la lutte à l'échec scolaire. Toutefois, on faisait valoir que le respect de l'autonomie des directions et des établissements dans la définition des mesures les plus appropriées pour soutenir les élèves en difficulté, qui est très grande en Angleterre, constituait une condition gagnante dans ce domaine.

La réforme Blair a aussi amené les décideurs scolaires à rediriger leur intérêt vers les problématiques sociales. En matière d'analyse des déterminants

---

50. Department for Education and Employment (DfEE) (1997) ; Labour Party (1997) ; Gillborn (1998) ; Apple (1999).
51. Commission for Racial Equality (CRE) (1989, 1992a, b) ; Department for Education (DfE) (1995) ; Gillborn et Gipps (1996) ; Office for Standards in Education (OFSTED) (1999).
52. Blair et Bourne (1998).

de la performance scolaire, l'expérience anglaise se situe aujourd'hui à mi-chemin entre l'ethnicisation, parfois indue, qui caractérise le discours nord-américain et le classisme, un peu simpliste, auquel se confine souvent le discours français. L'interrelation des variables classe et ethnicité ainsi que les problèmes scolaires d'une population ouvrière défavorisée britannique *de souche*, parfois aussi importants que ceux des *minorités visibles*, constituent des thèmes importants de la sociologie de l'éducation britannique[53].

Cette évolution explique également les choix qui ont prévalu lors de la relance des *Education Action Zones*[54], une approche qui avait été presque intégralement abandonnée durant les années Thatcher. En effet, on cherche un équilibre entre une définition pédagogique de la défavorisation, comme celle qui domine aux États-Unis, et une philosophie mettant l'accent sur la lutte aux obstacles socioéconomiques, comme celle qu'on privilégie en France. Celui-ci a été trouvé en distinguant les critères qui justifient l'octroi d'un soutien supplémentaire et le type de mesures qui peuvent être mises en œuvre.

Dans le premier cas, la perspective scolaire a nettement été privilégiée. Pour soumettre un projet d'*Education Action Zone*, les autorités scolaires doivent démontrer l'existence d'un problème à partir des indicateurs classiques de la performance ou du cheminement de leur clientèle. La simple référence à la pauvreté, au chômage ou à la pluriethnicité du milieu ne suffit pas. De plus, l'approche britannique est moins bureaucratique que la perspective française, puisqu'elle permet à tout autre regroupement de citoyens de faire une telle demande.

En ce qui concerne les actions toutefois, les critères sont plus larges. Elles peuvent viser autant le soutien pédagogique et l'amélioration de l'enseignement que la lutte à l'exclusion sociale ou à la marginalisation culturelle des élèves ainsi que le soutien à leur famille. On exige que des objectifs quantifiables et précis d'augmentation de la performance scolaire ou d'amélioration des indicateurs sociaux soient établis, mais le ministère a précisé que toute détérioration dans les conditions socioéconomiques du

---

53. Willis (1977) ; Gillborn et Drew (1992) ; Troyna (1993).
54. DfEE (1997, 1998, 1999) ; Blanchard (2000).

milieu environnant serait prise en compte lors de l'évaluation des projets à fin de renouvellement.

Les *Education Action Zones* sont aussi conçues comme des mesures temporaires dont la durée ne dépassera pas six ans. Après cette période, le milieu devrait avoir développé suffisamment de liens avec les institutions publiques, les organismes communautaires ainsi que la communauté d'affaires — une autre différence avec l'approche française — pour se passer du soutien gouvernemental. Toutefois, le réalisme de cette exigence, visant à combattre la déresponsabilisation que créent parfois les mesures d'assistance permanente, demeure à vérifier.

En ce qui concerne les rapports entre la pluriethnicité et le soutien aux milieux défavorisés, les autorités scolaires britanniques paraissent, comme au Québec, considérer ces deux problématiques comme distinctes. Le discours relatif aux *Education Action Zones* ne comporte aucune réflexion sur la spécificité des besoins des milieux défavorisés pluriethniques ou de la clientèle d'origine immigrée au sein des milieux défavorisés plus *traditionnels*. Toutefois, la prise en compte des besoins diversifiés des clientèles d'origine immigrée dans le dispositif de soutien aux milieux défavorisés se concrétise sensiblement sous la même forme que dans d'autres contextes. On rapporte une aide aux leçons et aux devoirs, adaptée à des élèves dont la maîtrise de la langue est inférieure à celle des locuteurs natifs, ainsi que des activités multi et interculturelles visant à favoriser une présence accrue des parents à l'école. De plus, divers milieux développent un soutien aux communautés noires qui tient compte de leur pratique des dialectes de l'anglais ainsi que de leur expérience du racisme[55].

Contribution potentielle au débat québécois

Ce bref survol de quelques expériences étrangères permet de porter un éclairage sur la variété des approches de soutien aux milieux défavorisés, susceptible d'intéresser les décideurs et intervenants actifs dans le dossier. Toutefois, il s'avère beaucoup moins fécond en ce qui concerne la question

---

55. Overington (1999).

centrale de ce chapitre, soit celle des liens, sur le terrain des pratiques, entre la défavorisation et la pluriethnicité.

Que ce soit en France, aux États-Unis ou en Angleterre, le débat paraît, en effet, peu poussé sur la spécificité des problèmes vécus par les élèves d'origine immigrée en milieu défavorisé ainsi que sur l'adaptation des stratégies d'ensemble de lutte à la défavorisation à la réalité des écoles pluriethniques. Les divers pays s'opposent quant à la pertinence d'approches sociales ou pédagogiques, axées sur les établissements individuels ou sur des zones plus larges, ou encore coercitives ou incitatives. Cependant, l'impact différencié de ces choix sur la prise en compte des besoins et des attentes de la clientèle immigrée n'a guère été discuté ni, encore moins, évalué de manière systématique. Ce silence est compréhensible dans le cas des États-Unis, où l'on a souvent de la difficulté à distinguer les deux problématiques au sein des écoles publiques des grandes villes, délaissées par la population blanche. En France, il relève d'abord et avant tout de motifs idéologiques, les décideurs et intervenants scolaires ainsi que l'opinion publique répugnant à toute reconnaissance de l'ethnicité comme une variable structurante de l'expérience scolaire. En Angleterre, une certaine prudence face au danger de catégorisation des minorités *raciales* semble se conjuguer aux séquelles du militantisme antiraciste des années 1980, où l'on présentait *class, gender and race* comme les trois soldats d'un même combat[56]. Toutefois, c'est dans ce pays que la réflexion comparative sur les impacts pédagogiques de l'appartenance de classe et de l'appartenance ethnique, bien qu'encore limitée aux cercles universitaires, est la plus avancée.

Dans le contexte de réforme qui y prévaut actuellement, on peut s'attendre à des développements à cet égard. Face au débat québécois, il sera intéressant de suivre avec attention les orientations plus précises qui pourraient être mises de l'avant, que ce soit dans le cadre de l'évolution des *Education Action Zones* ou de la future politique d'intégration des immigrants et d'éducation interculturelle, annoncée par le gouvernement Blair. Il faudra toutefois demeurer conscient des différences qui nous séparent, notamment au plan du profil socioéconomique et éducatif des populations

---

56. Laperrière (1986) ; Gillborn (1995).

d'origine immigrée, nettement plus élevé au Québec et au Canada[57]. Sans inhiber complètement l'intérêt des approches développées dans des contextes où l'immigration et la défavorisation coïncident davantage, cette limite devrait amener à une certaine prudence lorsqu'on en examinera la transférabilité.

Si l'on peut regretter le peu d'articulation des stratégies visant l'intégration des immigrants et le soutien aux milieux défavorisés dans les trois sociétés étudiées, leur expérience en matière de lutte à l'échec scolaire des populations d'origine immigrée apparaît plus riche. Dans les trois contextes, en effet, bien que dans une moindre mesure en France, on effectue généralement un suivi, plus poussé qu'au Québec, des extrants de la scolarisation de cette clientèle. Ce suivi est favorisé par l'existence d'examens nationaux, étatiques aux États-Unis, nettement plus fréquents au cours de la scolarité.

Toutefois, la différence la plus marquée avec le Québec réside dans l'imputabilité des établissements publics face à leurs usagers, notamment ceux d'origine immigrée. Celle-ci se concrétise, dans divers États américains ainsi qu'en Grande-Bretagne, par l'obligation qui leur est faite de rendre publics non seulement leurs résultats d'ensemble mais surtout leur performance face à cette clientèle. L'accès à cette information permet aux parents des minorités culturelles ou *raciales* de développer une compétence de consommateurs de l'éducation, traditionnellement limitée aux parents de classe favorisée ou appartenant à la majorité. Toutefois, ce bénéfice semble avoir été plus marqué aux États-Unis qu'en Grande-Bretagne, une différence dont les causes auraient besoin d'être davantage explorées. De plus, cette nouvelle donne exerce une pression indéniable sur les directions et le personnel scolaire, qui pourraient être tentés d'envisager l'échec scolaire des minorités comme une fatalité.

Plusieurs limites sont identifiées à cette formule qui, sans en délégitimer complètement la pertinence, constituent des nuances importantes pour assurer le succès de sa mise en œuvre, sans mentionner ici sa transférabilité à des contextes étrangers. Tout d'abord, un palmarès des écoles, basé uniquement sur leurs extrants sans tenir compte de leurs intrants, constitue

---

57. Gillborn et Gipps (1996) ; CRE (1999).

une évaluation injuste de l'effort du personnel scolaire face aux élèves en difficulté. Sans retomber dans le déterminisme dénoncé par les tenants de l'*accountabilility*, il faut trouver une façon d'évaluer la valeur ajoutée de la scolarisation ou de dénoncer son manque d'impact face au niveau de résultats attendu en fonction de divers indicateurs qui limitent la performance scolaire. À cet égard, les travaux britanniques récents sur l'efficacité relative des écoles, une fois contrôlée la variation de leurs intrants[58], sont susceptibles d'intéresser les décideurs scolaires.

De plus, si une certaine privatisation des établissements publics paraît favorable à leur dynamisme, notamment face à des clientèles qu'ils seraient portés à négliger, cette logique de marché ne doit pas être poussée à l'extrême. En effet, dans ce cas, elle est dénoncée, même aux États-Unis et en Grande-Bretagne, comme générant de potentiels effets pervers. Ces critiques prendraient nettement plus de résonance dans une société comme le Québec, où l'adhésion au service public ainsi que la protection professionnelle et syndicale des enseignants sont plus poussées. À cet égard, nous avons nettement plus de points communs avec la France, même si notre rapport à l'ethnicité comme élément structurant de la scolarisation est différent.

Finalement, il faut rappeler que le caractère drastique de l'*ethnic monitoring* ou de l'*accountability* des établissements publics américains et britanniques s'explique largement par l'échec scolaire massif des minorités *raciales* aux États-Unis et, dans une moindre mesure, en Grande-Bretagne[59]. Ces choix découlent aussi des limites des autres tentatives alternatives visant, depuis plus de quarante ans, à favoriser un égal accès à l'éducation pour les populations marginalisées de longue date.

Au Québec, où la problématique de l'échec scolaire est moins généralisée, il faudrait sans doute éviter, pour employer ici une expression populaire, d'*utiliser un canon pour tuer une mouche*. Toutefois, la faiblesse actuelle du suivi systématique de la performance et du cheminement sco-

---

58. Nuttall *et al.* (1989) ; Sammons *et al.* (1994) ; School Curriculum and Assessment Authority (1994).
59. Banks (1988a) ; Gibson et Ogbu (1991) ; Van Zanten (1996) ; Gillborn et Gipps (1999).

laires des minorités *raciales* favorise autant l'immobilisme des pouvoirs politiques et des autorités scolaires que les fabulations diverses sur cet enjeu au sein des communautés intéressées. S'il fallait retenir un élément de l'expérience étrangère, ce serait donc la pertinence d'élaborer des indicateurs fiables à cet égard, permettant un débat public éclairé ainsi que le développement de mesures appropriées. Pour ce faire, il faudra que le milieu scolaire québécois reconnaisse deux réalités qui sont encore largement étrangères à son discours. D'une part, l'échec scolaire n'est pas le pur produit des caractéristiques prémigratoires des seuls nouveaux arrivants et, d'autre part, le fonctionnement même des établissements joue un rôle dans la genèse de ce phénomène, qui doit être examiné critiquement.

4

LA PRISE EN COMPTE DE LA DIVERSITÉ CULTURELLE ET RELIGIEUSE DANS LES PROGRAMMES ET LES PRATIQUES SCOLAIRES : JUSQU'OÙ, COMMENT ?

À l'opposé des trois premiers enjeux dont le champ est relativement facile à cerner, la prise en compte de la diversité culturelle et religieuse en milieu scolaire apparaît comme un concept multiforme, voire même élusif. En effet, une fois dépassé le stade des services compensatoires et du multiculturalisme additif, c'est l'ensemble des dimensions de la vie scolaire qui devient — ou devrait devenir — l'objet de l'action publique. De plus, l'adaptation systémique au pluralisme s'étend non seulement au curriculum formel des écoles, mais aussi et surtout à leur curriculum caché. Celui-ci comprend l'ensemble des pratiques qui reposent sur des normes implicites, considérées comme naturelles ou même souvent ignorées des acteurs mais dont on sait aujourd'hui qu'elles reflètent d'abord et avant tout les *a priori* d'une culture majoritaire[1].

Il est donc impossible de prétendre traiter exhaustivement de ce sujet, au Québec comme dans d'autres sociétés. C'est pourquoi, après un rappel des principales étapes qui ont marqué l'adaptation du système scolaire

---

1. Apple (1979) ; Perrenoud (1984) ; Pagé (1993) ; Banks (1995).

québécois au pluralisme de sa clientèle et le développement d'un encadrement normatif à cet égard, nous ferons porter notre analyse sur deux enjeux précis. La représentation ethnoculturelle dans les programmes et le matériel didactique et l'adaptation des normes et règlements scolaires ont, en effet, suscité nombre de controverses intéressantes. Puisqu'il ne peut être que partiel, le traitement de diverses expériences canadiennes et internationales sera intégré à l'ensemble du texte, d'abord pour situer le *modèle* québécois de prise en compte de la diversité culturelle et religieuse dans une perspective comparative, puis en fonction de leur apport potentiel à l'éclairage des deux débats privilégiés.

Vers une adaptation systémique au pluralisme

Une première tentative : le Rapport Chancy

Dès le début des années 1980, certains signes laissaient croire que le milieu scolaire québécois commençait à prendre conscience de la nécessité d'une prise en compte de la diversité culturelle et religieuse intégrée à son fonctionnement institutionnel[2]. Cette évolution s'est concrétisée par l'inclusion des minorités culturelles à la liste des groupes cibles de la grille d'approbation du matériel didactique du ministère de l'Éducation du Québec (MEQ), ainsi que par l'adaptation, dans diverses commissions scolaires, des services d'agent de liaison, autrefois ciblés vers les parents des milieux défavorisés, à la réalité nouvelle des parents d'origine immigrée. Le discours normatif évoluait aussi, notamment avec la publication du premier avis du Conseil supérieur de l'éducation (CSE) sur la question, intitulé *L'éducation interculturelle*, qui adoptait une perspective d'ouverture maximale à la diversité, confinant parfois au relativisme cognitif et culturel.

Toutefois, c'est véritablement en 1985, avec la publication du rapport *L'école québécoise et les communautés culturelles* qu'on peut faire débuter la phase d'adaptation systémique au pluralisme. Bien que plusieurs des recommandations de ce document portent sur les services spécifiques aux

---

2. Conseil supérieur de l'éducation (CSE) (1983) ; Ministère de l'Éducation du Québec (MEQ) (1983a) ; Beauchesne (1987).

élèves nouveaux arrivants, son apport novateur réside dans son insistance sur ce que l'on appelait alors, avec un certain flou, l'*éducation intercultu-relle*. Alors qu'on tend aujourd'hui à réserver ce vocable aux activités visant à développer les savoirs, attitudes et compétences des élèves[3], le rapport l'aborde de façon très large. On y traite de la transformation des programmes, du matériel didactique et des instruments d'évaluation, de la formation initiale et du perfectionnement des maîtres, du recrutement de candidats des communautés culturelles à de tels postes, de la lutte au racisme systémique, ainsi que du soutien à la participation des parents allophones.

Les auteurs n'avaient pas la prétention d'avoir pleinement exploré le concept d'éducation interculturelle. La première recommandation du rapport portait précisément sur la nécessité que le MEQ développe un énoncé exhaustif en cette matière. Les finalités et objectifs retenus dans le document sont au nombre de cinq : reconnaissance sociale de tous, quelle que soit leur culture d'origine ; promotion des chances égales d'éducation en tenant compte des différences culturelles de chacun ; élimination de la discrimination raciale et ethnique ; soutien à la communication sociale entre les personnes de différentes cultures et reconnaissance de la valeur et des apports de chaque culture. Ces énoncés sont révélateurs du climat idéologique qui prévalait alors. Le concept de culture, même si on reconnaît timidement son caractère dynamique, est encore largement considéré comme non problématique. L'appartenance claire des individus à deux catégories définies comme mutuellement exclusives, la communauté *française* et les communautés *culturelles*, est prise pour acquise. De plus, si chacun doit s'ouvrir à l'*Autre*, l'élaboration d'une nouvelle culture de fusion ainsi que la définition des balises qui devraient encadrer l'adaptation réciproque ne sont pas encore à l'ordre du jour.

Malgré ce qui apparaît aujourd'hui comme une perspective passéiste, le *Rapport Chancy* était nettement en avance sur l'état des rapports ethniques au sein de la société québécoise d'alors. Sa principale recommandation, l'adoption d'une politique d'éducation interculturelle, ne sera jamais mise en œuvre par le ministère. Le gouvernement péquiste, qui avait commandé

---

3. Ouellet (1991).

le rapport, avait déclaré en accepter l'ensemble des recommandations. Cependant, le gouvernement libéral au pouvoir de 1985 à 1994, qui invoque la dimension proprement montréalaise du problème, continue à privilégier le développement des services aux élèves d'origine immigrée. Il laisse donc au dynamisme local le soin de définir ses actions en matière d'adaptation systémique au pluralisme[4].

1985-1998 : les forces et les limites d'une évolution ad hoc

Cette absence de leadership normatif n'empêchera pas le développement de mesures diverses en cette matière, tant au plan national qu'en milieu montréalais. Durant toute cette période, une série de rapports d'organismes publics, communautaires et professionnels[5], ainsi que des politiques provenant des commissions scolaires les plus concernées[6] viendront réitérer, ou mettre en œuvre, l'essentiel des recommandations du *Rapport Chancy*.

Au plan ministériel[7], en plus des développements significatifs concernant les programmes et le matériel didactique sur lesquels nous reviendrons plus loin, il faut signaler tout particulièrement l'offre de formules novatrices de perfectionnement des maîtres ainsi que le soutien à la mise en œuvre de programmes d'accès à l'égalité, visant l'augmentation du personnel des communautés culturelles au sein des diverses commissions scolaires de l'île. Les écoles à plus de 25 % de concentration ethnique se verront également octroyer des budgets spéciaux leur permettant, entre autres, d'engager des agents de liaison ou de milieu. Ceux-ci œuvrent au développement de relations harmonieuses entre les parents et l'école au primaire, ou entre les élèves au secondaire. De plus, bien que tardivement,

---

4. MEQ (1988a).
5. Conseil de la langue française (CLF) (1987a, b) ; CSE (1987, 1993) ; Conseil des communautés culturelles et de l'immigration (CCCI) (1988) ; Conseil scolaire de l'île de Montréal (CSIM) (1991) ; Centrale de l'enseignement du Québec (CEQ) (1993).
6. Commission des écoles catholiques de Montréal (CECM) (1988, 1990) ; Commission des écoles protestantes du Grand Montréal (CEPGM) (1988) ; Commission scolaire Sainte-Croix (CSSC) (1989a).
7. Benes (1990) ; Latif (1992) ; Mc Andrew et Hardy (1992) ; MEQ (1998b).

le MEQ a fait, en 1995, de l'intégration d'une sensibilisation aux questions interculturelles un des critères d'accréditation des programmes de formation initiale des universités visant les futurs maîtres.

Au plan local[8], le dynamisme s'est manifesté surtout par divers projets de perfectionnement des équipes-écoles, qui ont évolué d'une approche de connaissance des *autres ethnies* vers des perspectives de changement institutionnel. De nombreuses initiatives de rapprochement école/communautés ont également été menées. On peut y constater la même tendance à délaisser graduellement les approches folkloriques en faveur de modèles participatifs. En outre, les milieux se sont engagés dans diverses expériences novatrices de résolution des tensions et des conflits entre les jeunes, dont certaines ont été largement médiatisées, comme en témoigne le film *Xénofolies*, réalisé par l'Office national du film en 1985.

Une telle énumération de mesures gouvernementales ou locales pourrait donner l'impression que les écoles pluriethniques, au début des années 1990, avaient définitivement pris le *virage interculturel* ou qu'elles pratiquaient désormais le *multiculturalisme comme partie intégrante du curriculum*[9]. La situation réelle était et demeure — on s'en doutera — plus complexe. Le hiatus est, en effet, parfois important entre les politiques et les programmes officiels, valorisant la perspective interculturelle, et leur mise en œuvre locale.

Diverses recherches[10] ont ainsi illustré les limites importantes qui empêchaient encore le système scolaire montréalais de jouer pleinement son rôle d'intégration des élèves d'origine immigrée et de développement d'un sentiment d'appartenance de tous les élèves à une société pluraliste. Rappelons, entre autres, la faible participation des parents des communautés culturelles à la prise de décision relative aux orientations de l'école, ainsi qu'un climat de relations interethniques entre élèves qui, bien que relativement harmonieux, était caractérisé par une augmentation croissante de l'isolement interethnique à travers la scolarisation. Le caractère non

---

8. Mc Andrew (1988b); MEQ (1995a); Lemay (1997); Ouellet *et al.* (2000).
9. Banks (1988b).
10. Hensler et Beauchesne (1987); Mc Andrew (1988b); Berthelot (1991); Hohl (1991b); Laperrière (1991); Cummings *et al.* (1994).

systématique du perfectionnement des maîtres ainsi que la nature ponctuelle des activités destinées à soutenir le rapprochement entre les élèves ont également été dénoncés.

L'ensemble de ces tendances doit être analysé sans alarmisme, en tenant compte du caractère alors extrêmement récent du *virage interculturel* entrepris au sein du système scolaire de langue française au Québec. En effet, chacune de ces études a également fait ressortir divers aspects positifs relatifs à ces domaines, tout en balisant l'ampleur et l'intensité des problèmes identifiés. Rappelons à cet effet l'existence de contacts et d'amitiés chez une proportion non négligeable de jeunes de toutes origines, ainsi qu'une participation des communautés culturelles aux activités sociales ou directement liées à leur enfant, équivalente à celle des parents francophones. De plus, même si peu de recherches ont été menées durant les années 1990 sur l'évolution de l'état de l'adaptation institutionnelle au pluralisme, il est plausible de penser que le mouvement amorcé s'est poursuivi.

Toutefois, au fur et à mesure de la mise en place de ces interventions, l'absence d'orientations normatives claires du ministère a commencé à se faire sentir avec plus d'acuité. D'une part, en effet, les politiques des commissions scolaires étaient souvent contradictoires[11]. Le secteur catholique, reflétant la spécificité du dilemme québécois, cherchait à concilier l'intégration linguistique et le pluralisme. Le secteur protestant était surtout influencé par les perspectives dominantes au Canada anglais, le multiculturalisme et l'antiracisme, ce qui a amené certains à questionner l'engagement des écoles de ce réseau dans le projet d'intégration des nouveaux arrivants à la société québécoise.

D'autre part, à l'école comme dans la société, les limites du discours interculturel ont commencé à être dénoncées[12]. Celui-ci est mieux adapté, en effet, aux relations entre groupes nationaux distincts qu'à des communautés qui ont à partager un espace politique et institutionnel commun. Face aux demandes réitérées de prise en compte des spécificités culturelles ou religieuses au sein des institutions publiques, les intervenants s'interrogent désormais moins sur le *comment* que sur le *jusqu'où*. On réclame du

---

11. CECM (1988); CEPGM (1988); CSSC (1989a).
12. Abou (1992); Hohl (1993b); Dumont (1995); Mc Andrew et Jacquet (1996).

gouvernement ou des autorités scolaires un énoncé normatif, qui permettrait de distinguer les demandes légitimes de celles qui devraient être rejetées, à partir d'un cadre civique qui ferait l'objet d'un large consensus.

En 1990, l'*Énoncé de politique en matière d'immigration et d'intégration* répond en partie à cette demande, notamment par la formulation d'un contrat moral précisant les droits et les responsabilités respectives des nouveaux arrivants et de la société d'accueil. Plusieurs considèrent toutefois que ce document ne va pas assez loin dans son exploration des enjeux liés à l'adaptation institutionnelle et surtout qu'il est trop général pour pouvoir être appliqué tel quel à la réalité scolaire.

Alors que les interventions ponctuelles en matière de prise en compte de la diversité continuent de se développer, les années 1990 seront donc fortement dominées par la question de la gestion des conflits de valeurs[13]. Plusieurs avis tentant de définir le contenu d'une *culture publique* ou *civique commune* seront ainsi publiés. Au plan pratique, le ministère produira un module sur la prise en compte de la diversité culturelle et religieuse pour les directions d'école ; diverses commissions scolaires développeront des programmes de négociation des conflits par les pairs.

La politique de 1998 : un cadre normatif, une stratégie globale

Il faudra toutefois attendre la *Politique d'intégration scolaire et d'éducation interculturelle* de 1998 pour que le milieu scolaire dispose d'un encadrement, à la fois normatif et administratif, permettant de penser l'ensemble des actions des quinze dernières années comme un tout cohérent. En matière de prise en compte de la diversité, la *Politique* n'innove guère, en contraste avec le caractère nettement plus controversé de ses propositions relatives aux services destinés aux nouveaux arrivants. La seule nouveauté en cette matière — dont nous discuterons au chapitre 5 — concerne la mise sur pied d'un cours obligatoire d'éducation à la citoyenneté. Cette mesure était déjà incluse dans le projet plus général de réforme du curriculum[14] et on ne la reprend que pour mieux considérer ses liens avec l'éducation

---

13. CCCI (1993) ; CSE (1993) ; MEQ (1994a) ; Tessier (1998).
14. MEQ (1997c).

interculturelle. Cependant, le document rend explicite le consensus qui s'est dégagé durant les années 1990 quant aux orientations à privilégier ainsi qu'au bilan des interventions.

En lien avec les grands principes du contrat moral de l'*Énoncé* de 1990[15], on y définit l'éducation interculturelle comme le « savoir-vivre ensemble dans une société francophone, démocratique et pluraliste ». En plus de deux orientations concernant l'apprentissage du français, placées stratégiquement sous ce vocable, la *Politique* insiste tout particulièrement sur trois enjeux : la représentation de la diversité ethnoculturelle dans les différents corps d'emploi, la formation du personnel ainsi que l'adaptation du curriculum et de la vie scolaire.

Dans le cas des deux premiers, dont la pertinence fait l'objet d'un fort consensus, il s'agit d'évaluer les réajustements nécessaires face à des actions dont les succès sont plutôt inégaux. En ce qui concerne les programmes d'accès à l'égalité, le ministère propose une stratégie active de promotion de la profession enseignante auprès des communautés culturelles et de soutien des universités pour assurer un meilleur recrutement des candidats issus de ces groupes. Pour ce qui est du perfectionnement des maîtres, ce sont plutôt le nouvel accent mis sur la formation par les pairs ainsi que l'établissement d'un réseau d'échanges sur l'éducation interculturelle qui constituent les mesures les plus novatrices.

La formulation de l'orientation relative à la prise en compte de la diversité au sein des programmes et de la vie scolaire a suscité des débats plus intéressants, révélant son caractère plus conflictuel[16]. En effet, le principe original très explicite, qui postulait que : « L'ouverture à la diversité ethnoculturelle, linguistique et religieuse doit se traduire dans l'ensemble du curriculum et de la vie scolaire », a été atténué suite au processus de consultation où on a dénoncé son caractère trop *multiculturel*. L'énoncé définitif du principe se lit donc désormais : « Le patrimoine et les valeurs communes du Québec, notamment l'ouverture à la diversité ethnoculturelle, linguistique et religieuse, doivent se traduire dans l'ensemble du curriculum et de la vie scolaire. » Tout au long du document d'ailleurs, on note

---

15. Ministère des Communautés culturelles et de l'Immigration (MCCI) (1990a).
16. MEQ (1997b, 1998b).

un flottement, sans doute souvent stratégique, entre les concepts d'*éduca-tion interculturelle* et d'*éducation à la citoyenneté dans un contexte pluraliste*. L'équilibre entre l'accent mis sur les valeurs communes et la reconnaissance que la diversité en constitue une partie intégrante y est également mouvant.

Les positions normatives privilégiées révèlent l'évolution qu'a connue la société québécoise dans sa représentation des rapports ethniques et du rôle de l'éducation à cet égard, notamment lorsqu'on les compare à celles du *Rapport Chancy* de 1985. Tout d'abord, le concept de culture, beaucoup moins central, est devenu plus complexe. C'est donc une diversité multi-forme, où l'origine n'est qu'un des facteurs à considérer, plutôt qu'une dif-férence érigée comme un en-soi, qui fait l'objet du discours. De plus, bien qu'il soit encore perceptible à certains égards, le clivage *Nous/Eux* est beau-coup moins marqué. La plupart du temps, en effet, la diversité est considé-rée comme une caractéristique générale de l'effectif scolaire, même si la spécificité des régions à cet égard est reconnue. Finalement, le document rompt avec le relativisme culturel en établissant, comme limites de la prise en compte du pluralisme, les valeurs démocratiques fondamentales et la fonction d'instruction et d'éducation de l'école. Les balises de l'adaptation institutionnelle sont ainsi clairement identifiées. Il s'agit du respect de la diversité comme une des valeurs communes mais non comme un en-soi, de son arbitrage avec d'autres droits et responsabilités et, enfin, de la nécessité de préserver la fonctionnalité d'un cadre commun qui permette le *vivre ensemble*.

Par ailleurs, si certaines situations d'exclusion sont identifiées, la prise en compte de la diversité culturelle et religieuse est rarement présentée comme un moyen d'actualiser l'équité pour les groupes qui auraient un accès inégalitaire au pouvoir. D'une façon générale, les dimensions systé-miques de l'inégalité sont presque absentes du document qui, lorsqu'il aborde cet enjeu, le fait presque exclusivement à partir d'une perspective individualisante.

Il est encore trop tôt pour évaluer l'impact de l'adoption de la *Politique d'intégration scolaire et d'éducation interculturelle*, dont le plan d'action s'étend jusqu'en 2002. Toutefois, on peut penser que son influence sera net-tement plus marquante en région, où le milieu avait besoin du *leadership* du ministère pour reconnaître que la diversité le concerne, qu'à Montréal, où le dossier était déjà bien amorcé. Le fait que cette *Politique* s'étende au collégial et touche les réseaux francophone et anglophone contribuera aussi, sans doute, à une reconnaissance accrue de la légitimité de l'éducation interculturelle et de la prise en compte de la diversité en milieu scolaire.

Entre *communautarisme* canadien-anglais et *jacobinisme* français : une *troisième voie* québécoise ?

Bien que son développement soit d'abord endogène, l'approche québécoise a aussi été définie en relation et en contraste avec les deux paradigmes opposés qui dominaient au Canada anglais et en France, deux sociétés qui nous influencent en éducation comme dans d'autres domaines. Dans le premier cas, on pense au modèle communautarien, qui favorise une prise en compte maximale de la diversité à l'école, basée sur une conception de l'identité commune où la reconnaissance des appartenances groupales est centrale ; dans le second, au jacobinisme, qui postule la neutralité des institutions scolaires et la relégation des identités communautaires et des appartenances culturelles dans l'espace privé[17].

Dans l'analyse de ces liens complexes, on fait face à une réalité quelque peu paradoxale. Au plan du discours politique et institutionnel, en effet, c'est le contre-modèle canadien-anglais qui est sans cesse invoqué comme repoussoir, permettant de définir la spécificité québécoise[18]. Le modèle français, largement idéalisé, n'a été utilisé qu'exceptionnellement, dans des contextes de polarisation marquée comme la crise du hijab traitée plus loin. Au plan des pratiques toutefois, malgré des nuances significatives, l'action québécoise se situe clairement dans la mouvance canadienne, voire même nord-américaine. Cette réalité explique d'ailleurs l'intérêt qu'elle suscite comme troisième voie potentielle chez certains intellectuels et intervenants français, prisonniers du discours manichéen opposant l'égalité et le pluralisme, qui domine encore en France[19].

---

17. Taylor (1992) ; Haut Conseil à l'Intégration (HCI) (1990).
18. Mc Andrew (1996b).
19. Helly (1996) ; Lorcerie et Mc Andrew (1996) ; Pietrantonio *et al.* (1996) ; Juteau *et al.* (1998).

Cette apparente contradiction paraît relever de trois dynamiques. La première réside dans le hiatus qui existe, tant au Canada anglais qu'en France, entre les discours normatifs apparemment simples — voire même simplistes — et la réalité complexe des encadrements institutionnels, des programmes et des pratiques qu'ils prétendent réguler[20]. Conjugué à l'ignorance assez généralisée qui prévaut au Québec à l'égard des différences régionales au Canada anglais, ce hiatus a pour effet que nous opposons parfois artificiellement diverses constructions mentales fortement stéréotypées telles *l'interculturalisme québécois, le multiculturalisme canadien* ou *l'intégration à la française*. En outre, comme dans d'autres contextes[21], le discours relatif à la spécificité du modèle québécois participe au maintien des frontières avec le groupe exogène le plus central dans le processus de différenciation identitaire et politique. Il ne peut donc être dirigé que vers le Canada anglais et non pas vers la France, dont la proximité institutionnelle est systématiquement surévaluée.

Le communautarisme *canadien-anglais*

La *Politique d'équité ethnoculturelle et d'antiracisme en éducation*, rendue publique en 1993 par le gouvernement de l'Ontario, représente le document le plus complet élaboré au Canada anglais en ces matières. Bien qu'aujourd'hui dépassé, il mérite qu'on s'y attarde comme archétype de ce qui s'est fait jusqu'au milieu des années 1990, dans cette province longtemps considérée comme le principal laboratoire nord-américain d'expérimentation de nouvelles approches en matière de diversité ethnoculturelle[22].

Du point de vue idéologique, on peut classer cet énoncé dans le courant de l'*hétérocentrisme égalitaire*, soit celui d'une remise en cause radicale d'un curriculum *européanocentriste*, en vertu d'une logique d'égalité. De prime abord, il confirme certaines critiques souvent adressées au *multiculturalisme*,

20. Lessard et Crespo (1992); Lorcerie (1996a); Mc Andrew, Jacquet et Ciceri (1997).
21. Breton et Reitz (1994); Lorcerie (1994b); Mc Andrew (1996b).
22. Moodley (1988, 1992); Ministère de l'Éducation et de la Formation de l'Ontario (MEFO) (1993a, b).

du moins comme idéal type, qu'il ne faut pas confondre avec la politique canadienne du même nom, beaucoup plus complexe[23]. On y trouve ainsi une acceptation largement non critique de l'existence des groupes ethnoculturels et *raciaux* et de l'appartenance des individus à ces groupes en fonction de leur origine. La reconnaissance du *leadership* ethnique, comme interlocuteur des autorités scolaires, y est peu balisée et donc potentiellement antidémocratique. À ce communautarisme vient s'ajouter un certain essentialisme culturel, doublé de relativisme. Il y aurait, selon les concepteurs de la politique, *une* vision des faits des groupes minoritaires. De plus, s'il convient d'inciter les élèves majoritaires à développer leur esprit critique à l'égard du sexisme ou du racisme de leur propre culture, cette attitude devrait s'arrêter à la *porte* des cultures minoritaires, qu'il faudrait éviter de juger.

De nombreux éléments du document rappellent toutefois le discours qui a cours au Québec, alors que les diverses mesures proposées pour le concrétiser dépassent souvent nos propres engagements. Il s'agit, entre autres, du rejet d'un multiculturalisme folklorisant, de l'importance de la prise en compte de la diversité comme un outil d'égalisation des chances pour les élèves marginalisés, ainsi que de la nécessité d'une approche systémique où l'ensemble du fonctionnement de l'institution est examiné. Par ailleurs, il faut signaler l'accent mis sur la participation des groupes traditionnellement exclus, tant au sein du personnel scolaire que dans les comités de parents, ainsi que l'importance des approches *terrain* où les élèves peuvent confronter leurs préjugés et contribuer à la transformation de l'école et de la société. Ce dernier aspect est nettement plus poussé au Canada anglais, comme d'ailleurs la dimension antiraciste de l'éducation, souvent négligée au Québec.

Au plan des pratiques, l'approche ontarienne se situe dans la foulée de l'intervention québécoise, même si les actions menées sont souvent plus anciennes ou plus développées[24]. Elle se distingue toutefois par le *leadership* plus coercitif qu'exerçait, du moins jusqu'en 1995, le gouvernement auprès

---

23. Pagé (1993); Mc Andrew (1995a, b), Pietrantonio *et al.* (1996); Juteau *et al.* (1998).
24. Toronto Board of Education (TBE) (1976b, 1979, 1982); Metro Separate School Board (1986).

des conseils scolaires, auxquels la loi faisait obligation d'adopter leur propre politique antiraciste et d'équité ethnoculturelle.

Face à un tel énoncé, la question qui vient à l'esprit est celle de sa repré-
sentativité, à la fois en Ontario, lorsqu'on connaît l'évolution récente de la
province, et dans l'ensemble du Canada anglais. À cet égard, une réponse
nuancée s'impose. Il faut distinguer l'essentiel de l'accessoire, ou — pour
s'exprimer ici plus directement — les tendances de fond émanant des programmes et pratiques développés par les acteurs de terrain depuis plus de
trente ans et la *langue de bois* idéologique marquée par le militantisme des
années néodémocrates.

Malgré l'existence de variations régionales à cet égard, il ne fait aucun
doute que l'ouverture à la prise en compte de la diversité culturelle et religieuse fait l'objet d'un large consensus au Canada anglais. Bien que diverses résistances aient pu émerger, la légitimité que l'institution scolaire
s'adapte à sa clientèle y est un article de foi, d'ailleurs largement partagé en
Amérique du Nord. De plus, l'Ontario, du fait du poids démographique
des minorités ainsi que de sa longue expérience en cette matière, apparaît
comme la province où l'accueil de la diversité est le plus grand[25].

Cela dit, le fait que le discours multiculturel ne juge pas nécessaire de
rappeler son inscription à l'intérieur d'une culture des droits de la personne
n'a évidemment pas pour effet que les pratiques culturelles antidémocra-
tiques ou interdites par la loi soient légales au Canada anglais. De même,
l'aspect radical du discours *hétérocentriste égalitaire* a probablement été
plus souvent une arme aux mains des groupes minoritaires, pour faire *entrer*
quelques éléments de leur culture et de leurs traditions au sein du curriculum, que la véritable révolution que nous promettaient ses partisans[26].

La perspective communautarienne a récemment subi quelques assauts
au Canada anglais. Ceux-ci ont parfois été carrément réactionnaires, me-
nés par la nouvelle droite[27]. Rappelons ici le célèbre «*Equity is a dirty
word*» de Mike Harris. On visait alors un clair retour à un enseignement

25. Moodley (1988) ; McLeod (1992) ; Bernatchez (1996) ; Mc Andrew, Jacquet et Ciceri
    (1997).
26. Moodley (1992) ; McLeod et de Koninck (1996) ; Juteau *et al.* (1998).
27. Bibby (1990) ; Abu-Laban et Stasilius (1992).

axé sur les *valeurs canadiennes* ainsi qu'un refus des mesures spécifiques pour quelque clientèle que ce soit. À cet égard, la perspective néolibérale est encore plus insensible aux enjeux de diversité que le jacobinisme français qui, lui, au moins, considère la défavorisation socioéconomique comme un motif légitime de discrimination positive. Toutefois, étant donné la grande autonomie des commissions scolaires en Ontario, dont plusieurs sont très engagées en faveur de la diversité, l'impact de ce conservatisme s'est concrétisé par un désengagement financier plutôt que par un virage idéologique important[28].

La contestation du modèle communautarien, ou du moins de certaines de ses limites, a aussi été menée à gauche[29]. Des groupes féministes se sont montrés préoccupés d'articuler le pluralisme avec le respect des droits des femmes. Certains écrivains immigrants ont insisté sur la multiplicité et le caractère dynamique de leurs identités et l'importance de ne pas les étiqueter. Finalement, nombre d'intellectuels ont cherché à réconcilier la diversité avec les exigences de la citoyenneté ou de la simple rigueur intellectuelle. Cette évolution est aussi perceptible dans divers développements pédagogiques — dont nous discuterons plus loin — qui concernent la négociation des accommodements ou l'éducation à la citoyenneté.

Le jacobinisme français

À l'opposé de la situation prévalant au Canada anglais, il est assez difficile de cerner l'étendue de l'adaptation institutionnelle au pluralisme en milieu scolaire français. En effet, si l'on se limitait au modèle normatif mis de l'avant dans divers documents gouvernementaux[30], on pourrait croire que la prise en compte de la diversité culturelle et religieuse est inexistante.

La conception française de l'intégration[31], considérée essentiellement comme un rapport entre l'État et des individus, exclut la reconnaissance des groupes. Tout traitement différentiel, voire même toute modulation de

---

28. Kilbride (1997) ; Toronto District School Board (TDSB) (1999b).
29. Probyn (1987) ; Cairns (1993) ; Bissoondath (1994) ; Kymlicka (1995).
30. HCI (1990, 1992) ; Ministère de l'Éducation Nationale (MEN) (1994a).
31. Kepel (1989) ; Abdallah-Pretceille (1992) ; Rouland (1994) ; Schnapper (1994).

l'action publique à l'égard des citoyens en fonction de leur origine ethnique ou nationale, est ainsi considéré avec méfiance, comme potentiellement contraire à la règle d'or de l'égalité. Le concept d'équité, du moins au plan ethnoculturel, est donc largement étranger à ce discours. De plus, on y privilégie le principe d'un espace public neutre. Les spécificités culturelles ou religieuses devraient être confinées à l'espace privé, l'espace scolaire demeurant le fief de la culture civique ou universelle.

Cette croyance est aujourd'hui largement ébranlée par diverses études ethnographiques[32], qui ont clairement démontré la dominance de la culture ethnique *franco-française* au sein du curriculum explicite et implicite des établissements scolaires, ainsi que le rôle important que continue d'y jouer l'héritage chrétien. Cette conception de l'École comme un lieu qui doit être protégé de l'influence de la communauté, afin de préserver sa fonction de libération des préjugés et des traditions, est toutefois encore très populaire en France. Elle s'inscrit dans la foulée d'un rapport plus général au savoir, hérité du Siècle des lumières et des grandes batailles menées au xixe siècle par la gauche pour l'accès universel à l'éducation[33].

Au début des années 1980, lors du premier mandat de la gauche, une perspective interculturelle *à la française* avait semblé faire quelques adeptes, notamment lors de la publication du rapport *L'immigration à l'école de la République*, dont la plupart des recommandations n'ont pas été mises en œuvre. L'adhésion au modèle français a toutefois connu une importante recrudescence au début des années 1990, suite aux diverses affaires du hijab qui ont secoué le pays. De plus, alors qu'on constate une certaine évolution quant à la légitimité de reconnaître la catégorie *origine ethnique* à des fins de lutte à l'exclusion, sur le front de la prise en compte de la diversité culturelle et religieuse, rien ne semble avoir bougé[34].

Pourtant, divers observateurs[35] de la réalité scolaire française s'entendent pour constater qu'au-delà de la rhétorique normative, la reconnaissance de la diversité occupe de plus en plus d'espace dans la modulation

---

32. Genestier et Laville (1994) ; Payet (1995) ; Lorcerie (1996a, b).
33. Le Thành Khôi (1991) ; Lorcerie (1998) ; Van Haecht (1998).
34. Berque (1985) ; Henry-Lorcerie (1983, 1986) ; Lorcerie (1994b, 1995) ; HCI (1998).
35. Martucelli et Zawadki (1994) ; Payet (1995, 1996, 1999) ; Lorcerie (1996a, b).

des pratiques scolaires françaises. Jouissant de peu de légitimité et surtout manquant d'un encadrement global qui permettrait d'en faire une stratégie en faveur de l'intégration des élèves d'origine immigrée, elle s'incarne au jour le jour, empruntant des voies diverses. La première, et sans doute la plus évidente, est — comme on l'a vu plus haut — celle des mesures visant la défavorisation et l'exclusion. En matière de diversité socioéconomique, plusieurs des grandes percées idéologiques, qui font encore obstacle à la prise en compte de la diversité ethnoculturelle dans l'espace public, ont été accomplies. Signalons, à cet égard, la reconnaissance de la légitimité d'un traitement différentiel et même compensatoire, l'importance accordée à l'adaptation de l'action pédagogique en fonction des besoins des élèves, ainsi que l'accent mis sur l'imputabilité de l'École face aux parents et à la collectivité. Dans les Zones d'Éducation Prioritaires (ZEP), qui comptent une forte présence d'élèves d'origine immigrée, ce dispositif institutionnel est susceptible de générer des pratiques qu'on nommerait, en contexte nord-américain, *multiculturelles* ou *interculturelles*, même si ce vocable provoquerait probablement des résistances chez les décideurs et intervenants français.

La diversité s'impose également dans l'espace public à travers la logique des droits individuels des élèves[36]. En effet, soumis aux mêmes chartes internationales et aux mêmes principes démocratiques que l'ensemble des États occidentaux, l'espace public français est amené à accommoder les spécificités culturelles souvent à son corps défendant, mais parfois même, lorsque les enjeux sont moins polarisés, de manière relativement non conflictuelle.

Finalement, dans un système scolaire qui valorise autant le savoir, il faut signaler l'impact de l'évolution des disciplines elles-mêmes où le pluralisme et la multiplicité des perspectives s'imposent de plus en plus comme normes[37]. *A priori*, rien ne permet de conclure que l'enseignement de l'histoire est aujourd'hui moins ouvert aux questions internationales ou migratoires en France qu'aux États-Unis ou au Canada. Cependant, cette

---

36. Genestier et Laville (1994) ; Lorcerie (1996b) ; Hohl et Cohen-Emerique (1999).
37. Abdallah-Pretceille (1992) ; Centre National de Documentation Pédagogique (CNDP) (1995) ; Pagé (1995).

évolution résulte probablement moins des mobilisations politiques extérieures à l'espace scolaire que du développement endogène de la discipline.

La représentation ethnoculturelle
dans les programmes et le matériel didactique

L'action québécoise des années 1980

Au Québec, la décennie 1980 a été marquée par d'importants débats concernant la place que devraient occuper, au sein des divers programmes et surtout du matériel didactique, ceux que l'on appelait alors les *membres des communautés culturelles*, ainsi que la problématique plus large de la diversité. Durant toute cette période, la dénonciation des *stéréotypes dans les manuels scolaires* a représenté un élément central du discours du *leadership* ethnique, d'ailleurs relayé dans les programmes des principaux partis politiques[38].

Dans un premier temps, dans la foulée du mouvement nord-américain d'amélioration de l'image des minorités[39], la préoccupation, ainsi que les actions qui en découleront, est intégratrice et antidiscriminatoire. Ainsi, en 1983, le MEQ décide d'ajouter les minorités culturelles à la liste des groupes cibles, dont le pourcentage doit atteindre 25 % pour qu'un manuel soit approuvé. Il s'agit alors d'assurer la présence de personnages d'origines diverses, présentés autant dans des rôles principaux que secondaires ainsi que dans une variété de situations non stéréotypées. On veut ainsi éviter que certains éditeurs ou auteurs ne prennent la voie de la facilité en ajoutant, par exemple, quelques figures noires en arrière-plan d'un match de football ! Ces critères d'approbation du matériel n'ont pas été définis en fonction de la problématique ethnoculturelle mais découlent des actions des années 1970 en matière d'élimination des stéréotypes sexistes[40].

Bien que critiquée pour sa nature bureaucratique, cette action ministérielle a été globalement couronnée de succès, et ce, pour plusieurs raisons[41].

---

38. Laferrière (1985b) ; Van Dromme *et al.* (1985).
39. Davis (1966) ; McDiarmid et Pratt (1971).
40. Dunnigan (1976).
41. MEQ (1979) ; CCCI (1988) ; Mc Andrew (1992).

Tout d'abord, à partir du milieu des années 1980, les auteurs et éditeurs ont à élaborer une nouvelle *génération* de manuels scolaires suite à l'adoption de nouveaux programmes dans presque toutes les matières. Dans un tel processus, respecter les normes ministérielles ne représente plus le casse-tête des premières années. De plus, à l'opposé de la situation qui prévaut dans l'ensemble de l'Amérique du Nord, le marché québécois du manuel scolaire — qui ne s'exporte pour ainsi dire pas — est extrêmement dépendant de l'approbation ministérielle. Par ailleurs, les auteurs et les éditeurs sont aussi des citoyens, dont plusieurs, surtout les Montréalais, étaient conscients de la nouvelle dynamique des écoles québécoises. On peut donc penser que, si le ministère a joué un rôle de catalyseur en faveur de la représentation accrue des personnages des communautés culturelles au sein du matériel didactique, cette évolution se serait probablement produite, de toute façon, à plus long terme.

Quoi qu'il en soit, dès la fin des années 1980, diverses recherches[42], qui contrastent les deux générations de manuels, concluent à l'atteinte de l'objectif quantitatif et, très largement, à celle de l'élimination des stéréotypes explicites. Cependant, trois enjeux nettement plus complexes demeurent.

Tout d'abord, au Québec comme dans d'autres contextes, les biais racistes ont muté[43]. C'est désormais à travers le discours implicite qu'il faudra les déceler et non plus à travers les énoncés simplistes du passé. La fameuse leçon du *Manuel des Frères des Écoles chrétiennes* qui définissait les quatre *races*, leurs caractéristiques et leur hiérarchie, a cédé la place à un traitement égalitaire des personnages des minorités *raciales*, ainsi qu'à une condamnation explicite du racisme. Toutefois, celui-ci est généralement traité comme un phénomène du passé ou extérieur aux sociétés québécoise et canadienne. De plus, certains analystes[44] considèrent que l'acceptation non critique du concept de *race* ainsi que le maintien d'une importante frontière *Nous/Eux*, notamment lorsque les auteurs abordent le traitement du sous-développement et de ses causes, sont susceptibles de jouer sensible-

---

42. Mc Andrew (1986, 1987b).
43. CEQ (1982) ; Wieviorka *et al.* (1992) ; Taguieff (1988) ; Bataille, Mc Andrew et Potvin (1998).
44. Blondin (1991) ; Jacquet (1992).

ment le même rôle que les oppositions dichotomiques qui prévalaient autrefois.

Par ailleurs, la manière d'aborder ce qui nous apparaît aujourd'hui comme des biais ethnocentriques dans les œuvres littéraires du passé suscite de nombreuses controverses[45]. Ce fut le cas, notamment, à la Commission des écoles protestantes du Grand Montréal (CEPGM), plus directement influencée par les débats importants qui ont alors lieu dans diverses commissions scolaires du Grand Toronto et qui culmineront, au milieu des années 1990, par le boycott de la comédie musicale *Show Boat*. Les partisans d'une *rectitude politique* privilégient l'élimination pure et simple d'ouvrages comme les *Tintin première manière* au primaire ou même *Le marchand de Venise* au secondaire. Leurs détracteurs n'y voient qu'une perspective anachronique et obscurantiste. Une troisième voie, celle du développement d'une attitude critique des élèves à l'égard des éléments plus contestables de ces ouvrages, se dessine toutefois lentement[46].

Finalement, la grille a été élaborée en réponse à la problématique féministe, où la revendication d'une spécificité identitaire est moins centrale. Elle se révèle un instrument mal adapté pour assurer un traitement adéquat de la diversité ethnoculturelle au sein des programmes où cette question ne se pose pas en termes de personnages mais de contenu, tant historique qu'actuel. Alors qu'il a été relativement aisé d'intégrer les communautés issues de l'immigration, pour reprendre ici une expression française : dans leur *droit à l'indifférence*, la place que celles-ci devraient occuper en tant que groupes distincts est nettement plus difficile à définir[47].

À la fin des années 1980, le Conseil des communautés culturelles et de l'immigration (CCCI), en collaboration avec le MEQ, entreprendra une réflexion sur ces nouveaux défis qui donnera d'abord lieu à un *Avis* et, ensuite, à un guide à l'intention des auteurs et éditeurs[48]. Tout en reconnaissant que plusieurs ont trouvé des façons novatrices de valoriser le pluralisme ethnoculturel, le Conseil, suite à une analyse de contenu des

---

45. CEPGM (1988) ; MEFO (1993a) ; *The Toronto Star* (1993) ; *Le Devoir* (1993).
46. Loslier (1993) ; Fullinwider (1996b).
47. Preiswerk et Perrot (1975) ; Ferro (1981) ; CSE (1983, 1987) ; Glazer et Veda (1983).
48. CCCI (1988) ; MEQ (1988b).

manuels les plus récents, constate la persistance de suffisamment d'obstacles à cet égard pour justifier l'énoncé d'un ensemble de recommandations.

Celles-ci concernent essentiellement trois préoccupations, le traitement de la diversité ethnoculturelle dans son ensemble, les enjeux historiques liés à l'immigration et aux relations ethniques ainsi que le racisme et les liens à établir entre la présence des immigrants et les inégalités mondiales. Dans le premier cas, les principales recommandations portent sur l'importance d'un discours inclusif où la diversité culturelle serait considérée comme constitutive du public cible des manuels. Un traitement complexe et, dans la mesure où l'âge des élèves le permet, non folklorique des cultures des différents groupes ainsi que la mise en valeur de leur apport aux cultures canadienne et québécoise sont aussi souhaités. En ce qui concerne les questions historiques, le Conseil se montre conscient de leur complexité. Il privilégie un traitement fondé sur des perspectives diversifiées dans le cas des enjeux qui ne font pas l'objet de consensus. Il recommande aussi de respecter un équilibre entre les thématiques qui découlent des préoccupations de la société d'accueil, par exemple, la question démolinguistique, et celles qui reflètent l'expérience des groupes ethniques. De plus, même si les aspects conflictuels sont souvent plus visibles, le matériel devrait inclure des exemples de relations interethniques positives. Finalement, sur la question du racisme, le Conseil recommande d'en traiter *ici et maintenant*, en donnant la parole aux personnes qui en sont victimes, et de permettre aux élèves de s'initier graduellement à la réalité des inégalités mondiales et aux liens de ce phénomène avec la dynamique migratoire. De plus, on met en garde les auteurs et éditeurs sur les dangers d'une présentation non critique du sous-développement. Celle-ci pourrait amener les lecteurs à postuler l'infériorité culturelle, voire biologique, des populations dont sont issus nombre d'immigrants au Canada ou au Québec.

Bien qu'accueillies favorablement, tant par les associations d'auteurs et d'éditeurs et les enseignants que par les organismes des communautés culturelles, ces recommandations auront peu d'impact direct sur le matériel didactique[49]. En effet, le document arrive bien tard. À sa parution, l'essentiel de la production des manuels découlant de la réforme des années 1980

49. Mc Andrew (1992).

est terminé. Dans certaines matières, par exemple le français et l'anglais langue seconde, les arts ou la formation personnelle, le traitement de la diversité culturelle n'émane pas d'un contenu de programme mais constitue un moyen permettant de favoriser l'acquisition de compétences diverses chez les élèves. On peut penser que l'influence du document, et surtout du guide subséquent, a pu y être appréciable auprès des conseillers pédagogiques et des enseignants.

Cependant, dans les matières à traitement *scientifique* de l'immigration et des relations ethniques, comme les sciences humaines au primaire ou l'histoire et la géographie au secondaire, la manière même dont ont été définis les programmes, depuis le milieu des années 1980, a limité son impact. En effet, la place accordée à l'apport de l'immigration dans le développement des sociétés québécoise et canadienne a progressé au sein des programmes d'histoire et de géographie mais, la plupart du temps, cette percée a été réalisée par l'ajout d'objectifs d'*enrichissement* que les enseignants ne sont pas tenus de traiter. De plus, même dans le cas des objectifs obligatoires, la perspective retenue est celle de l'ajout de thèmes relatifs à ces dimensions et non de leur intégration au fur et à mesure des questions traitées. Par ailleurs, l'initiation des élèves au pluralisme international a connu un recul majeur. En effet, si on a continué d'aborder de manière relativement équilibrée la diversité géographique et économique, l'enseignement de l'histoire a été redéfini de manière extrêmement étroite, se limitant, pour l'essentiel, à l'étude des sociétés occidentales.

La prospective

Après une dizaine d'années d'accalmie, le débat sur la représentation ethnoculturelle dans les programmes et le matériel didactique apparaît aujourd'hui sur le point de refaire surface. Tout porte à croire que, durant les années 2000, il portera sur l'histoire. Quand on connaît le rôle essentiel que joue cette discipline dans l'identité nationale ainsi que l'importance des controverses étrangères dans cette matière[50], cette réalité n'a guère de quoi surprendre.

---

50. Pagé (1995).

Le document précurseur à cet égard a été le *Rapport Lacoursière*[51], qui recommandait non seulement un accroissement de l'enseignement de l'histoire mais surtout une redéfinition des relations qu'elle entretenait, encore trop, avec la trajectoire historique spécifique des Québécois francophones. Parmi les principales recommandations du rapport, on note, entre autres, un meilleur équilibre, dans la scolarité totale des élèves, entre l'histoire nationale et l'histoire internationale, ainsi qu'une plus grande intégration des thématiques relatives à l'immigration et aux relations interethniques. Sans nécessairement adhérer à la thèse d'*une* version des faits qui serait celle des groupes minoritaires, le rapport proposait également d'aborder davantage les faits historiques et leur interprétation à travers une variété de perspectives.

Dans le contexte actuel de réforme des programmes, ces recommandations, d'ailleurs reprises dans la *Politique d'intégration scolaire et d'éducation interculturelle*, paraissent promises à un bel avenir. On peut toutefois noter une certaine tension entre la conception multivoque et disciplinaire de l'enseignement de l'histoire proposée par Lacoursière et le discours nettement plus culturalisant du *Rapport Inchauspé* et du *Programme des programmes*[52]. Ces documents laissent entrevoir une certaine tentation de redonner à l'enseignement de l'histoire un mandat de construction de l'identité nationale et de l'appartenance à une collectivité particulière. Ce retour à une histoire davantage instrumentale au fonctionnement de la Cité tranche avec la rupture radicale que nous avons voulu faire à la fin des années 1960 avec les excès marqués du passé en cette matière[53]. Il paraît, pour l'instant, avoir été résolu en distinguant l'enseignement de l'histoire de l'éducation à la citoyenneté. Toutefois, le débat n'est pas clos, tant en ce qui concerne les finalités que doit viser cet enseignement que la manière dont les groupes minoritaires doivent y être intégrés.

---

51. MEQ (1994c).
52. MEQ (1997c, d, 2000b).
53. Trudel et Jain (1969).

Un éclairage américain sur la question

À cet égard, la controverse sur l'enseignement de l'histoire, qui a fait rage aux États-Unis durant les années 1990, apparaît riche d'enseignements. Pour l'essentiel, deux visions se sont alors opposées à travers un débat médiatique et politique qui devait rapidement prendre une dimension nationale[54]. Dans le premier camp, on retrouve des intellectuels et intervenants antiracistes, dont Leonard Jeffreys, responsable du Programme *afrocentriste* de l'État de New York. On y conçoit l'enseignement de l'histoire comme une mesure visant à favoriser le développement d'une image de soi positive chez les jeunes des minorités ethnoculturelles, et surtout *raciales*. Bien que l'apport d'autres groupes soit considéré, c'est, en effet, essentiellement autour du concept d'histoire *afrocentriste* que s'articule le programme. On y insiste sur l'expérience de cette communauté, sa situation de marginalisation ainsi que son apport historique au développement des États-Unis, ce qui ne susciterait guère de débats au sein d'une société aussi pluraliste. Mais on vise aussi et surtout une réinterprétation de l'histoire mondiale où le rôle des Noirs devient plus important que dans l'histoire traditionnelle, voire central[55]. Bien que certaines de ces avancées puissent être fondées, c'est cet aspect qui donnera lieu aux critiques les plus virulentes[56]. On questionne le réalisme de faire de l'existence du Royaume de Nubie un événement majeur de l'histoire mondiale. De plus, on doute du sérieux d'une approche pédagogique qui prétend régler les problèmes d'intégration sociale et économique des jeunes Noirs par la redécouverte, plus ou moins mythifiée, d'un passé glorieux, qui se serait déroulé il y a plus de 4000 ans à plus de 10 000 kilomètres des États-Unis.

Dans le second camp, on retrouve des intellectuels et intervenants libéraux comme Arthur Schlessinger ou Diane Ravitch, qui devait devenir par la suite sous-ministre fédérale de l'éducation et était alors responsable de l'élaboration du programme d'histoire de Californie. Ce dernier a servi de base aux standards nationaux adoptés ultérieurement par les États-Unis à

---

54. Pagé (1995) ; Glazer (1997).
55. Harris (1987) ; New York State Education Department (1989, 1991).
56. Bloom (1987) ; Ravitch (1989).

cet égard[57]. Ces figures de proue plaident pour le respect de la complexité des faits, même si celui-ci devait s'avérer négatif pour l'image de soi de certains élèves. Selon eux, si l'histoire fait peu de place aux héros autres que les hommes *white anglo-saxon protestant*, c'est un fait qui doit être analysé, comme reflétant les rapports de pouvoir qui ont constitué la société américaine, et non masqué, en créant artificiellement des figures emblématiques féminines ou noires auxquelles les élèves pourraient s'identifier. Toutefois, bien qu'ils reconnaissent la nécessité d'intégrer l'expérience des minorités américaines à l'enseignement de l'histoire, ils se font les ardents défenseurs du rêve américain sapé, selon eux, par la perspective *afrocentriste*. Ce faisant, ils prêtent le flanc à leurs opposants qui feront valoir que l'intégration des minorités ethnoculturelles, telle que conçue par Schlessinger ou Ravitch, est tout au plus du *tokenism*, une présence alibi où l'on continue de définir l'histoire du point de vue du groupe majoritaire. Refusant de considérer le rôle essentiel qu'ont joué, dans le développement des États-Unis, le colonialisme interne et externe ainsi que l'inégalité structurelle des populations immigrantes, l'École pluraliste légitimerait les phénomènes d'exclusions et d'injustices considérés, tout au plus, comme des ratés du modèle américain[58].

Cette controverse, qui a fait rage durant plus d'un an, semble avoir été résolue en faveur des partisans du respect de l'histoire comme discipline. Si les *Ethnic Studies* continuent à bénéficier d'une certaine popularité dans les universités, la plupart des initiatives visant à *multiculturaliser* de manière radicale le curriculum au primaire et au secondaire ou à attaquer son *européanocentrisme* ont été abandonnées. L'enseignement de l'histoire aux États-Unis est aujourd'hui davantage pluraliste que pluriethnique.

Récemment toutefois, le débat des années 1990 a été *revisité* par un groupe d'intellectuels et d'intervenants clés dans le domaine de l'enseignement de l'histoire et de l'élaboration du matériel didactique, rassemblé autour de l'Institut d'études en philosophie et politiques publiques de l'Université de Cambridge[59]. Les membres de ce groupe rejettent les excès

---

57. Bradley Commission (1989) ; Schlessinger (1993) ; Ravitch (1995) ; National Center for History in the Schools (1996).
58. Bennett (1990) ; Gay (1992) ; Cornbleth et Waught (1995) ; Glazer (1997).
59. Blun (1996) ; Fullinwider (1996a) ; Nash (1996) ; Sewall (1996).

des partisans du curriculum *afrocentriste* et adoptent une position éthique commune, opposée au relativisme cognitif. Mais ils remettent aussi en question la position pluraliste actuellement dominante aux États-Unis, en lui adressant trois critiques.

Ils font d'abord valoir que l'histoire, *matière enseignée*, ne peut entièrement être confondue avec l'histoire, *discipline scientifique*. De nombreux choix sont faits lors du processus de construction du curriculum, à partir de conceptions divergentes de l'important et de l'accessoire. Cet enseignement remplit non seulement un mandat de formation intellectuelle mais assume aussi un rôle de formation du citoyen. Ces intellectuels plaident donc pour que les principaux enjeux que la société aura à résoudre en matière de relations interethniques constituent des éléments dont on tienne compte lors de la sélection et du traitement des questions. Un enseignement de l'histoire, qui aurait comme conséquence l'ouverture interculturelle ou intellectuelle des élèves majoritaires, sans jouer aucun rôle sur le vécu scolaire et social à plus long terme des élèves marginalisés, leur paraît sujet à beaucoup de questionnement au plan éthique.

Par ailleurs, la distinction entre l'histoire *discipline* et l'histoire *matière enseignée* amène également les participants du *Think Thank* à rejeter la neutralité axiologique qui est généralement celle des historiens. Les membres de ce groupe considèrent qu'auprès d'élèves en processus de formation, le fait de ne pas clairement dénoncer les injustices du passé pourrait avoir pour effet de leur donner l'impression que l'enseignant soutient de telles pratiques ou en atténue l'importance.

La troisième critique porte sur le caractère souvent ahistorique de la présentation qui est faite aux élèves de l'évolution de la discipline. Celle-ci occulte la construction sociale de l'histoire et, notamment, le rôle qu'y joue l'évolution des rapports de pouvoir et des conflits interethniques. Les auteurs plaident donc pour que les élèves aient l'occasion de développer un rapport critique avec l'histoire, même avec la version scientifique actuellement dominante, et reconnaissent l'apport des groupes de pression à sa réinterprétation permanente.

Après une période qui a opposé dichotomiquement les partisans d'une histoire *idéologique* et ceux d'une histoire *objective*, le courant émergeant aux États-Unis semble donc désormais, pour reprendre ici les termes de

Fullinwider, celui d'une histoire *patriotique*. Il s'agit toutefois d'un patriotisme redéfini en fonction des besoins d'une société pluraliste en pleine mutation, qui tient compte de l'indissociable lien entre savoir et engagement dans le processus de formation.

L'adaptation des normes et des règlements de la vie scolaire

Le débat québécois des années 1990

Durant les années 1990, un des défis majeurs de l'adaptation au pluralisme aura été celui des demandes d'exemption, voire même de transformation des normes et règlements scolaires, provenant des parents ou des élèves de minorités culturelles et religieuses. Ces demandes ont concerné, et concernent encore, la conception de l'école et de l'apprentissage, la discipline et les droits de l'enfant, le rôle et le statut respectif des hommes et des femmes, les usages linguistiques ainsi que le respect des prescriptions religieuses[60]. Le personnel scolaire continue aujourd'hui, bien que dans une moindre mesure, à manifester une certaine perplexité face à cet enjeu. Il hésite, en effet, entre l'ouverture, qui s'inscrit dans la foulée de l'idéologie de *l'adaptation de l'école à son milieu*, et la *défense du fort*, lorsque la nature même de l'éducation et ses finalités lui paraissent menacées.

La forte médiatisation de la crise du hijab[61] a contribué à biaiser la perception publique du phénomène vers une problématisation indue. C'est pourquoi il est important de baliser son ampleur ainsi que la variété des situations qu'il recouvre souvent, d'ailleurs, sans tambour ni trompette. La plupart du temps, en effet, sur le terrain, il est bien difficile de distinguer le fonctionnement *naturel* d'une école pluriethnique, où la prise en compte des caractéristiques de la clientèle se fait au jour le jour, comme ce serait le cas en milieu rural ou en milieu défavorisé monoethnique[62], de divers *accommodements raisonnables*, consentis aux élèves ou aux parents en vertu d'une logique d'égalité des droits.

---

60. Mc Andrew et Jacquet (1992) ; MEQ (1994a) ; Hohl et Normand (1996, 2000).
61. Mc Andrew et Pagé (1996) ; Ciceri (1999).
62. Hohl (1991a, 1993b) ; Mc Andrew (1994).

Le premier type d'ajustement touche généralement la diversité culturelle, dont la préservation n'est pas protégée de manière positive par la Charte des droits et libertés du Québec. Il s'agit, en effet, d'un droit *économique et social*, qui permet aux communautés de maintenir et de faire progresser leur propre vie culturelle sans interférence de l'État, et non d'une obligation de ce dernier d'assurer l'atteinte de cet objectif par le fonctionnement même de ses institutions. On y trouve les diverses pratiques d'adaptation de l'enseignement ou de la discipline, qui permettent de prendre en compte le conservatisme souvent plus grand des groupes d'origine immigrée ; par exemple, une insistance plus forte sur les devoirs et les leçons, des méthodes pédagogiques plus traditionnelles, le port d'un uniforme, le vouvoiement obligatoire ainsi que la séparation des garçons et des filles lors de l'éducation sexuelle ou à la piscine. L'emploi d'autres langues pour communiquer oralement ou par écrit avec les parents, respectant les balises de la Charte de la langue française, relève également d'une telle logique. Souvent, la réponse aux demandes de la clientèle ne prend pas la forme d'une adaptation de l'école mais plutôt celle d'une stratégie visant à faciliter le cheminement des parents. Sous cette catégorie, on peut mentionner la mise sur pied de sessions d'information sur la pertinence des sorties éducatives ou d'ateliers sur les méthodes de discipline faisant appel à la responsabilité de l'enfant plutôt qu'au seul exercice de l'autorité parentale. D'ailleurs, en ce qui concerne ce dernier enjeu, les intervenants scolaires, étroitement soumis aux dispositions de la Loi sur la protection de la jeunesse, disposent de très peu de marge de manœuvre. Cette loi leur fait obligation de rapporter *toute* situation où il est légitime de penser que la santé ou la sécurité de l'enfant pourraient être en jeu[63].

Les demandes d'adaptation des normes et règlements qui concernent des prescriptions religieuses sont plus susceptibles d'être judiciarisées. La Charte québécoise reconnaît, en effet, la liberté de religion comme un droit fondamental ainsi que l'existence potentielle d'une discrimination indirecte dans ce domaine. Elles paraissent aussi soulever nettement plus les émotions et les passions. En témoignent non seulement la crise du hijab de 1995 à la Commission des écoles catholiques de Montréal (CECM) mais

---

63. MEQ (1994a) ; Mc Andrew, Jacquet et Ciceri (1997).

aussi divers débats portant, par exemple, sur le respect du ramadan, ou les demandes de *censure* de certains contenus d'enseignement provenant de groupes fondamentalistes chrétiens[64].

Trois facteurs peuvent être invoqués pour rendre compte du caractère plus conflictuel de ces enjeux[65]. Tout d'abord, ils concernent généralement l'Islam, où la division du sacré et du profane est moins poussée. Le rôle que joue le climat idéologiquement très défavorable à cette religion, associée au fondamentalisme et à l'obscurantisme dans l'ensemble des pays occidentaux, doit donc être considéré. De plus, la religion représente une corde particulièrement sensible dans une société qui a elle-même à peine achevé sa sécularisation. Les intervenants scolaires appartiennent à une génération qui a connu les excès d'une époque où la séparation entre l'Église et les institutions publiques était presque inexistante. Finalement, les demandes d'adaptation à la diversité religieuse semblent souvent interférer avec deux objectifs considérés comme fondamentaux par le milieu scolaire soit, d'une part, l'égalité des sexes et, d'autre part, la fonction d'instruction et de développement d'un savoir critique.

En septembre 1994, la petite Émilie X, une Québécoise dont le père est musulman, se voit refuser l'accès à l'école Louis-Riel parce que son insistance à porter le hijab entre en conflit avec le code vestimentaire de cet établissement. Rien ne laisse présager le débat important qui va secouer la société québécoise durant plus d'un an. L'élève est rapidement relocalisée dans un autre établissement où les exigences sont plus souples. De plus, on estime alors qu'une centaine d'élèves seulement, dans l'ensemble du réseau scolaire québécois, portent le hijab. Par ailleurs, les musulmans du Québec, souvent d'implantation ancienne, ne sont pas considérés comme particulièrement partisans des courants conservateurs ou intégristes au sein de cette foi[66].

---

64. Bosset (1988) ; Commission des droits de la personne (CDP) (1995) ; Bernatchez et Bourgeault (1999) ; Jacquet (à paraître).
65. Shaheen (1984) ; Milot (1991) ; Lewis et Schnapper (1992) ; Ramadan (1994) ; Hohl (1996).
66. Centre d'Étude Arabe pour le Développement (CEAD) (1992) ; Ministère des Affaires internationales, de l'Immigration et des Communautés culturelles (MAIICC) (1995).

Toutefois, les médias, soutenus par des groupes de pression et les porte-parole très actifs des deux camps, vont rapidement s'emparer de l'affaire. De septembre 1994 à mars 1995, au moment où l'*Avis* de la Commission des droits de la personne (CDP) va plus ou moins faire mourir la controverse, quelque 48 articles d'information, 12 éditoriaux, 28 articles d'opinion ou lettres ouvertes et 12 articles sur la France paraîtront au sein des divers quotidiens québécois de langue française. La presse anglophone, d'abord québécoise et ensuite canadienne, fera aussi écho à l'affaire. Reflétant une forte ignorance de la complexité du débat québécois, elle l'interprétera, le plus souvent de manière fortement stéréotypée, comme une illustration de la fermeture traditionnelle du milieu francophone à la diversité[67].

Pour l'essentiel, deux conceptions s'opposent. Parmi les partisans d'une tolérance du port du hijab, on retrouve les syndicats, le *leadership* féministe, des organismes de défense des droits ainsi que la plupart des associations ethnoreligieuses. Ceux-ci défendent sa légitimité essentiellement à partir d'une logique de droits individuels. La communauté musulmane, disent-ils, est généralement bien intégrée à la société québécoise. Celle-ci est tolérante et ouverte, comme en témoigne d'ailleurs la protection accordée à la liberté religieuse par la Charte québécoise. Pour certains, il n'est pas juste de réduire le port du hijab à un symbole politique. La plupart des jeunes filles le porteraient simplement pour des motifs religieux. Plusieurs dénoncent toutefois l'association du hijab avec le statut généralement inférieur des femmes dans l'Islam. Mais ils font valoir qu'il vaut mieux que l'école exerce sa fonction critique auprès d'élèves dont on aura respecté l'autonomie morale, plutôt que de prétendre les *libérer* de manière paternaliste[68].

Dans le camp des opposants au port du hijab, on retrouve un mariage, quelque peu contre nature, entre une droite traditionnelle qui appelle à l'intégration *véritable* des immigrants, des féministes de la base, préoccupées par la dimension inégalitaire du symbole, des groupes revendiquant la laïcisation totale du système scolaire ainsi que des porte-parole de la communauté musulmane. C'est le cas notamment des Algériens, récemment

---

67. CDP (1995) ; Macpherson (1995) ; Ciceri (1999) ; *The Globe and Mail* (1994a, 1994b ; 1995).
68. Ciceri (1999) ; Conseil du statut de la femme (1995).

réfugiés au Québec suite aux excès du fondamentalisme dans leur pays, qui dénoncent le caractère politique du hijab[69]. Bien que non nécessairement harmonisées, ces tendances composent un concert fortement convaincant, nettement plus émotif que l'ensemble des contre-arguments qu'on peut leur opposer. Il n'est donc pas étonnant que la position des opposants domine le débat durant toute sa durée[70].

Toutefois, la crise s'éteint rapidement avec la publication de l'*Avis* de la CDP, que le gouvernement déclare immédiatement accepter dans son intégralité. Répondant aux opposants au port du hijab, l'*Avis* rappelle, en effet, que s'intégrer au Québec, c'est adhérer à ses valeurs fondamentales où le respect de la liberté religieuse est central. De plus, la neutralité des institutions publiques n'implique pas celle de leur clientèle. Au contraire, le respect des manifestations religieuses en fait intégralement partie. La CDP s'est toutefois montrée préoccupée des situations où le droit à la liberté religieuse pourrait interférer avec l'égalité des sexes ou coïncider avec du prosélytisme religieux. Mais elle a rappelé que, dans une société démocratique, la loi régule les comportements manifestes et non les symboles, dont le lien de cause à effet avec les pratiques discriminatoires est difficile à établir. Concluant à la nécessité du respect du choix des élèves, elle a identifié trois situations où ce droit pourrait être limité, soit celles où la santé et la sécurité, l'accès à l'éducation en toute égalité ou la liberté de l'élève seraient mis en cause.

Ces orientations s'inscrivent dans la foulée des balises déjà énoncées par le MEQ dans le *Module sur la prise en compte de la diversité culturelle et religieuse en milieu scolaire*[71], auquel la *Politique* de 1998 a donné un caractère officiel. La légitimité de l'adaptation institutionnelle au pluralisme y est reconnue, et ce, autant pour des motifs psychopédagogiques et sociologiques qu'en vertu de la seule dimension juridique. Toutefois, on y définit des limites claires, nettement plus étroites si d'autres droits fondamentaux sont en jeu.

---

69. Geadah (1996).
70. Mc Andrew (1996b) ; Mc Andrew et Pagé (1996).
71. MEQ (1994a).

Ainsi, il faut comprendre que, si le port du hijab est accepté dans une telle perspective, la crainte fantasmatique du *un œuf égale un bœuf* ne paraît guère justifiée. Le cadre juridique et réglementaire de l'École québécoise s'applique, en effet, de la même façon à toute la clientèle, quelle que soit son origine. Une scolarité différente des garçons et des filles, le retrait préventif de ces dernières à des fins de mariage, voire même un traitement différent à la cafétéria et dans la cour de l'école sont clairement exclus. Les jeunes filles sont aussi protégées par le droit au secret professionnel qui, à partir de 14 ans, leur permet de consulter sans que l'école n'en avertisse leurs parents. De même, le ministère se montre réticent à tout changement curriculaire, adopté en réponse aux croyances des parents, qui ne serait pas fondé sur des bases scientifiques et justifié par l'évolution de la discipline.

Par ailleurs, il faut rappeler que l'adaptation institutionnelle au pluralisme est conçue au Québec à travers la logique des droits individuels et non de l'égalité des cultures et des religions[72]. Ainsi, en matière d'adaptation du calendrier scolaire, on rejette la position qui conduirait à accorder à toutes les fêtes religieuses les mêmes droits qu'à celles qui relèvent de la tradition chrétienne. Le MEQ, s'inspirant d'une approche en vigueur en Ontario[73], a préféré inciter chacun des milieux à trouver des accommodements individuels permettant aux élèves de s'absenter pour un ensemble limité de fêtes, durant lesquelles on s'efforce de ne prévoir aucun examen ou activité pédagogique exceptionnelle.

Toutefois, pour le personnel scolaire, ce qui semble poser problème, ce n'est pas tellement l'ouverture face à la diversité mais plutôt le fait que le MEQ privilégie une approche cas par cas, où leur expertise, leur professionnalisme et leur capacité d'analyse critique de chaque enjeu sont mis à l'épreuve. Les intervenants se plaignent fréquemment que, déjà sollicités par de nombreux défis administratifs ou pédagogiques, ils ne sont pas suffisamment soutenus par des *orientations claires*. C'est une plainte qui — il faut bien le dire — paraît souvent relever de la nostalgie de recettes simples dans le domaine. Ce sentiment d'incertitude explique, peut-être, la fréquence, inhabituelle au Québec, de la référence au modèle français lors de

---

72. MCCI (1990a) ; CCCI (1993).
73. MEFO (1993a).

la crise du hijab de 1995. Ce modèle, par son apparente simplicité, pouvait représenter un phare auquel les enseignants, confrontés à des enjeux trop complexes, pouvaient se raccrocher[74].

La position française sur le port du foulard à l'école publique

Le type de réaction mis de l'avant en France face à cet enjeu pouvait, en effet, apparaître comme diamétralement opposé à l'approche prévalant au Québec[75]. L'*Avis* du Conseil d'État de 1989, reconnaissant que la laïcité des institutions scolaires et le port de signes religieux n'étaient pas *a priori* incompatibles se maintenait, pour l'essentiel, dans la foulée libérale des grandes conventions internationales en matière de droits de la personne. Toutefois, la Circulaire Bayrou de 1994, s'appuyant sur une conception substantive de la culture commune transmise par l'école, s'inscrivait nettement dans une perspective jacobine. Faisant l'économie de l'examen des cas d'espèce, elle proclamait que le port du hijab en lui-même, et non en vertu de ses conséquences, représentait une pratique inacceptable au sein de l'école française. C'est désormais au nom d'une *communauté de destin* qu'on proposait de limiter les droits, et non plus en vertu de leur équilibre réciproque et de la nécessité de protéger le cadre qui permet leur exercice.

Malgré cette divergence des modèles normatifs, il a été fascinant d'observer, au fur et à mesure du déroulement des *affaires du foulard* en France et au Québec, comment les solutions imposées aux décideurs et intervenants se sont graduellement rapprochées[76]. En effet, à moyen terme, le Conseil d'État français a érodé, jugement après jugement, la tentative jacobine inhérente à la circulaire Bayrou. Ainsi, dans son *Avis* du 7 juillet 1995, après avoir cassé 14 exclusions, le Conseil réaffirmait que l'interdiction du port de signes ostentatoires dans les établissements n'était pas une règle de droit imposable à tous. De plus, il maintenait sa jurisprudence exigeant une analyse individuelle des comportements des jeunes filles voilées. Ce jugement n'est pas étonnant. Le Conseil d'État devait nécessairement respecter

---

74. Hohl et Normand (1996, 2000) ; Mc Andrew (1996a) ; MEQ (1998b).
75. MEN (1989, 1994a) ; Lorcerie (1996a, b).
76. *Le Monde* (1995) ; Mc Andrew (1996b) ; Ciceri (1999).

les chartes internationales et européennes, dont la France est signataire, ainsi que ses propres législations en matière de droits de l'homme.

Les contraintes que les décideurs et intervenants scolaires pourront désormais légitimement imposer à la prise en compte du pluralisme risquent donc de se limiter, en France comme ailleurs, aux cas d'espèce acceptables en régime libéral[77]. Le Conseil d'État a d'ailleurs identifié sensiblement les mêmes éléments que l'*Avis* de la CDP comme balises à cet égard. Il s'agit, entre autres, de la nécessité de s'assurer que le libre arbitre et que l'accès en toute égalité aux activités pédagogiques de la jeune fille soient respectés et qu'un climat exempt de prosélytisme soit maintenu.

La responsabilité de porter un jugement sur l'acceptabilité d'accommodements culturels et religieux ou d'élaborer des solutions de compromis reviendra donc, de plus en plus, aux institutions locales françaises, quel que soit leur manque d'enthousiasme à cet égard.

La prière publique et les manifestations religieuses dans les écoles américaines

Parce que la définition de la laïcité y est plus dynamique et moins liée à une crispation identitaire qu'en France[78], le débat américain relatif à la place de la religion apparaît comme potentiellement plus fécond.

Le rapport de l'État à la religion est défini dans la constitution américaine à travers une double tension[79]. D'une part, la clause de libre exercice commande à l'État de soutenir pleinement le droit des citoyens à maintenir et à manifester leurs convictions en matière religieuse, y compris l'athéisme. D'autre part, la clause de non-établissement lui interdit de privilégier une religion ou une position aux dépens d'une autre. Traditionnellement, la Cour suprême américaine a eu tendance à accorder plus d'importance à la clause de non-établissement interdisant, par exemple, jusqu'au début des années 1960, toute présence de la religion à l'école. Elle considérait que la clause de libre exercice s'appliquait davantage à la sphère

---

77. Bourgeault *et al.* (1995) ; Bernatchez (1996).
78. Lorcerie (1994b).
79. McDonnell (1992) ; Bernatchez (1996).

privée. Toutefois, depuis bientôt quarante ans, une série de jugements sont venus donner plus de poids au principe de libre exercice au sein des institutions publiques, qui y ont rendu légitimes, entre autres, la prière publique ainsi que diverses manifestations religieuses.

Cette question est toutefois loin de faire l'unanimité. Depuis cette époque, des controverses extrêmement virulentes font rage par le biais des médias, des représentants au Congrès et, plus récemment, des sites Web respectifs. Pour certains, en effet, c'est l'essence même de la Constitution américaine qui est menacée par la présence accrue des manifestations religieuses à l'école publique. Pour d'autres, à l'inverse, cette ouverture est l'épitomé du projet pluraliste qui caractérise les États-Unis[80].

Récemment, le *First Amendment Center*[81], un regroupement représentatif du milieu scolaire, des organismes luttant en faveur des droits ainsi que de l'ensemble des organismes religieux, a rendu publique une série de guides sur la religion à l'école. Ceux-ci s'appuient largement sur une lettre que le Secrétaire d'État à l'éducation américain a jugé bon d'envoyer lui-même au milieu scolaire pour assainir quelque peu un débat qui devenait acrimonieux[82]. Pour l'essentiel, ce document propose trois distinctions comme balises à l'ouverture du milieu scolaire.

La première porte sur la différence entre les élèves, clientèle captive d'une institution publique, et les intervenants, bénéficiant du privilège d'être fonctionnaires. La liberté de manifester ses croyances religieuses ne s'applique qu'aux élèves. La seconde distinction est celle de l'enseignement *relatif à la* religion et de l'enseignement *des* religions. Lors de prises de position ou de l'étude des fêtes religieuses, les enseignants, quelles que soient leurs propres croyances, sont toujours tenus à une obligation de réserve à cet égard. Finalement, si les institutions scolaires doivent accommoder les demandes d'exemptions à caractère religieux, elles ne peuvent être responsables d'assurer la conformité des élèves aux désirs de leurs parents. Lorsque les élèves sont plus âgés, d'ailleurs, le document précise que toutes les activités religieuses doivent résulter de leur initiative. Celles-

---

80. Leaming (1999) ; Haynes (2000).
81. *First Amendment Center* (1999a, b).
82. US Department of Education (USDE) (1999c).

ci ne sauraient provenir des groupes de pression ou des *leaders* religieux, à moins que l'école ne les ait invités, dans le cadre d'une activité pédagogique structurée à caractère informatif.

La nature pragmatique de l'approche américaine est intéressante, et ce, d'autant plus qu'elle s'inscrit dans une culture politique et idéologique où la séparation de l'Église et de l'École est marquée ou, du moins, plus forte qu'au sein de la société québécoise[83]. L'importance accordée au jugement professionnel des enseignants en cette matière est aussi à noter, dans un contexte où ceux-ci jouissent pourtant généralement d'un statut moins élevé qu'au Québec[84].

Les balises de la prise en compte de la diversité au Canada anglais

Comme on le voit, les sociétés qui maintenaient traditionnellement une cloison étanche entre l'espace public et l'espace privé ont connu une évolution notable en matière de prise en compte de la diversité culturelle et religieuse. À l'opposé, les systèmes scolaires, où prévalaient des rhétoriques d'ouverture maximale au pluralisme, voire même de relativisme culturel, ont eu tendance à faire le chemin inverse.

Ainsi, une enquête comparative[85], menée auprès des ministères de l'Éducation et des commissions scolaires de la Colombie-Britannique, de l'Alberta, de l'Ontario, du Québec et de la Nouvelle-Écosse, a révélé la complexité de la reconnaissance du pluralisme dans les institutions scolaires au Canada. De plus, malgré la divergence des modèles normatifs[86], les résultats de cette enquête viennent infirmer l'hypothèse d'une dominante relativiste au sein des provinces anglo-canadiennes. Ils pointent vers la grande similarité des pratiques menées dans chaque contexte.

L'étude confirme d'abord l'existence d'un large consensus quant à la nécessité de limites à la prise en compte du pluralisme, et la similarité de

---

83. Proulx (1993) ; Pagé et Gagnon (1999).
84. Ballantyne (1989).
85. Mc Andrew, Jacquet et Ciceri (1997).
86. Ministère de l'Éducation de l'Alberta (MEA) (1988b) ; MCCI (1990a) ; MEFO (1993a) ; Ministère de l'Éducation de la Colombie-Britannique (MECB) (1994) ; Ministère de l'Éducation de la Nouvelle-Écosse (1995).

l'ordre des priorités adoptées à cet égard. Le respect des droits garantis par les chartes, le développement de relations harmonieuses et la non-ghettoïsation des immigrants font l'objet d'un soutien presque unanime des répondants. Par ailleurs, on constate un soutien, moins marqué mais notable, à des limites reflétant une conception plus substantive de la culture publique concernant le rôle de l'école dans la promotion de valeurs communes ou le respect des normes fondamentales de la société.

Un autre élément intéressant de l'enquête réside dans la grande variété inter et intraprovinciale des réponses aux demandes d'accommodement, que celles-ci touchent les normes vestimentaires, le respect des fêtes religieuses et du programme pédagogique, l'égalité des sexes ou les prescriptions religieuses. Les solutions rapportées incluent autant le refus pur et simple, le refus avec stratégie de cheminement, l'ajustement avec restriction que l'ajustement sans condition. Toutefois, la résistance à la modification des programmes pédagogiques semble systématiquement plus élevée que celle que soulèvent les changements aux normes administratives ou aux pratiques extrascolaires. Il s'agit sans doute là d'un biais corporatiste propre aux intervenants scolaires. Mais on pourrait aussi y déceler leur conscience de l'importance de mieux distinguer, dans un contexte de pluralisme croissant des clientèles, les mandats d'instruction et de socialisation de l'école.

Quoi qu'il en soit, depuis l'enquête de 1995, divers documents pédagogiques sont venus confirmer la popularité croissante, au Canada anglais, d'un modèle normatif de prise en compte de la diversité culturelle et religieuse, balisé par la recherche d'un équilibre entre les droits et les responsabilités de l'élève[87]. C'est le cas, entre autres, de *Teaching Human Rights, Valuying Dignity, Equity and Diversity*, un guide publié en 1999 par la *British Columbia Teachers Federation* (BCTF), le plus actif des syndicats canadiens d'enseignants en matière d'intégration des immigrants et d'éducation antiraciste. On y tient un discours nettement plus complexe que les positions antiracistes auxquelles nous avait habitués cet organisme. Le

---

87. Vancouver School Board (1995) ; Commission ontarienne des droits de la personne (CODP) (1996a, b) ; MEFO (1996b) ; MECB (1998) ; British Columbia Teachers Federation (BCTF) (1999).

document, assez proche du module du MEQ, propose des réflexions sur les liens qui doivent unir le respect de la diversité à l'égalité des sexes ainsi qu'à la lutte aux inégalités scolaires et sociales. Il met aussi l'accent sur la nécessité que l'ensemble des élèves soit éveillé au cadre démocratique qui rend possible le partage d'un espace commun, tant à l'école que dans la société.

La prospective

Les expériences québécoise, française, américaine et anglo-canadienne illustrent une dynamique commune à beaucoup de sociétés occidentales, quel que soit le modèle normatif de citoyenneté et de rapport de l'institution scolaire à la diversité qu'elles ont traditionnellement défendu. L'érosion des idéologies qui prétendaient ériger l'appartenance à des communautés spécifiques comme une valeur transcendant le consensus, essentiellement procédural, sur lequel repose l'État moderne, est évidente. Tous les systèmes scolaires sont touchés par l'impact de cultures juridiques nationales et internationales de plus en plus similaires et d'approches psychopédagogiques de plus en plus influencées par l'idéologie de centrage sur les besoins de l'enfant[88].

Ces limites contraignent les majorités nationales dans la tentative d'affirmer leur spécificité, comme on l'a vu lors des affaires du hijab en France et, dans une moindre mesure, au Québec. Cependant, elles touchent également les minorités qui voudraient invoquer le *multiculturalisme* pour protéger certaines de leurs pratiques contestables au plan des droits de la personne. C'est une rhétorique de plus en plus refusée par les intervenants de diverses provinces canadiennes, dont certaines mettent pourtant de l'avant des positions normativement relativistes.

Bien entendu, cette érosion ne se fait pas, dans un cas comme dans l'autre, sans résistance au sein de l'opinion publique et du milieu scolaire, où l'attachement à une culture commune substantive ou à des cultures ethniques particulières demeure extrêmement fort. Certaines sociétés recherchent un équilibre à cet égard, en mettant de l'avant une prise en

---

88. Bernatchez (1996); Hohl et Normand (1996).

compte de la diversité justifiée et limitée en vertu d'une logique de droits individuels. La popularité des deux autres idéologies y demeure toutefois élevée et influence probablement encore largement, dans des directions opposées, les décisions prises, au jour le jour, au sein des institutions scolaires. Le débat sur le *comment* et surtout sur le *jusqu'où* de l'adaptation institutionnelle au pluralisme en éducation est donc loin d'être terminé, au Québec comme ailleurs.

5

L'ÉDUCATION À LA CITOYENNETÉ : UNE ALTERNATIVE À L'ÉDUCATION MULTICULTURELLE, INTERCULTURELLE OU ANTIRACISTE ?

La problématique québécoise

L'éducation interculturelle : origines, débats et évolution

Comme on a vu plus haut, c'est avec la publication de l'*Avis* du Conseil supérieur de l'éducation (CSE) de 1983 que le vocable *éducation intercultu-relle* fait son apparition officielle au Québec. Toutefois, divers intervenants de terrain ont commencé à l'employer dès la fin des années 1970, comme en témoigne, par exemple, la création, dès 1963, du Centre interculturel Monchanin, dont la revue *Intercultures* devait s'avérer un des fers de lance de cette approche. Le choix du terme lui-même semble relever principale-ment de deux facteurs[1]. D'une part, on note un désir de se démarquer du courant, alors dominant au Canada anglais, de l'*éducation multiculturelle*. Cette tendance est perceptible, en 1978, dans la *Politique québécoise du déve-loppement culturel*. Celle-ci affirmait, en effet, que : « Entre l'assimilation lente ou brutale et la conservation d'originalités incluses dans les murailles des ségrégations, il est une autre voie praticable : celle des échanges au sein

---

1. Mc Andrew (1990, 1995a) ; Henry-Lorcerie (1986) ; Lorcerie et Mc Andrew (1996).

d'une culture québécoise» (p. 79). D'autre part, le Québec subit l'influence du contexte français et francophone plus large, où l'idéologie et les pratiques d'éducation interculturelle — dont la popularité devait régresser par la suite — sont alors à leur apogée.

Toutefois, durant les années 1980, et sans doute même ultérieurement sur le terrain, il n'est pas évident qu'en privilégiant un concept on ait, de fait, adopté une approche distincte des autres courants alors en vogue. L'*Avis* du CSE tout comme d'ailleurs le *Rapport Chancy* de 1985 représentent plutôt de vastes auberges espagnoles où l'on retrouve des influences diverses, plutôt juxtaposées que clairement harmonisées. Ainsi, au sein de ces documents, les mesures compensatoires visant l'ensemble du milieu scolaire sont indifféremment incluses sous le concept d'*éducation interculturelle*. Toutefois, le Conseil distingue l'*accueil d'intégration* de l'*accueil d'acceptation*.

En ce qui concerne plus spécifiquement le continuum *éducation multiculturelle, interculturelle* et *antiraciste*, au-delà des prises de position rhétoriques sur la spécificité de l'approche québécoise, la période est également marquée par une idéologie de fusion[2]. Un équilibre est recherché entre la valorisation des cultures des groupes que l'on nomme alors les diverses *ethnies*, l'échange interculturel, le rapprochement avec la majorité francophone ainsi que la lutte au racisme. La définition que donne Ouellet, en 1984, de l'*éducation interculturelle*, qui devait s'imposer graduellement comme une norme dans le domaine, en témoigne. Il s'agirait d'«un effort systématique pour développer parmi les membres de la majorité comme de la minorité une meilleure compréhension des différentes cultures, une plus grande capacité de communiquer avec des personnes d'autres cultures ainsi que des attitudes positives à l'égard des autres groupes de la société» (p. 17).

Dans la foulée de ces développements, l'*Avis* du CSE de 1987, intitulé *Les défis éducatifs de la pluralité*, représente la tentative la plus poussée d'incarner les diverses finalités attribuées à l'éducation interculturelle dans des objectifs pédagogiques précis, touchant l'ensemble des disciplines scolaires. On y présente nettement l'éducation interculturelle comme *l'éducation*

---

2. Ouellet (1984); Laferrière (1985b); Pagé (1988).

tout court — pour reprendre ici le slogan alors en vogue au Canada anglais sur l'éducation multiculturelle[3] — en montrant comment celle-ci peut jouer un rôle essentiel dans la formation intellectuelle, artistique et personnelle des élèves.

Sur le terrain cependant, le degré de mise en œuvre d'une éducation interculturelle, définie comme un équilibre complexe entre divers objectifs complémentaires, est sujet à caution[4]. L'analyse du matériel pédagogique visant spécifiquement cet objectif révèle plutôt une dominante multiculturelle au sens strict de ce concept, qu'il ne faut toutefois pas confondre avec la réalité multiforme de l'éducation multiculturelle en milieu canadien anglophone. L'accent est mis sur les différences culturelles bien davantage que sur les ressemblances dans les activités pédagogiques proposées, où l'existence de frontières ethniques étanches entre les groupes majoritaire et minoritaires est prise pour acquise. De même, les semaines dites *interculturelles* consistent, la plupart du temps, en la juxtaposition de kiosques et d'activités monoethniques où la réflexion sur des thèmes communs est peu développée.

Il existe certes alors une spécificité de l'éducation interculturelle au Québec, tant face à ce courant dans d'autres pays francophones qu'en contraste avec les activités multiculturelles menées dans les provinces canadiennes anglophones. Cependant, il faut la chercher non pas dans la position normative relative aux relations interculturelles, mais dans l'affirmation réitérée de la nécessité de l'intégration de toutes les communautés à une langue commune. Cette insistance reflète bien l'ambiguïté de la situation sociolinguistique propre à notre société.

Dans les années 1990, sous l'effet des débats internes et internationaux dans le champ, l'éducation interculturelle va connaître une évolution marquée au Québec[5]. Elle est caractérisée en milieu francophone, surtout au sein des commissions scolaires catholiques, par le remplacement graduel du paradigme culturel par le paradigme civique et la délégitimation de l'essentialisme identitaire. Par ailleurs, le hiatus s'accentue avec le milieu

---

3. Samuda *et al.* (1984).
4. Pagé (1988) ; Berthelot (1991) ; Jacquet (1992) ; Mc Andrew (1993a).
5. Ouellet (1991) ; Lemay (1997) ; Mc Andrew (1999).

anglophone et protestant, où domine une perspective antiraciste plus classique.

Chronologiquement, le premier débat oppose, dès le milieu des années 1980, les tenants du relativisme culturel et les partisans d'une culture des droits de la personne transcendant les particularismes. Les premiers[6], privilégiant une approche anthropologique, postulent l'égalité des cultures et la nécessité de leur interaction dans un statut d'égalité formelle. À la limite, bien que ce dernier élément ne fasse pas l'objet d'un consensus, ils considèrent toute recherche de valeurs universelles comme faisant partie de l'arsenal de domination occidentale visant à éradiquer la différence. Les seconds[7] considèrent cette position normative, développée dans un contexte d'étude des cultures étrangères, comme mal adaptée à la réalité de la coexistence au sein d'une communauté politique commune. À leurs yeux, la réflexion philosophique sur l'articulation du pluralisme et de la citoyenneté doit faire partie intégrante de l'éducation interculturelle, dans un contexte où la migration est permanente et relève, jusqu'à un certain point, d'un choix d'acculturation à une nouvelle société.

Au fur et à mesure que l'éducation interculturelle s'étend au-delà du cercle des convaincus, notamment à Montréal, la popularité de la seconde position ne peut que croître. En effet, elle correspond davantage à la réalité du partage de l'espace scolaire par divers groupes ainsi qu'à la nature fortement prescriptive de l'intervention auprès d'élèves en formation.

Si l'on s'entend relativement facilement au cours des années 1990 pour rejeter le relativisme culturel, la définition du curriculum commun qui devrait être partagé par tous les élèves suscitera — et suscite encore — de nombreux débats. En témoigne la multiplicité des termes utilisés pour désigner cette réalité : *culture publique commune, culture civique commune* et plus récemment, *patrimoine pluriel*[8]. Cette problématique jouit de moins de visibilité médiatique que le débat entourant les balises relatives à l'adaptation des normes et règlements scolaires — dont nous avons discuté au

---

6. Kehoe (1984) ; Vachon (1985) ; Barrette *et al.* (1988).
7. Simard (1984) ; Carens (1989) ; Ouellet (1991) ; Bourgeault *et al.* (1995).
8. Harvey (1991) ; Conseil supérieur de l'éducation (CSE) (1993) ; Conseil des relations interculturelles (CRI) (1997a).

chapitre précédent. Elle est toutefois, de fait, plus complexe. En effet, dans le premier cas, lors de demandes ponctuelles, il est relativement aisé de s'en tenir à divers éléments juridiques constituant, au sens strict, la culture civique commune à tous les Québécois. Dans le second, qui touche l'ensemble des activités scolaires, notamment les disciplines à forte composante culturelle, la prétention de neutralité est nettement plus sujette à caution[9].

La confusion entre culture civique et culture ethnique majoritaire au sein du patrimoine pluriel est, en effet, un danger bien réel, qu'une série de *listes d'épicerie* émanant de divers organismes publics ou communautaires est d'ailleurs venue corroborer. Certains[10] considèrent cette ambiguïté comme inévitable et suggèrent que le patrimoine soit composé non seulement de la culture civique mais aussi de divers éléments de la *culture sociétale* ou *institutionnelle*. Celle-ci reflète légitimement l'influence particulière qu'a exercée et qu'exerce encore la communauté majoritaire, en vertu de son poids historique ou démographique, sur la manière dont se sont incarnés, dans une société donnée, les principes communs à l'ensemble des démocraties.

Par ailleurs, si les minorités peuvent se sentir menacées par une perspective civique qui ne servirait qu'à masquer la culture dominante, ce virage suscite également des résistances chez les intervenants majoritaires[11]. En effet, le retour à des perspectives dichotomiques, où les cultures des divers groupes sont abordées comme des réalités distinctes, peut représenter une perspective attrayante en milieu scolaire. On se plaint souvent que *la culture québécoise n'est plus enseignée dans nos écoles*. Les intervenants attribuent parfois cette situation à la dominance supposée des cultures ethniques, effet pervers d'une éducation interculturelle mal balisée ou, plus récemment, à l'émergence du nouveau discours civique qui tend à réduire la spécificité québécoise à ses éléments proprement juridiques. Quoi qu'il en soit, cette inquiétude révèle pour le moins la difficulté du groupe francophone à se redéfinir comme communauté d'accueil. Elle témoigne aussi

---

9. Bourgeault *et al.* (1995) ; Bourgeault et Pietrantonio (1996).
10. Kymlicka (1995) ; Pagé et Gagnon (1999).
11. Mc Andrew et Jacquet (1992) ; Ministère de l'Éducation du Québec (MEQ) (1994e) ; Gouvernement du Québec (1996).

de la tendance du milieu scolaire à définir la culture à partir de ses éléments matériels et folkloriques, ce qui amène à sous-estimer la claire dominance des normes et valeurs de la société d'accueil dans le curriculum explicite et implicite des écoles.

Parallèlement à ce virage vers des perspectives civiques, l'éducation interculturelle se verra également reprocher, du moins en milieu francophone, d'avoir privilégié une perspective simpliste sur l'identité et l'appartenance culturelle[12]. L'hypothèse de la prévalence des identités multiples chez les populations d'origine immigrée, notamment chez les jeunes de deuxième génération, devient centrale. Elle est étayée par divers travaux américains et français de psychologie sociale et d'anthropologie[13]. Selon cette perspective, l'ethnicité ne représente qu'un des éléments identitaires que le jeune peut ou non, selon les contextes, solliciter dans son autodéfinition. Lorsqu'il porte un diagnostic, l'enseignant doit donc être sensible à ne pas imposer ses propres catégories à l'élève en privilégiant cet élément aux dépens d'autres critères d'appartenance ou caractéristiques personnelles, comme le sexe, la classe sociale ou l'orientation sexuelle. On dénoncera aussi les activités pédagogiques fondées sur une définition rigide des caractéristiques culturelles des élèves, ainsi que celles qui privilégient la réalité des pays d'origine.

Cette nouvelle approche, qui met l'accent sur les relations entre les *porteurs de cultures* multiples et mouvantes plutôt qu'entre les cultures elles-mêmes, est peu contestable, tant au plan éthique qu'au plan psychologique. Toutefois, sur le terrain, elle s'avère souvent difficile à mettre en œuvre, et ce, pour deux raisons principales[14]. D'une part, en effet, l'intervention professionnelle se base largement sur des idéaux types qui permettent d'atteindre un niveau d'efficacité suffisant sans nécessairement procéder à une analyse en profondeur de la situation d'intervention. Il n'est donc pas étonnant qu'aujourd'hui encore, les intervenants, en formation initiale comme en perfectionnement, continuent de réclamer des recettes leur permettant de savoir *comment faire avec un Vietnamien*. D'autre part, le discours uni-

---

12. Hohl (1991b, 1993a); Nous tous un Soleil (1997); CSE (1998).
13. Tajfel (1982); Camilleri (1990); Bourhis et Leyens (1994).
14. Perrenoud (1994); Legendre (1998); Juteau (2000a).

versitaire a peut-être surévalué l'importance des identités multiples ou, du moins, confondu la réalité anthropologique des cultures en mutation avec celles de l'effacement des frontières ethniques.

Dans des contextes de polarisation comme on en trouve souvent dans les écoles secondaires de Montréal, les catégories ethniques continuent d'être d'importants éléments mobilisateurs lors des conflits concernant l'occupation du territoire environnant l'école ou le contrôle de l'environnement scolaire[15]. Le fait que les différences culturelles objectives entre les élèves soient limitées importe peu à cet égard. L'éducation interculturelle doit prévoir des approches permettant aux élèves de transcender ces barrières, qui leur paraissent, à eux, bien réelles. Or, lorsque les milieux scolaires s'engagent dans de telles activités, ils risquent sans cesse de basculer à nouveau dans l'ethnicisation qu'ils prétendent dépasser.

Le maintien paradoxal des frontières ethniques au sein des divers pays d'immigration et de leur système scolaire, alors même que les marqueurs qui définissaient la spécificité culturelle des groupes tendent à converger, constitue un des éléments les plus percutants de la critique antiraciste de l'éducation interculturelle[16]. Celle-ci place les rapports inégalitaires entre les divers groupes, nationaux et mondiaux, au centre de ses analyses et de ses stratégies d'intervention. Dans l'approche antiraciste, le racisme n'est pas considéré comme une aberration individuelle, demandant à être traité par des approches de réduction des préjugés et une meilleure connaissance des autres. Il est plutôt un phénomène constitutif des sociétés occidentales, qui marque, souvent inconsciemment, l'ensemble de leurs institutions et de leurs pratiques. Il y joue un rôle essentiel, largement favorable aux groupes dominants, ce qui rendrait compte du peu de succès des activités qui tentent de le combattre à partir d'une perspective individuelle. Les éducateurs antiracistes privilégient donc une approche de reconstruction critique du curriculum, où l'analyse des réalités historiques, économiques et sociologiques est centrale.

En milieu scolaire québécois, dans les années 1980, une perspective antiraciste, complémentaire des activités d'éducation interculturelle, était

---

15. Laperrière *et al.* (1991, 1994) ; Jodoin *et al.* (1997).
16. Bennett (1990) ; Grinter (1992) ; Dei (1996) ; Gilborn (1995).

perceptible dans certains documents gouvernementaux ou syndicaux[17]. Toutefois, à partir des années 1990, la perspective normative induite par le virage de l'interculturel au civique ainsi que l'accent fortement individualiste du thème des identités multiples semblent avoir inhibé son développement. Le vocable *éducation antiraciste* n'est presque jamais utilisé en milieu francophone où il demeure peu connu. Tout au plus, parle-t-on d'*éducation aux droits* dans le cadre de la formation personnelle et sociale ainsi que dans les divers modules élaborés par la Commission des droits de la personne (CDP)[18]. L'aspect systémique du racisme y est parfois discuté mais, la plupart du temps, ses racines historiques et socioéconomiques ne sont pas approfondies.

Cette période voit également la dissociation presque totale des problématiques immigrante et autochtone au sein du discours interculturel. Cette tendance relève probablement, en partie, du malaise conséquent à la crise d'Oka. Le changement de paradigme y joue toutefois un rôle non négligeable. Les rapports entre la société québécoise et les nations autochtones s'abordent difficilement à partir d'une perspective civique qui met l'accent sur le partage de valeurs communes au sein d'une même collectivité politique et où l'individualisme libéral a préséance sur la solidarité groupale[19].

Avec l'adoption de la *Politique d'éducation multiculturelle et antiraciste* de la Commission des écoles protestantes du Grand Montréal (CEPGM), en 1988, l'éducation antiraciste émerge cependant comme l'approche privilégiée en milieu anglophone protestant. Malheureusement, ce document est loin de présenter une réflexion novatrice et, surtout, articulée aux limites des approches québécoises dans ce domaine. Les concepteurs de la politique se contentent d'adopter, sans grande innovation, la rhétorique alors en cours au *Toronto Board of Education*, qui oppose de manière quelque peu simpliste les *Blancs* et les *non-Blancs*. De plus, alors que, dans d'autres contextes, les questions nationales et les différences de classe sont considérées comme partie intégrante d'une approche antiraciste, les rapports linguistiques entre francophones et anglophones sont complètement évacués

---

17. Centrale de l'enseignement du Québec (CEQ) (1982) ; CSE (1983).
18. Brochu (1990) ; MEQ (1994d) ; Mc Andrew et Potvin (1996) ; Pothier (1997).
19. Service interculturel collégial (SIC) (1991) ; Cairns (2000) ; Macklem (2001).

des orientations et des activités proposées dans le document. Cette omission ne surprend guère, étant donné le rôle central de la CEPGM au sein de la *troïka* des institutions défendant traditionnellement les privilèges anglophones. Toutefois, elle contribuera à délégitimer l'éducation antiraciste au sein du secteur francophone de cette commission scolaire, où l'on considère souvent subir un traitement inégalitaire[20].

De plus, l'isolement de la CEPGM inhibera l'influence que les développements antiracistes, souvent intéressants au sein de ses écoles, auraient pu avoir sur d'autres milieux scolaires pluriethniques montréalais. Durant toutes les années 1990, l'éducation antiraciste demeure donc, pour l'essentiel, une bulle dans le paysage éducatif québécois.

La prospective

Même s'il s'agit d'un mouvement multiforme et souvent ambigu, l'éducation interculturelle s'est développée de manière significative depuis vingt ans en milieu scolaire québécois. Cependant, jusqu'à tout récemment, pour l'essentiel, les activités qui en découlent ont été mises en œuvre suite au dynamisme local et largement hors du curriculum formel. Dans le contexte actuel de réforme de l'éducation, l'avenir du mouvement paraît donc incertain.

En effet, deux phénomènes contradictoires sont à l'œuvre. D'une part, la publication de la *Politique d'intégration scolaire et d'éducation interculturelle* est susceptible de donner une nouvelle légitimité à l'éducation interculturelle, notamment en région, où du fait de la présence moins importante des immigrants, le mouvement s'est peu développé. D'autre part, l'énoncé ministériel confirme le virage de l'interculturel au civique, faisant clairement de la diversité ethnoculturelle une des composantes de l'éducation à la citoyenneté. Qui plus est, celle-ci jouira d'un statut que n'a jamais connu l'éducation interculturelle. Objet d'un nouveau programme obligatoire associé à l'enseignement de l'histoire, elle est également considérée comme une compétence transversale, soit un ensemble de contenus, de

---

20. Toronto Board of Education (TBE) (1976b) ; Levine (1990) ; Gilborn (1995) ; Proulx (1995b).

valeurs et de savoir-faire qui doivent être portés par toutes les disciplines[21]. Ce changement de paradigme se reflète déjà au niveau du vocabulaire. Un peu partout, tant dans les documents officiels qu'en milieu scolaire, on entend de moins en moins le terme *éducation interculturelle*. La citoyenneté, définie dans un sens plus ou moins pluraliste selon les contextes, est clairement à l'ordre du jour.

Les origines de cette décision sont à rechercher dans un contexte plus large que celui des seuls défis de la pluriethnicité. En effet, au Québec comme ailleurs, on s'interroge sur l'apparente désaffectation des jeunes à l'égard du politique, l'accent indûment mis sur les droits aux dépens des responsabilités et le développement de nouvelles solidarités dans un contexte où l'individualisme est désormais la norme. À ces préoccupations proprement civiques s'ajoutent des objectifs de promotion de la civilité, face à des phénomènes comme la violence ou les tensions en milieu scolaire[22]. Ces finalités ont été supportées depuis une vingtaine d'années, à travers des objectifs épars de programmes divers, tels l'histoire, l'éducation économique, la formation personnelle et sociale ainsi que par diverses activités parascolaires[23]. La nécessité de faire de ces activités un tout cohérent, susceptible de favoriser la formation d'un citoyen, semble donc jouir d'un large consensus. Toutefois, l'éducation à la citoyenneté, notamment la complexité de sa mise en œuvre, suscite encore de nombreux débats. Il n'existe guère de consensus, par exemple, sur l'équilibre à trouver dans le cadre de cet enseignement entre les contenus, les valeurs et les compétences ni sur la liste exacte de chacune des priorités sous ces grandes catégories. De même, si plusieurs s'inquiètent d'une association étroite avec une seule matière comme l'histoire, d'autres questionnent le réalisme des approches transversales[24].

Dans le cadre de cet ouvrage, la question qui nous intéresse est celle de la pertinence de faire assumer par l'éducation à la citoyenneté un ensemble de finalités autrefois portées par l'éducation multiculturelle, interculturelle

---

21. MEQ (1997c).
22. Conseil de l'Europe (1992) ; Audigier (1993) ; Unesco (1994) ; Center for Civic Education (CCE) (1995) ; MEQ (1995b).
23. Tessier et Mc Andrew (1997).
24. Sigel et Hoskin (1991) ; Sears (1997) ; Tessier et Mc Andrew (2001).

ou antiraciste. En effet, les réactions au projet de réforme dans les milieux traditionnellement impliqués en éducation interculturelle ont été partagées[25]. La plupart y ont vu la confirmation des positions qu'ils faisaient valoir depuis longtemps, soit la nécessité que la sensibilisation au pluralisme culturel soit balisée par la culture des droits de la personne et s'inscrive dans le cadre d'un espace institutionnel et social commun. De plus, ils considèrent le développement du programme obligatoire et la nouvelle légitimité accordée à la préparation du citoyen dans l'ensemble des disciplines scolaires comme des occasions intéressantes. Une minorité d'intervenants, au contraire, a exprimé la crainte que les enjeux spécifiques liés à la diversité culturelle et à l'immigration ne soient banalisés ou même noyés au sein des objectifs divers poursuivis par l'éducation à la citoyenneté. D'autres redoutent que l'équilibre entre les valeurs communes et le pluralisme ne se fasse aux dépens du second.

Toutefois, jusqu'à maintenant, cette dimension de la réforme a suscité peu de débats puisqu'on ignore encore largement sous quelle forme elle se concrétisera. En effet, à l'exception d'un ensemble de généralités — plutôt bien pensantes — qu'on retrouve dans *L'École, tout un programme* et la *Politique d'intégration scolaire et d'éducation interculturelle*, le seul document qui ait approfondi la question est l'*Avis* du CSE de 1998. Celui-ci, qui n'a aucun caractère prescriptif, accorde une large place à la diversité culturelle, tant dans ses orientations que dans les pratiques exemplaires qu'il présente. Toutefois, ses fondements sont essentiellement juridiques et anthropologiques, et la discussion critique des enjeux relatifs aux rapports interethniques et aux inégalités y est presque absente. Plus récemment, l'énoncé des compétences transversales associées au *Savoir-vivre ensemble* dans le *Programme des programmes* va sensiblement dans la même direction. Il s'agit de préparer un individu citoyen appelé à médiatiser des identités diverses, où la dimension ethnoculturelle ne joue qu'un rôle secondaire. Le caractère potentiellement contradictoire des appartenances groupales et de la citoyenneté n'y est pas, non plus, reconnu[26].

---

25. Azdouz (1997) ; Pagé (1997) ; Conseil des relations interculturelles (2000) ; Helly *et al.* (2000).
26. MEQ (1997c, 1998b, 2000b) ; CSE (1998).

Il est difficile d'évaluer jusqu'à quel point ces tendances prévaudront lors de la définition du programme. Il est toutefois intéressant de noter que l'*Avis* du CSE révèle une évolution notable et la persistance de certaines faiblesses, lorsqu'on le compare à la situation qui a prévalu depuis vingt ans en matière d'éducation à la citoyenneté au Québec. En effet, dans leur analyse du contenu des anciens programmes liés en partie à cet enseignement, Tessier et Mc Andrew[27] ont conclu que la préparation du citoyen à vivre au sein d'une société pluraliste en transformation figurait en bonne place dans les grandes finalités de l'éducation au Québec, finalités qui mettaient aussi l'accent sur l'exercice actif de la citoyenneté à l'école. Toutefois, la concrétisation de ces idéaux dans les objectifs précis des diverses disciplines donnait lieu à une présentation des institutions où le pluralisme occupait une portion congrue. L'éducation à la citoyenneté y était aussi fortement axée sur l'adaptation et non la transformation sociale. En ce qui concerne la première limite, il faut toutefois rappeler que la conclusion des auteurs était largement influencée par le poids des programmes d'histoire dans leur analyse. Or, comme on l'a vu plus haut, la réforme de cet enseignement dans un sens pluraliste est désormais largement amorcée.

L'expérience canadienne et internationale

L'évolution de l'éducation interculturelle au Québec présente des spécificités liées au caractère relativement récent de l'adaptation institutionnelle au pluralisme au sein de notre société. Toutefois, les développements que nous avons connus sont loin d'être uniques. En effet, un peu partout, la préoccupation relative à une éducation à la citoyenneté, renouvelée et redéfinie dans un sens davantage pluraliste, connaît une recrudescence marquée.

Ainsi, depuis cinq ans, la France, les États-Unis, l'Ontario et tout récemment la Grande-Bretagne ont successivement adopté ou annoncé leur intention d'adopter des programmes obligatoires ou des standards nationaux en cette matière. Ces réformes diffèrent souvent dans la relation qu'elles entretiennent avec le champ de la sensibilisation interculturelle, qui prenait et prend encore des formes diverses dans chacun des contextes. Elles

---

27. Tessier et Mc Andrew (1997).

présentent également des spécificités quant aux choix idéologiques et pédagogiques qui ont prévalu. Un examen de leurs caractéristiques ainsi que des débats qu'elles ont suscités peut donc contribuer à éclairer nombre de questions qui se posent face à la réforme québécoise.

Dans le cadre de cet ouvrage, nous insisterons plus particulièrement sur trois d'entre elles. Il s'agira, d'abord, de l'équilibre entre la diversité culturelle et les valeurs communes au sein des orientations privilégiées, qui permettra de cerner jusqu'à quel point la préoccupation de ceux qui voient dans la citoyenneté un nouveau nom pour l'assimilationnisme est fondée. Cet enjeu sera aussi examiné sous l'angle de la légitimité accordée aux identités groupales face au discours individualiste libéral présentement dominant au Québec, comme dans diverses sociétés occidentales, en matière de relations civiques[28].

L'expérience canadienne et internationale d'éducation à la citoyenneté sera également interrogée dans sa capacité à assurer divers objectifs plus concrets, liés aux compétences des élèves, traditionnellement attribués à l'éducation multiculturelle ou interculturelle. Mentionnons ici la connaissance et la compréhension des diverses cultures présentes sur un territoire donné, la capacité à négocier les conflits liés aux différences ainsi que le développement des attitudes positives à l'égard des personnes appartenant à d'autres groupes[29].

Finalement, nous tenterons d'évaluer la pertinence de la thèse voulant que, du fait de son caractère fortement normatif, l'éducation à la citoyenneté penche davantage du côté du conservatisme que de la remise en question critique de la société[30]. Nous examinerons à cet égard la place réservée, au sein des divers programmes, d'une part, au caractère non consensuel de la citoyenneté et des valeurs qui devraient la fonder et, d'autre part, à divers enjeux témoignant de sa non-concrétisation, tels le racisme, l'inégalité ou l'exclusion.

---

28. Pagé et Gagnon (1999).
29. Ouellet (1984, 1991).
30. Lister (1991) ; Mehlinger (1992).

La France

À l'opposé des sociétés d'influence anglo-saxonne où l'éducation à la citoyenneté vient d'être *redécouverte* après quelques décennies d'oubli, il n'y a pas eu à proprement parler d'interruption de la formation civique en France depuis le début du siècle. Celle-ci a plutôt connu des redéfinitions diverses.

Ainsi, pour s'en tenir aux périodes les plus récentes, durant les années 1970 et le début des années 1980, la formation du citoyen était diluée sous diverses activités d'*éveil* au primaire et réduite à une perspective étroite d'*instruction civique* au collège. Toutefois, dès 1985, une éducation à la citoyenneté, éminemment *morale*, a été réintroduite comme une discipline à part entière à l'école élémentaire et au premier cycle du secondaire. Puis, en décembre 1992, le ministère de l'Éducation Nationale (MEN) en a fait plutôt une formation pluridisciplinaire articulée autour de grands thèmes où l'histoire et la géographie jouaient un rôle central. Cette approche transversale a toutefois été de courte durée. En effet, dès 1996, une réforme de l'éducation civique a encore eu lieu. Les textes officiels privilégient désormais, aux niveaux élémentaire et secondaire, une approche mixte où l'éducation civique continue d'impliquer l'ensemble des disciplines scolaires mais où elle constitue également une partie identifiable des cours d'histoire et de géographie. Au lycée, toutefois, le *statu quo* a été maintenu, l'éducation civique n'ayant jamais constitué une discipline à proprement parler[31].

Cette longue tradition ainsi que le fait que l'interculturel a presque totalement disparu du discours officiel depuis la fin des années 1980 rendent difficile une analyse des rapports entre l'éducation interculturelle et l'éducation à la citoyenneté en France. Certains intellectuels[32] ont déjà fait valoir qu'une perspective a remplacé l'autre. Toutefois, à l'opposé du Québec, ce lien n'est pas explicite au sein des textes gouvernementaux. L'examen des orientations, programmes et pratiques privilégiés[33] permet cependant

---

31. Roche (1993) ; Michel (1994) ; Mc Andrew, Tessier et Bourgeault (1997) ; Ministère de l'Éducation Nationale, de la Recherche et de la Technologie (MENRT) (1998c).
32. Lorcerie (1994b) ; Régnault (1998).
33. MEN (1994b) ; Mc Andrew, Tessier et Bourgeault (1997) ; MENRT (1997c, 1998c).

de conclure que l'enjeu ethnoculturel n'est pas complètement absent de cet enseignement, même si l'accent y est clairement mis sur les valeurs communes. En effet, si dans l'énoncé des principes, la rhétorique du *modèle français* domine, par l'invocation rituelle des notions de *Peuple*, de *Nation*, d'*État et* de *République*, le traitement curriculaire de ces questions s'avère plus complexe. À travers les thèmes de la démocratie libérale, des droits individuels et du pluralisme des sociétés modernes, la reconnaissance de la diversité trouve une certaine légitimité, et ce, même au-delà de l'espace privé. Bien qu'elle puisse apparaître assez limitée aux yeux d'un observateur québécois, cette position dépasse clairement le discours jacobin rigide qui domine en France depuis le début des années 1990. Elle fait aujourd'hui de l'éducation civique un des rares lieux de sensibilisation scolaire à la diversité ethnoculturelle. Toutefois, le rôle et la légitimité des appartenances intermédiaires entre l'État et le citoyen ne sont généralement pas à l'ordre du jour.

En ce qui concerne le développement des compétences interculturelles des élèves, le constat semble moins positif. L'aspect proprement anthropologique de l'éducation interculturelle n'est pas porté par les objectifs attribués à l'éducation à la citoyenneté en France. Si une certaine sensibilisation à la diversité des cultures s'effectue en milieu scolaire, il faudrait donc la chercher, *ad hoc*, à travers les contenus de diverses disciplines à caractère littéraire ou artistique. De plus, à l'opposé des sociétés à influence anglo-saxonne, où le développement des compétences et des attitudes des citoyens est privilégié[34], l'éducation civique française est marquée par la dominance des *savoirs* sur les *savoir-être* et les *savoir-faire*. Même si les textes officiels sacrifient à l'idéologie du citoyen *actif*, le consensus est clair, tant au sein des observateurs du milieu scolaire que des chercheurs[35], sur l'aspect essentiellement théorique de cet enseignement. Celui-ci semble avoir beaucoup de difficulté à se concrétiser à travers des activités pédagogiques ou parascolaires impliquant l'apprentissage et l'exercice de la citoyenneté par les jeunes. Or, c'est précisément au sein de telles approches que diverses compétences interculturelles sont susceptibles de se développer.

---

34. Tessier et Mc Andrew (1997) ; Mc Andrew, Tessier et Bourgeault (1997).
35. Roche (1993) ; Roudet (1995) ; Barrère et Martucelli (1998).

La perspective fortement cognitive privilégiée en France paraît toutefois avoir des conséquences beaucoup plus positives sur le traitement critique du degré où la citoyenneté est véritablement concrétisée au sein de la société[36]. En lien avec le thème désormais dominant de l'exclusion, les programmes d'éducation civique accordent une place non négligeable au non-respect des droits de la personne, aux inégalités ou à l'existence du racisme. De plus, ces enjeux sont généralement traités avec une certaine complexité et à travers une perspective multidisciplinaire où l'histoire et la sociologie sont mises à contribution. En ce qui a trait aux solutions, la perspective française, axée sur la fraternité et la solidarité, fait également largement place à l'action collective.

Toutefois, cette perspective critique ne s'étend pas aux définitions conflictuelles de la citoyenneté : l'adhésion de tous au modèle républicain est supposée. Font exception à ce constat quelques pratiques novatrices d'initiation juridique au collège, où l'élève est appelé à questionner la position française de non-reconnaissance des minorités nationales en contraste avec les législations européennes dans ce domaine. L'éducation à la citoyenneté *version française* accorde peu de place à la discussion de questions controversées comme l'existence des mouvements irrédentistes bretons ou basques ou encore l'identification politico-religieuse croissante des divers groupes issus de l'immigration.

Les États-Unis

Étant donné la grande décentralisation du système scolaire, la situation américaine en matière d'éducation à la citoyenneté est difficile à cerner[37]. La multiplicité même des programmes et pratiques découlant de ce courant impose d'importantes limites à la généralisation des constats. On peut certes dégager diverses tendances en s'appuyant sur les standards nationaux développés en 1994 par le *Center for Civic Education* (CCE) en collaboration avec le ministère de l'Éducation fédéral, intitulés *Civitas*. Ces

---

36. Audigier *et al.* (1996) ; MENRT (1998c).
37. Engle et Ochoa (1988) ; Sigel et Hoskin (1991) ; Perry (1992) ; Davis et Fernlund (1995) ; Braungart et Braungart (1998).

standards établissent les connaissances et les habiletés qu'on juge souhaitables que l'ensemble des élèves maîtrisent, de la maternelle à la douzième année. Toutefois, si ces standards orientent la définition des programmes locaux, ils ne représentent pas un curriculum national et leur utilisation par les écoles ou les districts scolaires est volontaire.

La popularité de l'éducation à la citoyenneté semble en croissance aux États-Unis. Ainsi, en 1995, seize États en avaient fait un cours obligatoire ou facultatif et cette tendance se serait accrue récemment. Toutefois, à l'opposé de la situation univoque qui prévaut en France et, dans une large mesure, au Québec, l'éducation à la citoyenneté est en concurrence avec un ensemble de cours complémentaires intitulés, le cas échéant, *Études américaines et internationales, Études sociales, Éducation multiculturelle, Éducation antiraciste, Éducation afrocentriste, Initiation juridique* ou même *Home Economics*. De plus, nulle part dans les documents officiels on ne trouve l'idée que l'éducation à la citoyenneté pourrait se substituer à l'éducation multiculturelle, interculturelle ou antiraciste. Les deux courants sont considérés comme distincts, dans la société comme à l'école.

Parmi les objectifs attribués par le *Center for Civic Education*[38] à l'éducation civique aux États-Unis, on note d'abord l'importance de la perspective politique. Les cinq thèmes principaux portent sur le gouvernement, les fondements du système politique, les principes et les valeurs de la démocratie américaine, les relations entre les États-Unis et les autres nations ainsi que le rôle du citoyen dans la démocratie américaine. Tout comme en France, la composante nationale de l'éducation à la citoyenneté domine, notamment lorsqu'on examine les programmes détaillés. En effet, on y retrouve un contenu axé étroitement sur les spécificités du développement historique et institutionnel de la démocratie américaine et de ses principaux symboles.

Cet accent politique et national de l'éducation à la citoyenneté n'a toutefois pas comme conséquence d'introduire un biais où la promotion des valeurs communes se ferait aux dépens de la diversité ethnoculturelle. En effet, la nation américaine éprouve peu de difficulté à se représenter elle-même comme le produit du pluralisme, comme en témoigne d'ailleurs

---

38. CCE (1994a, b).

sa devise : *De pluribus unum*. Les programmes d'éducation civique font une large place au respect de la diversité ethnoculturelle, non seulement comme une des réalités sociologiques de l'Amérique mais surtout comme une de ses valeurs constitutives. Bien que la primauté des droits individuels soit systématiquement mise de l'avant, la reconnaissance de la légitimité des appartenances groupales apparaît aussi plus facile. C'est le cas, notamment, du traitement des minorités involontaires, tel les Autochtones, les Noirs ou les Hispanophones, dont les droits collectifs sont largement discutés.

Comme dans les autres contextes, la dimension *connaissance et compréhension des diverses cultures présentes sur le territoire américain* est peu portée par les standards de *Civitas*. Cependant, ces enjeux sont couverts par les programmes multiculturels ou antiracistes fréquents dans les États américains où la présence immigrante ou noire est importante, mais également dans certains districts scolaires plus homogènes[39]. De plus, d'autres orientations de l'éducation civique aux États-Unis représentent des éléments favorables au développement d'attitudes positives et de relations interculturelles positives ainsi qu'à la résolution des conflits entre divers groupes. Il s'agit de l'importance accordée à l'exercice actif de la citoyenneté à l'école et, surtout, à l'engagement à la résolution des problèmes de la communauté.

Un foisonnement de pratiques novatrices dans ce domaine[40] est d'ailleurs soutenu par diverses fondations privées aux États-Unis mais également par les conseils scolaires eux-mêmes, où les *Services à la communauté* font de plus en plus partie du curriculum régulier. Cette perspective est fortement valorisée par *Civitas*. Malgré le caractère exhaustif des connaissances qu'on compte faire acquérir à l'élève, on y insiste fortement sur le développement des attitudes et des compétences, nommées de manière typiquement américaine : *la Vertu et la Participation civiques*.

Les orientations retenues, où les droits de la personne jouent un rôle important, permettent également une certaine présentation de l'exclusion

---

39. US Department of Education (USDE) (1999d) ; Intercultural Development Research Association (IDRA) (2000)

40. Seigei et Rockwood (1993) ; National Institute for Dispute Resolution (2000).

et de la marginalisation vécues par divers groupes culturels ou raciaux aux États-Unis. Toutefois, la perspective critique est peu développée. Les situations de discrimination sont analysées essentiellement comme des ratés du modèle normatif américain, dont l'implicite supériorité, ou plus simplement la contradiction avec l'histoire réelle, n'est pas débattue. On retrouve également cette bonne conscience dans la présentation des rapports des États-Unis avec les autres nations dont l'ethnocentrisme saute aux yeux — du moins pour quiconque n'est pas américain. Plusieurs militants antiracistes considèrent d'ailleurs que l'éducation civique américaine penche nettement vers une interprétation conservatrice ou autojustificatrice[41]. Ils rappellent que, loin d'être atypique, l'appropriation des terres indiennes et mexicaines et l'esclavage des Noirs a rendu possible la concrétisation même du *rêve américain*. Selon eux, si l'on veut développer une éducation civique *véritable*, qui permette aux générations futures de redéfinir la démocratie américaine de manière inclusive, il faut que les élèves prennent conscience de cette réalité douloureuse.

À la lecture du programme *Civitas*, il est évident que l'on n'en est pas là. Celui-ci ne fait pas non plus place aux définitions conflictuelles de l'allégeance. La discussion des tensions inhérentes au multiculturalisme et à la place de la diversité culturelle, linguistique et religieuse au sein des institutions publiques y est certes davantage développée que dans l'approche française. Toutefois, les controverses touchant le partage d'une communauté politique commune, notamment les militantismes noir ou autochtone en ces matières, y sont remarquablement absentes. Bien entendu, il est possible que ces enjeux soient mentionnés dans le cadre des programmes d'histoire mais il faut rappeler — comme on l'a vu plus haut — que ceux-ci font, bien davantage qu'ailleurs, la promotion du patriotisme américain.

L'Ontario

En Ontario, jusqu'à tout récemment, la situation qui prévalait en matière d'éducation à la citoyenneté était assez similaire à celle que nous connaissions au Québec avant la réforme. Toutefois, la plus grande autonomie

---

41. Barth (1993) ; Loewen (1995) ; Braungart et Braungart (1998).

dont jouissent les conseils scolaires en Ontario et le fait que les programmes d'études ontariens s'appuyaient sur un curriculum commun axé sur des résultats d'apprentissage et non sur des contenus particuliers, rendent la généralisation plus délicate qu'en contexte québécois[42].

Pour l'essentiel, bien que l'éducation à la citoyenneté n'ait pas fait l'objet d'un programme spécifique depuis l'époque reculée de l'instruction civique, ses objectifs étaient portés par l'ensemble des disciplines. Au primaire, un des quatre champs d'études, *Formation personnelle et études sociales*, comportait de nombreux résultats d'apprentissage liés aux enjeux civiques. Au secondaire, l'éducation à la citoyenneté s'appuyait surtout sur les cours d'histoire et d'*études contemporaines*, au nombre d'une vingtaine, dont aucun n'était obligatoire. À cet encadrement général du ministère venaient s'ajouter de nombreuses initiatives locales, parfois curriculaires mais le plus souvent axées sur le développement des habiletés de participation des élèves. L'éducation multiculturelle et antiraciste ainsi que l'apprentissage de la résolution des conflits y jouaient un rôle important. Par ailleurs, plus qu'au Québec, on encourageait les élèves à s'engager dans diverses activités, souvent créditées, visant la résolution des problèmes vécus dans leur communauté.

Alors qu'au primaire la situation a peu évolué, au secondaire, les nouveaux programmes accordent désormais beaucoup plus d'importance à l'éducation civique[43]. Les cours obligatoires de géographie et d'histoire de 7e et de 8e années comportent une composante *héritage et citoyenneté*. En 9e et en 10e années, l'éducation à la citoyenneté fait l'objet d'un programme spécifique, qui s'intègre à la thématique plus large des *études canadiennes et mondiales*.

À l'opposé de la situation prévalant au Québec, le gouvernement ontarien n'a pas jugé bon de développer une réflexion particulière et approfondie quant à sa conception de la citoyenneté. Celle-ci est simplement définie dans les nouveaux programmes comme devant être informée (*informed*), significative (*purposeful*) et active. Cette économie de débats conceptuels

---

42. Multiculturalisme et Citoyenneté Canada (MCC) (1993) ; Sears (1994, 1997) ; Tessier et Mc Andrew (1997).
43. Ministère de l'Éducation et de la Formation de l'Ontario (MEFO) (1998, 1999b).

s'inscrit dans une tendance assez générale de la culture administrativo-politique en Ontario où un énoncé de politique fait généralement une ou deux pages — certains cyniques diraient que nous aurions parfois intérêt à nous en inspirer. Elle relève probablement également du contexte idéologique particulier que vit l'Ontario. L'éducation civique y est, en effet, sujette à controverses[44]. Les milieux conservateurs s'opposent à toute intervention de l'État dépassant la simple promotion du bénévolat, alors qu'au sein des groupes traditionnellement favorables à l'éducation antiraciste, on la considère souvent comme une tentative de retour à l'ordre établi. C'est donc à travers les résultats généraux et spécifiques, attendus sous chacun des trois grands thèmes, qu'on peut tenter de répondre aux questions que nous soulevions plus haut. À cet égard, bien qu'on ne puisse se prononcer sur les aléas de sa mise en œuvre, le programme *Études canadiennes et mondiales* se révèle intéressant.

L'approche ontarienne présente d'abord une conception de la citoyenneté où le respect de la diversité des citoyens, de leurs origines et de leurs valeurs est pleinement intégré aux principes constituant le cadre civique. En outre, elle se distingue des autres contextes par sa plus grande reconnaissance des identités groupales. On mentionne explicitement que celles-ci peuvent influer à la fois sur la définition des intérêts défendus par les citoyens et sur les obstacles spécifiques qu'ils rencontrent en matière de participation civique. Toutefois, dans la foulée des limites identifiées au chapitre précédent, le document demeure muet sur l'articulation souhaitable des droits individuels et collectifs et le règlement des conflits, émanant d'une définition plus ou moins libérale de la citoyenneté.

Le nouveau programme propose également plusieurs résultats d'apprentissage et activités susceptibles de contribuer à la promotion de relations interculturelles harmonieuses. Les compétences liées à la compréhension de la légitimité de points de vue différents et à la résolution des conflits, non seulement individuels mais groupaux, y occupent, en effet, une place importante. Toutefois, comme ailleurs, l'éducation civique n'est pas définie comme le lieu où les élèves peuvent apprendre à comprendre les autres cultures. Cet objectif, en recul relatif au sein des conseils scolaires ontariens

---

44. Dei (1996) ; Kilbride (1997).

— comme on l'a vu au chapitre précédent —, continue d'être porté par des programmes locaux. Les habiletés visées en matière de négociation concernent davantage la vie publique que la société civile ou la vie privée.

La force principale de l'approche ontarienne paraît résider dans sa capacité à intégrer certaines dimensions critiques de l'éducation antiraciste. Toutefois, les partisans de ce courant considèrent que celui-ci n'y occupe pas suffisamment de place. En ce qui concerne la non-concrétisation de la citoyenneté, on serait tenté de leur donner partiellement raison. L'inégalité, l'exclusion, la marginalisation et le racisme, bien que non totalement absents du programme, n'y sont guère approfondis.

Toutefois, la légitimité accordée à l'existence de définitions différentes, même conflictuelles, de la citoyenneté constitue un élément particulièrement novateur du document. La démocratie n'y est pas présentée comme consensuelle mais comme une réalité qui s'actualise à travers la confrontation de perspectives différentes. De plus, les concepteurs du programme n'ont pas hésité à inclure l'exemple de divers groupes qui contestent leur appartenance même à la communauté politique canadienne. Les revendications autochtones en faveur d'un gouvernement autonome ainsi que le mouvement souverainiste québécois sont mentionnés à diverses reprises. On les considère comme des questions dont le débat en classe devrait permettre une meilleure compréhension des défis d'une citoyenneté en pleine redéfinition.

L'Angleterre

En Angleterre, l'éducation à la citoyenneté s'est développée en lien et, dans une certaine mesure, en opposition à un courant antiraciste extrêmement fort dans les années 1980, ultérieurement remis en question par l'arrivée d'un gouvernement conservateur[45]. À l'opposé de la situation ontarienne où les deux mouvements ont coexisté et coexistent, un long *no man's land* de dix ans sépare les deux courants en Angleterre. Durant cette période, toute référence aux enjeux ethnoculturels ou *raciaux* était taboue.

---

45. Gorman (1993); King (1993); Webster et Adelman (1993).

Même si certains objectifs, correspondant à une *instruction civique* définie dans un sens étroit, avaient été introduits comme des compétences transversales dans le curriculum de 1993, le retour en force de l'éducation à la citoyenneté coïncide avec l'arrivée du gouvernement Blair. Il a été marqué par la publication, en 1998, du rapport du Groupe consultatif sur la citoyenneté, *Education for Citizenship and the Teaching of Democracy in Schools*, mieux connu sous le nom de son président, Lord Crick, qui propose une réflexion approfondie sur ces enjeux. Le gouvernement britannique a déclaré récemment accepter sa principale recommandation, celle de l'établissement d'un programme obligatoire en cette matière, qui devrait être défini sous peu et entrer en vigueur à partir de l'automne 2001[46].

Même s'il repose sur trois composantes, la responsabilité sociale et morale, l'implication communautaire et la littératie politique, le *Rapport Crick*[47] privilégie clairement une approche politique et juridique de la citoyenneté, qui n'est pas sans rappeler la perspective française. Les auteurs considèrent, en effet, que c'est là la spécificité du courant dont ils font la promotion. L'éducation à la civilité, souvent partie intégrante de l'éducation à la citoyenneté en milieu nord-américain, leur paraît pouvoir continuer à être assumée par la formation personnelle et sociale. De plus, on considère que l'approche pluridisciplinaire et transversale de la citoyenneté, privilégiée depuis 1993, s'est avérée un échec, ce qui renforce d'autant le plaidoyer en faveur d'un cours spécifique.

À l'opposé des autres programmes nationaux, le *Rapport Crick* fait peu de place à la discussion de la diversité ethnoculturelle et *raciale* lorsqu'il expose sa conception de la citoyenneté. Le pluralisme des valeurs et des styles de vie, dont le respect est considéré comme un des principes de base de la démocratie, est défini essentiellement à travers une perspective libérale classique. Cet aspect, et notamment la non-prise en compte de l'importance des identités groupales en Grande-Bretagne, a d'ailleurs suscité de nombreuses critiques des militants et universitaires actifs en matière d'éducation multiculturelle ou antiraciste. Ces derniers ont dénoncé le document comme s'inscrivant dans l'idéologie conservatrice des

---

46. Department for Education and Training (DfET) (2000a).
47. Groupe consultatif sur la citoyenneté (1998).

dix dernières années, qu'il tenterait de légitimer en lui donnant un vernis plus acceptable[48]. Toutefois, dans les exemples d'approches novatrices qui abondent dans le document, la prise en compte de la diversité ethno-culturelle ou *raciale* est loin d'être absente. De plus, depuis la publication du rapport, le *Department for Education and Employment* (DfEE) a intégré de nouveaux objectifs liés aux relations *interraciales* et interculturelles dans le programme de formation personnelle et sociale[49].

La proposition d'activités favorisant une citoyenneté active à l'école ou l'implication dans la résolution de problèmes vécus dans la communauté constitue également un atout à la promotion de relations intercommu-nautaires harmonieuses. À cet égard, il faut rappeler que l'éducation antiraciste britannique, extrêmement militante et souvent indûment di-chotomisante, avait parfois l'effet inverse, polarisant groupes majoritaire et minoritaires au sein du milieu scolaire[50].

Le principal aspect novateur du document réside dans sa prise de posi-tion sur la nécessité de présenter les enjeux controversés liés à la définition de la citoyenneté, ainsi que dans sa réflexion complexe sur la meilleure manière de le faire. Le *Rapport Crick* devait également s'appliquer en Irlande du Nord où l'atteinte d'un consensus à cet égard présente — on s'en dou-tera — de nombreux défis. Le document fait d'abord valoir que limiter l'éducation à la citoyenneté à ce qui doit être, sans débattre de ce qui est, ne peut qu'avoir un effet de biais sur les décisions politiques que prendront les futurs citoyens. De plus, la prise de conscience de la complexité des dé-bats relatifs aux politiques publiques constitue un élément central du dé-veloppement intellectuel et personnel. Contrairement à d'autres sociétés où l'on a tendance à résoudre la question des conflits d'allégeance par l'évi-tement[51], la perspective britannique paraît donc être de *prendre le taureau par les cornes*. Elle fait de la discussion même des conceptions diversifiées de la citoyenneté un des éléments d'initiation des élèves à l'importance que joue le conflit dans la vie démocratique.

---

48. *The Guardian* (1998) ; Figueroa (1999).
49. DfET (2000b).
50. Shaw (1992) ; Gilborn (1995).
51 .Bickmore (1999) ; Mc Andrew (2000).

Le *Rapport Crick* discute également du malaise qu'éprouvent les enseignants à cet égard, souvent tentés de passer directement de la description des grands principes universels — qui ne veulent pas dire grand-chose dans le quotidien des jeunes — à l'éducation à la civilité dans les rapports interpersonnels. Ils évitent ainsi ce qui fonde la spécificité de l'éducation à la citoyenneté, notamment au secondaire, soit la dimension historique, politique et collective des rapports entre citoyens. Tout en manifestant une certaine compréhension de l'ampleur du défi vécu par les enseignants, le document plaide résolument pour qu'ils débattent de tels enjeux dans leur classe.

Pour ce faire, on y contraste les forces et les faiblesses de trois stratégies : le *président neutre*, où l'enseignant agit comme facilitateur de la discussion, la *recherche de l'équilibre*, où il s'assure que la variété des points de vue a été exprimée et enfin, l'*engagement explicite*, où il fait connaître a priori sa propre position. Les auteurs du rapport concluent qu'aucune ne constitue une panacée. C'est donc en se fiant à leur jugement professionnel, à leur expertise ainsi qu'à la nature de l'enjeu concerné que les enseignants doivent choisir la stratégie la plus appropriée pour leur groupe d'élèves.

Contribution potentielle au débat québécois

Comme on peut le voir suite à ce bref survol de l'expérience canadienne et internationale, l'éducation à la citoyenneté représente aujourd'hui un champ dynamique dont la pertinence fait l'objet d'un large consensus. C'est une approche multiforme, en pleine mutation, où l'expérimentation et la recherche de formules novatrices dominent. Cette tendance témoigne également de l'accord plus difficile à atteindre quant à ses objectifs et à ses priorités.

En ce qui concerne les rapports de l'éducation à la citoyenneté avec les courants plus anciens de l'éducation multiculturelle, interculturelle ou anti-raciste, signalons d'abord que, dans la plupart des contextes, on ne considère pas que l'éducation à la citoyenneté puisse assurer, à elle seule, l'ensemble des objectifs traditionnellement poursuivis par ces approches. En France, étant donné le contexte idéologique peu favorable à l'éducation intercul-turelle, cette question n'est pas débattue. En Ontario, aux États-Unis et en

Grande-Bretagne, divers programmes multiculturels, interculturels ou antiracistes, définis au niveau national, étatique ou local, continuent à exister, parallèlement au développement sans précédent de l'éducation civique. S'agit-il d'un phénomène transitoire, tenant à la résilience des groupes d'intérêt à l'origine de ces initiatives, ou d'une réalité qui perdurera parce qu'elle serait fondée sur la spécificité des objectifs pédagogiques ou sociaux couverts par ces courants ? L'analyse effectuée plus haut permet de dégager quelques propositions à cet égard.

Un premier constat porte sur l'apparente capacité de l'éducation à la citoyenneté à assurer la sensibilisation des élèves à la légitimité de la diversité, la promotion des droits de la personne, la lutte à la discrimination individuelle ainsi que le développement des attitudes positives entre divers groupes. Ces objectifs traditionnels de l'éducation interculturelle, multiculturelle ou antiraciste figurent tous clairement au sein des programmes étudiés. Nulle part, en effet, on n'a vu une version unifiée et univoque de la citoyenneté s'imposer, même en France où l'éducation à la citoyenneté apparaît nettement plus libérale que la tendance républicaine dominante. A *priori*, du moins si l'on se fie à l'analyse des programmes, la popularité de l'éducation à la citoyenneté ne semble pas avoir résidé dans sa capacité à masquer le retour au *bon vieil* assimilationnisme culturel. Si certains l'espéraient, ils ont dû être déçus.

Quelques réserves peuvent être apportées à cette conclusion en ce qui concerne le traitement des appartenances groupales, qui s'avère plus inégal d'un contexte à l'autre. Toutefois, le fait que certaines approches, notamment canadienne-anglaise et américaine, arrivent fort bien à équilibrer les valeurs communes, la diversité individuelle et la diversité groupale montre qu'il ne s'agit pas d'une tâche impossible. De plus, les courants traditionnels n'étaient pas sans limites à cet égard. La plupart du temps, ils n'articulaient pas les rapports potentiellement contradictoires entre les droits individuels et la promotion du pluralisme, quand celui-ci n'était pas carrément présenté comme un en-soi transcendant un cadre civique imprécis et mal défini.

En autant que l'accent soit mis sur la dimension participative et l'apprentissage de l'exercice actif de la citoyenneté, l'éducation civique paraît également susceptible de contribuer au développement des attitudes et des compétences nécessaires au *vivre ensemble* au sein d'une société pluraliste. Lorsque des faiblesses existent à cet égard, elles paraissent davantage liées aux différences de culture scolaire qu'à la problématique spécifique de l'éducation à la citoyenneté. D'ailleurs, diverses critiques qu'on adresse aujourd'hui à cet enseignement, notamment son caractère théorique ou son manque d'incidence sur la vie des jeunes, ont également été formulées à l'égard de l'éducation multiculturelle ou interculturelle. Son intégration en milieu scolaire a toujours été très variable, même dans les sociétés où les positions normatives favorables à ce courant étaient pourtant claires[52].

La contribution de l'éducation à la citoyenneté au développement de relations interculturelles harmonieuses et à la résolution des tensions intercommunautaires touche toutefois essentiellement l'espace public. La connaissance approfondie et la compréhension des différences culturelles, nécessaires aux rapports plus intensifs au sein de la société civile ou de la vie privée, ne sont clairement pas à l'ordre du jour. De même, la prise de conscience de l'enrichissement culturel lié au pluralisme littéraire et artistique doit se faire par le biais d'autres disciplines, si l'on ne veut pas assister à une *problématisation* indue du champ. Face à ces deux objectifs, la perspective anthropologique, dominante en éducation interculturelle ou multiculturelle, s'avérait nettement plus opérante.

L'approche comparative révèle aussi que l'éducation à la citoyenneté, essentiellement normative, paraît avoir une certaine difficulté à intégrer la fonction critique de l'éducation antiraciste. Ce courant péchait parfois par sa politisation indue des enjeux interculturels et *interraciaux* et ses explications simplistes des inégalités. Il semblait toutefois mieux assurer la discussion du caractère historique et collectif des rapports inégalitaires et des logiques systémiques qui les font perdurer. L'éducation à la citoyenneté se contente généralement de dénoncer les situations de discrimination et de marginalisation comme des ratés d'un modèle normatif, dont la légitimité et l'existence réelle sont peu questionnées. Cependant, certaines approches plus critiques, où la sociologie, la science politique et l'économie sont mises à contribution, montrent qu'on peut partiellement combler cette limite,

---

52. Cummings *et al.* (1994); Banks (1995); Gilborn (1995); McLeod et de Koninck (1996).

du moins lorsqu'on traite de groupes qui ne remettent pas en question l'appartenance à une communauté politique commune.

Ce dernier enjeu, central dans le contexte québécois, est probablement le plus difficile à aborder. La tentative est grande, en effet, au sein des États où des nations en compétition se disputent l'allégeance des citoyens, de se comporter de manière schizophrénique, comme si la nature même de la citoyenneté à promouvoir allait de soi. Certains, craignant l'endoctrinement, peuvent également se sentir plus à l'aise avec des approches qui articulent directement les principes universels et les solidarités locales, sans trop insister sur les appartenances nationales ou minoritaires. Le nouveau programme ontarien ainsi que le *Rapport Crick* montrent minimalement qu'il existe aujourd'hui un courant d'opinion différent. Celui-ci considère, pour adopter ici une expression familière, que si l'éducation à la citoyenneté ne parle pas *des vraies affaires*, elle est condamnée à l'insignifiance. Cependant, en ce domaine, on part presque de zéro en ce qui concerne les approches pédagogiques et la préparation des enseignants.

Constituant à la fois une société divisée et un espace civique relativement pacifique, le Québec pourrait s'avérer un terrain intéressant de développement d'une éducation à la citoyenneté où la dimension critique et non consensuelle ne soit pas évacuée. Toutefois, il faudrait une claire volonté politique pour que les concepteurs du nouveau programme s'engagent dans cette voie. On peut en questionner l'existence, notamment lorsqu'on considère l'évacuation des questions autochtone et anglophone du discours interculturel qui prévaut au Québec depuis une quinzaine d'années[53].

Indépendamment de cet enjeu, l'intégration de l'éducation interculturelle à une éducation à la citoyenneté redéfinie dans un sens pluraliste, ne devrait s'avérer ni une catastrophe ni une panacée. D'une part, cette réforme aura minimalement pour conséquence d'assurer une présence accrue des enjeux ethnoculturels en milieu scolaire. D'autre part, selon les choix pédagogiques qui seront effectués, elle sera en mesure de combler certaines faiblesses des courants traditionnels ou, au contraire, se contentera de perpétuer leurs limites. Si le mouvement de remplacement de

---

53. SIC (1991) ; Lamarre, P. (2000) ; Mc Andrew et Proulx (2000).

l'ensemble des activités de prise en compte de la diversité en milieu scolaire par des approches civiques devait s'accentuer, il serait toutefois légitime de s'inquiéter. En effet, l'expérience canadienne et internationale le
démontre, certaines dimensions de l'éducation multiculturelle, interculturelle ou antiraciste ne peuvent, étant donné la nature de cette discipline,
être portées par l'éducation à la citoyenneté.

6

LE PARTAGE D'INSTITUTIONS COMMUNES : UNE CONDITION NÉCESSAIRE À L'INTÉGRATION ?

La problématique québécoise

L'évolution des liens entre ethnicité et structures scolaires 1867-1998

Comme c'est souvent le cas au sein des sociétés caractérisées par une ambiguïté de dominance ethnique, le champ scolaire a représenté un enjeu important des rapports intercommunautaires au Québec, depuis sa mise en place au milieu du XIXᵉ siècle et surtout depuis la définition de son cadre juridique par l'Acte de l'Amérique du Nord britannique (AANB) en 1867. Davantage qu'au sein des sociétés où domine une claire majorité, en effet, le contrôle de l'éducation y a suscité la mobilisation des groupes en compétition. De plus, le profil de fréquentation scolaire de la population immigrée émergera comme un conflit majeur durant les années 1960 et 1970.

Bien que l'ethnicité et les structures scolaires continuent d'entretenir des liens étroits au Québec, les trente dernières années peuvent ainsi être interprétées comme la tentative du groupe francophone de faire émerger un espace scolaire commun. L'évolution à cet égard peut être schématisée en quatre grandes étapes[1]. L'AANB met en place un système dualiste défini

---

1. Mc Andrew et Proulx (2000).

par la religion. Toutefois, sur le terrain, c'est un système multiple et ségrégué qui se développe de 1867 à 1977. La Charte de la langue française vient redéfinir partiellement la donne scolaire mais le retour à un système dualiste, désormais défini par la langue, n'est amorcé que par le remplacement, en 1998, des commissions scolaires confessionnelles par les commissions scolaires linguistiques.

L'importance de l'éducation dans les rapports ethniques au Canada est évidente dès l'origine, comme en témoigne le délicat édifice de compromis sur lesquels sont basées les dispositions de l'AANB en matière de droits scolaires. L'éducation y est définie comme une compétence exclusive des provinces. À l'époque, en effet, le facteur religieux constituait le principal *marqueur* entre Canadiens français et Canadiens anglais et ni les protestants anglophones du Québec ni les catholiques de l'Ontario n'auraient accepté d'être laissés à la merci des diktats de la majorité en cette matière[2].

À cette protection constitutionnelle, s'ajoutaient diverses caractéristiques de la dynamique sociolinguistique et ethnique au Québec, comme la domination des francophones par les anglophones aux plans économique et linguistique, leur repli identitaire ainsi que l'importance du clergé au plan institutionnel[3]. L'ensemble de ces facteurs a eu pour effet de faire émerger un système scolaire où l'isolement interethnique était presque total[4]. Comme le montrent les figures 1 et 2, les écoles publiques du Québec ont ainsi été, pendant près de cent ans, largement structurées en sous-systèmes relativement autonomes et homogènes. Ces sous-systèmes correspondaient, dans un premier temps (figure 1), aux deux communautés en compétition pour le statut de majorité. Les Canadiens français dominaient le secteur franco-catholique et les *White Anglo-Saxon Protestants* (*WASP*), le secteur anglo-protestant. Toutefois, au fur et à mesure que de nouveaux groupes se sont installés au Québec, la logique ségrégative s'est multipliée (figure 2). À partir du milieu du XIXᵉ siècle, les Irlandais ont suscité la création d'un système anglo-catholique devenu graduellement le secteur d'accueil des immigrants catholiques non francophones, notamment les Italiens et les

---

2. Proulx (1993) ; Proulx et Woerhling (1997).
3. Levine (1990) ; Juteau (2000b).
4. Laferrière (1983) ; Behiels (1986) ; Bauer (1994).

FIGURE 1

Ethnicité et structures scolaires (1867)

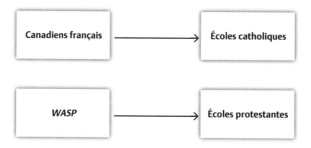

Portugais, surtout après la Seconde Guerre mondiale. Ces immigrants amorçaient, par la fréquentation de l'école anglaise, un processus de mobilité sociale et n'étaient guère intéressés à fréquenter une école française surpeuplée où ils n'étaient pas particulièrement bien accueillis. Les francophones demeuraient, en effet, essentiellement préoccupés de leur survie collective par le contrôle de leurs institutions propres[5].

Un peu plus tard, à la fin du siècle dernier, la venue des Juifs ashkénazes a posé la question de l'inadéquation d'un système basé sur la reconnaissance des droits des seules religions catholique et protestante. La solution a été de considérer les Juifs comme des protestants pour fin de paiement des taxes scolaires, mais sans droits particuliers. Rappelons, en effet, que suite à une plainte d'un étudiant juif qui s'était vu refuser une bourse d'études par la Commission des écoles protestantes du Grand Montréal (CEPGM), un jugement célèbre de la Cour suprême a statué, en 1911, que les Juifs étaient des protestants « *as a matter of grace*[6] ». À partir de cette époque, le système anglo-protestant a donc joué le rôle d'un système scolaire sinon neutre, du moins plus ouvert à l'accueil des non-catholiques. Ceux-ci demeuraient cependant largement ségrégués dans des écoles particulières, à

---

5. Cappon (1975); Ministère des Communautés culturelles et de l'Immigration (MCCI) (1990a).
6. Laferrière (1983).

FIGURE 2

Ethnicité et structures scolaires au Québec (1867-1977)

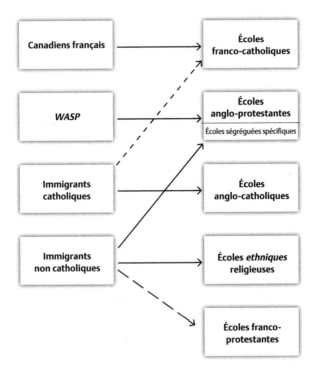

cause de leur différence de classe marquée avec les *WASP* mais aussi à cause de pratiques de relégation de certaines commissions scolaires.

Cette intégration sans égalité de droits a été à l'origine de l'émergence des écoles privées à caractère religieux, dont la popularité est très forte au sein de certains groupes d'implantation ancienne[7]. Ces établissements, au nombre de 26 en 1999-2000, desservent 11 003 élèves juifs, grecs, arméniens et musulmans. On estime ainsi que plus de la moitié des élèves grecs et près des trois quarts des élèves juifs fréquentent des écoles contrôlées par leur propre communauté. Longtemps financées par les groupes eux-

---

7. Mc Andrew (1993b) ; Ministère de l'Éducation du Québec (MEQ) (2000c).

mêmes, ces institutions reçoivent des subventions de l'État depuis 1969, s'élevant à environ 60 % du coût de l'offre du programme régulier québécois, auquel vient s'ajouter un programme linguistique et religieux spécifique financé par les communautés elles-mêmes. Finalement, à la fin des années 1960, l'immigration des Juifs sépharades, refusant d'avoir à choisir entre leur langue et leur religion, a entraîné l'émergence d'un cinquième sous-système, le franco-protestant, qui connaîtra un développement accéléré après 1977.

Dans un tel contexte, le débat même sur l'intégration scolaire était peu susceptible d'émerger ni de donner lieu à des recherches. Mais si l'on tient compte du fait qu'en 1969, 89 % des élèves allophones fréquentaient des écoles anglo-catholiques, on peut considérer que le pourcentage des élèves d'origine immigrée qui n'avaient aucun contact avec des pairs de la communauté francophone ou anglophone était au moins aussi élevé.

À partir des années 1970, la fréquentation de l'école anglaise par les immigrants, jusqu'alors considérée comme non problématique, est devenue un enjeu social majeur, notamment en raison de son impact éventuel sur la situation démolinguistique à Montréal. La bataille qui a fait rage durant près d'une décennie, entre les partisans du libre choix de la langue d'enseignement et ceux de l'intégration des immigrants, a connu de nombreuses péripéties[8]. En apparence du moins, elle a été réglée par l'adoption de la Loi 101 en 1977. Celle-ci a fait de la fréquentation de l'école française la norme pour tous les élèves, à l'exception de ceux qui étaient déjà à l'école anglaise au moment où la loi a été adoptée, de leurs frères et sœurs ainsi que de ceux dont les parents ont reçu une éducation primaire en anglais au Québec ou au Canada. Des exceptions s'appliquent aussi aux enfants autochtones, handicapés ou dont les parents vivent temporairement au Québec.

Le volet scolaire de la Loi 101 n'avait pas pour objectif de remettre en question la complétude institutionnelle au plan éducatif de la communauté anglophone ou des groupes allophones qui avaient déjà amorcé leur anglicisation. Il est donc normal que son impact ait surtout touché les élèves d'immigration récente et les élèves francophones. La figure 3 illustre

---

8. Cappon (1975) ; Gouvernement du Québec (1977b) ; Plourde (1988).

FIGURE 3

Ethnicité et structures scolaires au Québec (1977-1998)

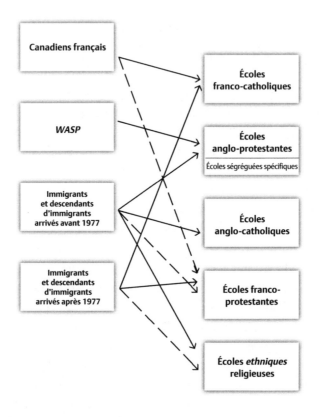

à quel point les liens entre l'ethnicité et la fréquentation de sous-systèmes scolaires spécifiques ont été affaiblis à partir de 1977 ou, du moins, largement redéfinis. En effet, ce qu'illustre ce tableau n'est pas l'établissement d'un seul espace scolaire mais l'émergence d'une multiplicité d'espaces partagés entre élèves d'origines diverses. De manière prévisible, la frontière qui a le mieux et le plus systématiquement perduré, à l'école comme dans la société, est celle qui divise les Canadiens français et les *WASP*[9].

---

9. Mc Andrew (à paraître).

Les anciens Canadiens français manifestent à la fois des comportements relevant d'une transformation pluraliste et d'un maintien de la spécificité ethnique. Le pluralisme domine à Montréal où la forte majorité des élèves d'origine canadienne-française sont maintenant éduqués dans des écoles multiethniques[10]. Toutefois, certains parents utilisent l'école privée pour éviter les contacts, sinon avec tous les élèves d'origine immigrée, du moins avec ceux qui proviennent de groupes désavantagés et, à l'extérieur de Montréal, les écoles demeurent encore très homogènes.

La situation des immigrants et des descendants d'immigrants a également été largement transformée. En effet, même avant la réforme de 1998, le caractère confessionnel des écoles est devenu de plus en plus nominal[11]. La religion représente donc désormais un facteur moins important que la période d'arrivée pour prédire le profil de scolarisation de divers groupes. Les communautés d'arrivée récente fréquentent massivement l'école française. Toutefois, des tendances centrifuges continuent de se manifester, comme le montre la popularité croissante du secteur franco-protestant. Celui-ci tendait, jusqu'à son abolition en 1998, à remplacer le secteur anglo-catholique comme commission scolaire *ethnique*[12].

L'absence de contacts des immigrants récents avec les élèves francophones ne peut toutefois être attribuée uniquement à des tendances volontaristes, de part et d'autre. En effet, on ne peut passer sous silence l'impact de la concentration résidentielle des familles dans certains quartiers, qui est la résultante complexe des inégalités socioéconomiques et de la spécificité immigrante[13]. Au fur et à mesure que les obstacles structurels à la fréquentation d'écoles communes ont été levés, cette ségrégation *de facto* a d'ailleurs occupé un espace de plus en plus grand dans le débat public.

Durant les quelque vingt ans qui séparent l'adoption de la Loi 101 du remplacement des commissions scolaires confessionnelles par des commissions scolaires linguistiques, un système beaucoup plus intégré s'est donc mis en place. Toutefois, la surimposition des critères linguistiques et

---

10. Mc Andrew et Jodoin (1999).
11. Proulx (1993).
12. Mc Andrew et Ledoux (1995).
13. Peach (1997).

confessionnels dans la définition des structures scolaires n'a cessé d'être dénoncée[14]. D'une part, en effet, l'anachronisme du marqueur religieux sautait aux yeux au sein des deux communautés d'accueil, dont l'identité était désormais très largement linguistique. Toutefois, les résistances qui ont entouré les tentatives diverses de simplification du système scolaire devaient révéler la persistance paradoxale de l'attachement à la religion chez nombre d'individus, qui ne la pratiquent pourtant guère. D'autre part, pour plusieurs, le maintien d'un secteur franco-protestant essentiellement immigrant était considéré comme le dernier obstacle à l'émergence d'un espace scolaire commun. Comme on le verra plus loin, la recherche, qui confirmait le caractère moins intégrateur des écoles protestantes, leur donnait en partie raison.

La réforme de 1998 a été accomplie à travers d'innombrables péripéties constitutionnelles et administratives — sur lesquelles il ne convient pas ici de s'étendre. Elle relève aussi de nombreux facteurs au sein desquels l'importance des enjeux liés à l'intégration des immigrants est difficile à cerner. Toutefois, son impact est clair. Comme on peut le voir à la figure 4, la mise en place de commissions scolaires linguistiques introduit, pour la première fois au Québec, une situation qu'on peut qualifier de *normale* ou, du moins, de plus habituelle dans d'autres contextes, en ce qui concerne les liens entre ethnicité et structures scolaires[15]. D'une part, en effet, les communautés majoritaire et minoritaire contrôlent chacune un réseau scolaire correspondant étroitement à leur clientèle historique et à leur définition identitaire, à la fois linguistique et pluraliste. D'autre part, les écoles contrôlées par la majorité francophone deviennent le lieu presque exclusif d'accueil des populations d'origine immigrée, surtout celles qui sont arrivées depuis une trentaine d'années. La seule option centrifuge, à cet égard, réside dans la fréquentation des écoles ethnoreligieuses, qui connaît une légère croissance au Québec depuis que le moratoire, qui a prévalu à cet égard dans les années 1990, a été levé[16].

---

14. Proulx (1995b) ; Gouvernement du Québec (1996) ; Milot et Proulx (1999).
15. Proulx (1999) ; Mc Andrew (à paraître).
16. MEQ (2000c).

FIGURE 4

Ethnicité et structures scolaires au Québec depuis 1998

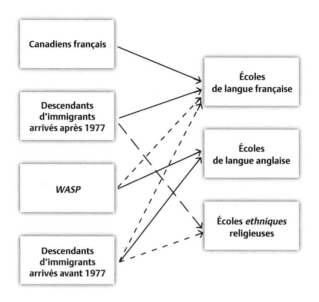

La concentration ethnique et son impact :
débats et données de recherche

La Loi 101 n'avait pas comme objectif explicite le partage des mêmes institutions scolaires par les élèves de toutes origines. C'est l'apprentissage et
l'usage du français par les élèves d'origine immigrée, et non l'émergence
d'une communauté francophone pluriethnique, qu'on visait[17]. Cependant,
des finalités sociales plus larges émergent implicitement des choix des décideurs. Ceux-ci ont, en effet, privilégié la fréquentation universelle de
l'école française pour atteindre l'objectif de francisation des immigrants,
plutôt que l'accroissement de l'enseignement du français au sein des écoles
anglaises, l'établissement d'écoles bilingues ou encore la création d'un secteur d'immersion pour les nouveaux arrivants.

---

17. Cappon (1975); Mallea (1977); Plourde (1988); Conseil de la langue française
(CLF) (2000).

Dès cette époque, en effet, une forte proportion de l'opinion publique francophone établissait un lien étroit entre l'intégration des immigrants, quelle que soit la manière dont est défini ce concept polysémique, et le partage d'un espace scolaire commun. À partir de la fin des années 1980, elle va progressivement prendre conscience que la Loi 101 n'a que partiellement modifié la donne en ce qui concerne le traditionnel isolement scolaire des élèves d'origine immigrée. On s'inquiète d'abord de leur concentration dans la grande région métropolitaine, ce qui amènera les gouvernements successifs à sacrifier à la rhétorique de la régionalisation[18]. L'impact de telles politiques volontaristes — dont les limites sont bien connues[19] — tarde toutefois à se faire sentir.

Par ailleurs, même à Montréal, où les élèves d'origine immigrée représentent quelque 46 % de la clientèle scolaire, on constate une ségrégation de cette population, supérieure au niveau que sa seule concentration métropolitaine pourrait générer[20]. Environ un tiers des écoles présentent des taux de concentration ethnique supérieurs à 50 %, une proportion qui s'est peu modifiée durant les quinze dernières années. Mais surtout, le pourcentage des élèves d'origine immigrée scolarisés dans de tels milieux n'a cessé de croître. Ainsi, alors qu'en 1992-1993 un élève sur deux fréquentait une école à forte densité, en 1998-1999, la scolarisation ségréguée paraît s'être imposée comme la norme ; elle concerne désormais 60 % de la clientèle d'origine immigrée. Bien que moins drastique que la situation qui prévalait avant 1977, cette augmentation de la ségrégation scolaire ne peut que susciter un questionnement, et ce, d'autant plus qu'elle touche davantage les écoles à plus de 75 % de clientèle d'origine immigrée. Dans ces milieux, il est évident que les contacts avec des pairs francophones sont limités et même, la plupart du temps, carrément absents.

Dans un tel contexte, il n'est pas étonnant que la concentration ethnique ait fait l'objet d'un vaste débat au Québec, amorcé par la publication, en 1993, d'un *Avis* du Conseil supérieur de l'éducation (CSE) sur cet enjeu.

---

18. MCCI (1990a) ; Conseil des relations interculturelles (CRI) (1997b) ; Ministère des Relations avec les citoyens et de l'Immigration (MRCI) (2001).
19. Dumont (1991).
20. Mc Andrew et Ledoux (1994, 1995) ; Mc Andrew et Jodoin (1999).

Lors de diverses consultations publiques[21], l'obstacle qu'elle représenterait pour une intégration *véritable* des élèves d'origine immigrée a, en effet, occupé un vaste espace. Ce fut le cas notamment, lors de la Commission parlementaire sur l'*Énoncé de politique en matière d'immigration et d'intégration* en 1990, des diverses consultations relatives aux niveaux d'immigration, menées régulièrement au Québec, ainsi que des États généraux de 1996, qui devaient précéder la réforme de l'éducation.

Largement monopolisé par les partisans du partage d'institutions communes, le débat sur la concentration ethnique sera marqué de plusieurs limites[22]. Tout d'abord, l'analyse des facteurs à l'origine du phénomène tend à privilégier la concentration résidentielle, voire même la tendance indue des immigrants à s'installer à Montréal, comme principale explication du degré de ségrégation scolaire. Sans être sans fondement, cette perspective néglige le poids des déterminants institutionnels, comme le maintien des structures scolaires confessionnelles ou les politiques d'allocation des classes d'accueil, ainsi que l'action même du groupe majoritaire, par son choix des écoles privées. En outre, l'impact négatif de la concentration ethnique est souvent tenu pour acquis, sans données à l'appui. On se base, à cet égard, soit sur l'alourdissement de tâche réel que vivent les enseignants dans de tels milieux ou, à plus long terme, sur un modèle normatif d'intégration dont les caractéristiques et les limites ne sont généralement pas débattues. De plus, les conséquences potentiellement différentes de la concentration ethnique sur la performance scolaire, les usages linguistiques ou l'intégration sociale ne sont généralement pas discutées.

La réflexion préliminaire amorcée par l'*Avis* du CSE ainsi qu'un programme de recherche mené, de 1992 à 2000, par un consortium de recherche de l'Université de Montréal et de divers ministères québécois interpellés par la question ont permis de mieux cerner certains de ces enjeux. Toutefois, plusieurs questions demeurent.

En ce qui concerne la genèse du phénomène de la concentration ethnique, une première recherche exploratoire[23] a illustré l'impact sensiblement

---

21. Conseil supérieur de l'éducation (CSE) (1993) ; Mc Andrew et Jacquet (1996) ; Gouvernement du Québec (1996) ; MRCI (1997b).
22. Mc Andrew (1993b) ; Mc Andrew et Ledoux (1994).
23. Mc Andrew et Ledoux (1996, 1998).

équivalent des facteurs socio-écologiques et scolaires à cet égard. Cette diversité des situations a des conséquences sur le type de stratégies à mettre en œuvre. Dans environ le tiers des écoles, essentiellement des écoles primaires et certaines écoles secondaires autrefois du réseau catholique, la présence de la population immigrée n'a rien d'artificiel. Elle découle directement de la nature du quartier environnant l'école. À l'autre extrême, dans environ le tiers des écoles encore une fois, soit la presque totalité des écoles anciennement du réseau protestant ainsi que plusieurs écoles secondaires, le bassin de recrutement de l'école entretient peu de relations avec le quartier où elle est située. C'est plutôt dans un ensemble de phénomènes volontaristes, tels le choix de l'école par les parents ou les stratégies d'attraction de clientèles particulières par certaines commissions scolaires, qu'il faut chercher l'origine de la surreprésentation des élèves d'origine immigrée. Finalement, le dernier tiers est constitué par des cas plus ambigus où, sans être totalement dissociée de la réalité du quartier environnant, la concentration ethnique paraît influencée par diverses décisions administratives, comme la localisation des classes d'accueil ou la définition même du bassin de l'école.

Depuis que cette étude a été réalisée, au moins un des facteurs en cause, la confessionnalité du système scolaire, a été éliminé. La mesure d'un éventuel impact de la restructuration scolaire sur la concentration ethnique ne sera toutefois possible que dans quelques années, au fur et à mesure que sera levé le moratoire sur la modification des bassins des anciennes écoles du nouveau système scolaire de langue française. Celles-ci seront, en effet, de plus en plus appelées à se partager leur clientèle.

Quant aux autres facteurs, ils n'ont pas fait l'objet d'une action gouvernementale, ce qui s'explique sans doute par les résultats des autres volets du programme de recherche qui portaient sur les conséquences du phénomène. Dans l'ensemble, en effet, l'impact de la concentration ethnique s'avère inexistant sur la performance scolaire des élèves immigrés, négligeable sur leur intégration sociale et limité, bien que réel, sur leur intégration linguistique.

Le premier constat — sur lequel nous ne nous attarderons pas — est doublement corroboré par les données de deux approches complémentaires, décrites au chapitre 3. Il s'agit, d'une part, de la comparaison des résultats globaux des écoles aux épreuves ministérielles de secondaire 4 et 5 en fonction du taux de densité ethnique qui y prévaut et, d'autre part, de l'étude du profil de diplômation des élèves d'origine immigrée selon la densité ethnique de l'école qu'ils fréquentent. S'inscrivant dans la foulée d'autres travaux qui ont conclu à la non-corrélation de la pluriethnicité et de l'échec scolaire au Québec, cette tendance ne saurait surprendre. Elle correspond à la composition de classe diversifiée des flux migratoires et à la large non-coïncidence, sur la carte scolaire, des milieux pluriethniques et défavorisés.

L'intégration sociale a donné lieu, en 1995-1996, à une vaste étude dans 18 écoles secondaires de l'île de Montréal, auprès de 2 718 élèves terminant alors le secondaire 5, soit plus du tiers de la population cible[24]. Le concept d'intégration sociale génère de nombreux débats. C'est pourquoi, dans le cadre de la recherche, il a été défini en fonction de trois composantes qui, sur un continuum, suscitent plus ou moins l'unanimité, selon la conception de la citoyenneté que l'on privilégie. La première touche la participation équivalente à diverses activités sociales ou culturelles de la société plus large ou de l'école. La seconde questionne les rapports qu'entretiennent les jeunes d'origine immigrée ou francophones, d'une part, avec leur groupe propre et, d'autre part, avec les autres groupes. Finalement, rejetant la conformité culturelle, qui serait contraire à l'ensemble des orientations québécoises dans le domaine, la recherche a privilégié deux indicateurs pour mesurer le degré d'allégeance des élèves à la société d'accueil : le sentiment d'appartenance et l'accord à un ensemble de questions portant sur les valeurs démocratiques fondamentales. Par ailleurs, l'impact de la densité ethnique dans chaque école a été contrasté aux effets de la défavorisation et de la présence, plus ou moins importante, d'une immigration récente.

Pour les élèves d'origine immigrée, comme on peut le voir à la figure 5, la densité ethnique semble favoriser l'ouverture aux autres groupes ethniques mais nuire très légèrement à l'attitude face à la société d'accueil. La proportion d'immigration récente contribuerait légèrement négativement à la qualité des relations interpersonnelles, alors que le niveau de défavorisation nuirait à la participation à la culture de la société d'accueil ainsi qu'à l'ouverture aux autres groupes ethniques. Quant à l'implication

---

24. Jodoin *et al.* (1997) ; Pagé *et al.* (1998) ; Mc Andrew, Pagé *et al.* (1999).

FIGURE 5

Influence des caractéristiques des écoles
sur l'intégration sociale des élèves d'origine immigrée.

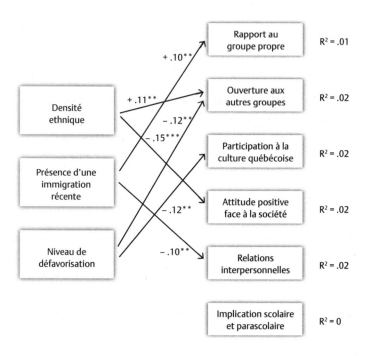

scolaire et parascolaire, aucune des variables indépendantes considérées dans l'étude ne la prédit significativement.

Le rapport au groupe propre est influencé par le pourcentage d'immigration récente, mais des analyses ultérieures ont confirmé qu'il n'est pas corrélé systématiquement à l'appartenance à la société d'accueil. En d'autres mots, les données de l'étude ne confirment ni n'infirment les hypothèses multiculturelles ou assimilationnistes. Les élèves se divisent sensiblement de manière équivalente entre quatre sous-catégories : ceux qui privilégient à la fois un fort attachement à leur groupe ethnique et à la société québécoise, ceux qui, à l'inverse, privilégient l'une ou l'autre de ces dimensions et, enfin, les anomistes ou individualistes pour lesquels les deux variables s'avèrent faibles.

FIGURE 6

Pourcentage de la variance de l'appartenance
à la société d'accueil chez les élèves d'origine immigrée
expliquée par la densité ethnique du milieu scolaire

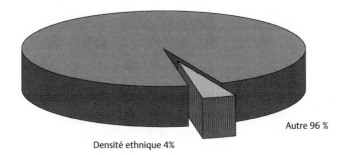

Autre 96 %

Densité ethnique 4%

La densité ethnique semble donc un phénomène à impact plutôt négligeable, surtout en contraste avec la défavorisation, nettement plus opérante. Ce constat est conforté par la figure 6, qui montre que, même en adoptant une conception plus substantive de l'intégration sociale, soit le sentiment d'appartenance à la société d'accueil, la densité n'explique qu'environ 4 % de la variance du phénomène.

Par ailleurs, pour les élèves francophones de deuxième génération ou plus, la recherche ne corrobore pas l'inquiétude de certains intervenants face à leur potentielle minorisation au sein des écoles pluriethniques. En effet, pour ce groupe, l'intégration sociale, dans aucune de ses six composantes, n'est influencée par la densité ; elle n'est affectée que par le niveau de défavorisation qui — tel que mentionné au chapitre 3 — nuit fortement à la participation à la culture québécoise. Les élèves des deux groupes manifestent également, quel que soit le taux de densité ethnique de l'école qu'ils fréquentent, une grande similarité dans leurs valeurs et leurs styles de vie. L'individualisme dans le choix des relations interpersonnelles, l'égalité des sexes, la non-discrimination, ainsi qu'une certaine distanciation par rapport aux valeurs de leur parents en ces matières sont ainsi largement partagés.

Ces données semblent indiquer que la socialisation par les pairs jouerait un rôle, beaucoup moins important que celui qui lui est parfois attribué, sur le développement des diverses attitudes et compétences civiques, tant chez les minorités que chez les majorités. Au sein des écoles à forte densité ethnique, le curriculum commun, la présence de *modèles de rôle* d'enseignants et de directions, largement représentatifs de la majorité, ainsi qu'un ethos institutionnel reflétant la culture dominante compenseraient largement les limites de la socialisation informelle. Il reste toutefois à se demander si ces conclusions pourraient être généralisées à la situation des écoles ethnoreligieuses, où ces facteurs sont absents. Cette question n'a, en effet, jamais fait l'objet de recherches spécifiques en contexte québécois.

L'impact de la densité ethnique sur l'intégration linguistique, dont on connaît le caractère central dans le débat public au Québec, est toutefois plus complexe. L'analyse des questions à caractère linguistique de l'enquête précédente ainsi que les résultats d'une recherche menée dans vingt écoles primaires et secondaires de l'île de Montréal, où on a observé les usages réels prévalant entre élèves lors de situations de contacts informels, révèlent un apport plus important du taux de densité ethnique sur les dynamiques de chacun des milieux[25].

Dans le premier cas, les auteurs ont conclu que la densité ethnique expliquait 11 % de la variance des élèves d'origine immigrée à la variable *aptitude au français*, qui comprend la tendance à valoriser l'usage du français, l'accord avec les politiques publiques en ce domaine, l'utilisation du français avec son entourage, la consommation de médias électroniques en français ainsi que l'intention de fréquenter des institutions d'enseignement collégial de langue française. Bien que significatif, cet impact est limité par rapport à d'autres facteurs. L'ancienneté d'implantation des élèves ainsi que les dynamiques sociolinguistiques qui prévalent dans leur communauté respective s'avèrent généralement des prédicteurs plus importants de leurs attitudes. Par ailleurs, à l'opposé des inquiétudes exprimées par certains nationalistes, l'étude a montré que le taux de densité ethnique des écoles qu'ils fréquentent n'a aucun impact sur l'aptitude au français des élèves francophones de deuxième génération ou plus.

---

25. Mc Andrew, Jodoin *et al.* (1999) ; Mc Andrew, Veltman, Lemire et Rossell (1999, 2001).

FIGURE 7

Contribution relative de diverses caractéristiques des écoles à la force relative du français

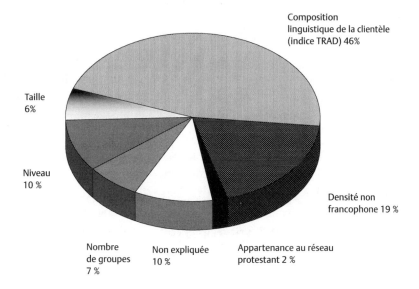

Dans le cadre de la seconde étude (figure 7), la densité ethnique, qui explique quelque 19 % de la variance constatée, s'est également révélée un facteur influençant la force relative du français par rapport à l'anglais au sein des écoles montréalaises concernées. Cependant, ici encore, des nuances s'imposent. Tout d'abord, le facteur le plus opérant à cet égard demeure le caractère plus ou moins favorable au français généré par la composition ethnolinguistique spécifique de la clientèle qui a été mesuré par un indice, nommé TRAD, parce qu'il fait référence aux tendances traditionnelles au sein de chacun des groupes. Cet indice a, en effet, été élaboré à partir des taux de transferts linguistiques vers le français ou l'anglais rencontrés au recensement de 1991 au sein du groupe d'âge des parents des communautés linguistiques respectives. Le caractère prédictif de ce facteur est si massif qu'il tend à réduire à une portion congrue l'impact des autres dimensions scolaires. L'appartenance passée au réseau protestant ainsi que le nombre de groupes au sein de l'école s'avèrent toutefois légèrement significatifs.

De plus, la densité ethnique a tendance à contribuer positivement à la francisation de milieux où les autres variables joueraient dans un sens négatif. Cette conclusion paradoxale pourrait s'expliquer par la tendance des groupes anglophones ou anglophiles d'immigration récente à fréquenter, plus que les anglophones *de souche* ou les communautés anglicisées du passé, des écoles à haute densité. Elle témoignerait aussi de la francisation plus rapide de ces groupes. Finalement, il faut rappeler que les données descriptives de l'étude ont révélé le caractère fortement favorable au français au sein des usages linguistiques des vingt écoles étudiées, où les milieux à haute densité et à composition ethnolinguistique tendant davantage vers l'anglais avaient pourtant été suréchantillonnés. Ainsi, les taux de force relative du français par rapport à l'anglais varient de 70 à 100 % au primaire et de 60 à près de 100 % au secondaire.

Plutôt que de considérer un soutien généralisé à l'usage du français dans l'ensemble des milieux à haute densité, les auteurs de l'étude ont donc recommandé que le ministère privilégie les écoles secondaires où la présence de groupes anglicisés ou anglophiles et la densité ethnique coïncident. De plus, ils ont proposé qu'on accorde, à cet égard, une importance particulière aux anciennes écoles du réseau protestant. En effet, la thèse voulant qu'elles aient eu un ethos moins favorable au français semble corroborée, tant par les résultats de l'étude décrite plus haut que par d'autres données montrant que le choix d'un cégep français ou anglais était influencé, jusqu'à la réforme de 1998, par le fait d'avoir fréquenté une école protestante ou catholique[26].

La prospective

Depuis trente ans, l'isolement scolaire qui prévalait entre la majorité francophone et les groupes d'origine immigrée a été considérablement réduit, notamment en ce qui concerne les communautés d'arrivée récente. Les derniers obstacles structurels au partage d'institutions communes ont récemment été levés et, *de jure*, celles-ci représentent désormais la norme en milieu scolaire francophone. Ce mouvement a été accompli largement à

---

26. Ministère de la Culture et des Communications du Québec (MCCQ) (1996).

partir d'une idéologie postulant qu'une scolarisation commune constituait une condition, sinon nécessaire du moins facilitante, à l'intégration. Toutefois, cette hypothèse, basée sur le constat sociologique du hiatus qui divisait profondément la majorité francophone et les communautés culturelles jusqu'au début des années 1980, a rarement fait l'objet de vérifications empiriques.

Ce seuil minimal atteint, le système scolaire montréalais s'est retrouvé confronté à la réalité de la ségrégation *de facto*, commune à l'ensemble des sociétés occidentales. Malgré l'importance des débats suscités par cet enjeu, l'action québécoise à cet égard a été, jusqu'à ce jour, limitée. Elle a visé davantage les effets de la concentration ethnique que sa genèse. Le choix de soutenir les milieux à haute densité, où une conjonction de problématiques rend la situation difficile, plutôt que de tenter d'assurer une répartition équilibrée de la population d'origine immigrée au sein de l'ensemble des écoles, semble largement justifié. En effet, les données de recherche montrent que l'opinion publique surévalue les conséquences du phénomène, du moins son impact à long terme sur les extrants scolaires, linguistiques et sociaux de la scolarisation des élèves immigrés. De plus, comme le montre l'expérience canadienne et internationale discutée dans la partie qui suit, il n'existe guère de *solution miracle* dans ce domaine. Les interventions trop drastiques amènent souvent des effets pervers qui nourrissent les problèmes qu'elles prétendent régler.

Cependant, malgré la position nuancée mise de l'avant dans la *Politique d'intégration scolaire et d'éducation interculturelle*, il est possible que le débat québécois sur la pertinence d'intensifier le partage d'un espace scolaire commun entre les élèves de toutes origines ne soit pas clos. En effet, une partie de l'opinion publique interprétera probablement les données relatives à l'impact de la haute densité sur les usages linguistiques d'une manière nettement moins favorable que les autorités scolaires et les chercheurs concernés ne l'ont fait. Le contexte généré par la consultation publique sur l'actualisation de la Loi 101, tenue dans le cadre de la Commission des États généraux sur la situation et l'avenir de la langue française au Québec à l'automne-hiver 2000-2001, est propice à ce que les controverses à cet égard renaissent. De plus, jusqu'à maintenant, les partisans du partage d'institutions communes ont trouvé peu d'arguments dans la thématique de l'égalité des chances. Toutefois, au fur et à mesure que des liens plus étroits s'établissent entre densité ethnique et défavorisation, il est possible qu'on en vienne à examiner critiquement les liens de ces deux phénomènes. Le débat sur cette question risque toutefois d'être multiforme. Certains considèrent, en effet, que les situations de marginalisation au sein des institutions publiques démontrent plutôt la pertinence d'institutions contrôlées par les communautés elles-mêmes.

À cet égard, l'expérience québécoise en matière d'écoles ethnospécifiques, jusqu'ici limitée essentiellement aux communautés religieuses d'implantation ancienne, risque d'être mise à contribution. En effet, la fréquentation de telles écoles s'est généralement révélée très favorable au plan de la mobilité sociale et scolaire pour les élèves concernés[27]. Diverses communautés d'implantation plus récente pourraient être tentées d'y voir un modèle. Toutefois, il faut rappeler que cette situation favorable est liée au profil socioéconomique généralement élevé de ces communautés. De plus, on ignore les résultats de ces milieux en matière d'intégration sociale et d'usages linguistiques. Par ailleurs, les religions touchées dans le passé suscitaient relativement peu de crainte au sein de la population majoritaire. Si de telles demandes devaient toucher la communauté musulmane ou diverses sectes chrétiennes fondamentalistes, le débat sur leur pertinence risque de s'accentuer. Les controverses relatives aux accommodements à caractère religieux — décrites au chapitre 4 — en témoignent.

Étant donné le regain de popularité que connaît le contrôle communautaire de l'éducation dans le monde, il est improbable que le Québec puisse échapper complètement à cette tendance. Après un clair mouvement en faveur du partage d'institutions communes, freiné par la réalité des ségrégations sociorésidentielles, on risque de se retrouver à une croisée des chemins. Le consensus sera alors difficile à établir. Certains plaideront pour la mise en place de moyens actifs de lutte à la ségrégation *de facto*, alors que d'autres privilégieront le retour à des formules générant un lien plus étroit entre l'ethnicité et les structures scolaires.

---

27. Laferrière (1983) ; Bauer (1994) ; Azoulay (1998) ; MEQ (2000c).

L'expérience canadienne et internationale

Dans la foulée de ces tendances contradictoires, l'examen de diverses expériences peut s'avérer éclairant. Certaines visent un accroissement de la scolarisation commune entre élèves majoritaires et minoritaires et d'autres, à l'inverse, une meilleure prise en compte des besoins de ces derniers au sein d'institutions contrôlées par la communauté. L'analyse critique de ces interventions est probablement plus susceptible de confirmer la complexité des dilemmes que d'apporter des réponses claires aux questions soulevées dans le contexte québécois. Toutefois, l'éclairage comparatif peut minimalement contribuer à cerner les limites des actions passées. Elle permet également d'identifier quelques balises afin de maximiser les effets positifs, ou de limiter les effets pervers potentiels, des choix qu'une société peut privilégier en matière de scolarisation des populations d'origine immigrée.

Le busing aux États-Unis

La tentative la plus connue de rééquilibre des clientèles scolaires afin d'améliorer les relations ethniques est, sans aucun doute, le mouvement de déségrégation des Noirs et des Blancs aux États-Unis, durant les années 1960 et 1970[28]. Ce mouvement s'est fondé essentiellement sur le *busing*, en d'autres mots le fait de transporter par autobus les élèves hors de leur quartier afin d'assurer une meilleure représentation *raciale* au sein des écoles publiques, une mesure qui a été fortement contestée. C'est aussi l'intervention la plus intensive dans ce domaine, que l'on considère l'ampleur des ressources financières engagées ou l'étendue de la recherche générée. Impliquant un groupe à statut inférieur, qui avait été traditionnellement ségrégué *de jure* dans le Sud et *de facto* dans le Nord, le *busing* représente également la seule intervention en faveur de la scolarisation commune qui ait été non seulement initiée par un gouvernement mais rendue obligatoire par la Cour.

En effet, en 1955, le fameux jugement *Brown versus Board of Education* de la Cour suprême a statué que, contrairement au credo ségrégationniste,

---

28. Glenn et De Jong (1996) ; Mc Andrew (1996c) ; Mc Andrew et Lemire (1999).

l'éducation séparée était, par sa nature même, inégale[29]. En conséquence, les conseils scolaires des États-Unis ont dû mettre en œuvre des plans précis de déségrégation de leurs écoles qui, la plupart du temps, incluaient le rééquilibre des clientèles par le transport scolaire. Le jugement de la Cour suprême s'appuyait sur la position de nombreux chercheurs en sciences sociales et en éducation qui faisaient valoir que la scolarisation commune entre élèves blancs de statut supérieur et élèves noirs de statut inférieur aurait des effets positifs pour les deux groupes. Toutefois, l'objectif dominant de la réforme était d'augmenter la performance scolaire des Noirs. En effet, étant donné l'importance qu'accorde la Constitution américaine aux libertés publiques et à l'autonomie des États, la Cour suprême n'aurait jamais pu légitimer une intervention fédérale à partir du seul objectif d'améliorer les relations interethniques. Le jugement de la Cour est fondé sur un terrain constitutionnel beaucoup plus sûr, le quatorzième amendement, qui garantit l'égalité de tous les citoyens.

La décision de la Cour suprême a représenté un choc pour la plupart des conseils scolaires et pour une majorité de parents blancs. Le mouvement de déségrégation scolaire a donc été très controversé durant toutes les années 1960 et 1970. La résistance violente de certains parents ainsi que les conflits entre élèves des deux *races* intégrées contre leur gré ont souvent figuré en manchettes des journaux. Malgré ces péripéties, vers la fin des années 1970, la déségrégation scolaire a été plus ou moins atteinte, et largement de manière pacifique, dans l'ancien Sud ségrégationniste[30].

De manière assez paradoxale, le problème s'est avéré beaucoup plus difficile à résoudre dans le Nord libéral, où les analystes ont commencé à dénoncer les effets pervers des politiques de déségrégation sur l'augmentation de la ségrégation résidentielle *de facto*. En effet, à partir des années 1970 et surtout des années 1980, la fuite de la population blanche vers les banlieues et les écoles privées, générée en partie par la crainte de voir des élèves noirs transportés dans ses écoles, a commencé à représenter un obstacle majeur[31]. Il est ainsi devenu de plus en plus difficile, pour les

---

29. Banks (1988a) ; Cooks (1988) ; Fife (1997).
30. US Commission on Civil Rights (1975).
31. Rossell et Hawley (1981) ; McDonald (1997).

administrateurs scolaires, d'avoir suffisamment d'élèves blancs pour rééquilibrer leur clientèle. Du côté de la communauté noire, après les espoirs générés par les années 1960, le désenchantement a également suivi. Pour plusieurs, l'intégration scolaire et le *busing* n'ont pas permis d'actualiser les espoirs de mobilité éducative que la réforme avait suscités. De plus, le mouvement du *Black is beautiful* a amené plusieurs parents à contester le caractère ethnocentrique des écoles intégrées. Durant les années 1980, les écoles contrôlées par la communauté noire ont ainsi connu un regain de popularité[32]. Ce mouvement, s'ajoutant à la résistance formelle et informelle des populations blanches, a contribué à ralentir la déségrégation.

Bien que le corpus américain de recherches sur l'impact éducatif et social du *busing* soit impressionnant, il existe peu de consensus quant aux constats qui s'en dégagent[33]. Au risque de simplifier indûment, il est toutefois possible d'avancer que l'intégration scolaire n'a représenté ni une panacée ni une catastrophe. Ainsi, en ce qui concerne les résultats scolaires, la majorité des études montre un léger impact positif pour les élèves minoritaires. Toutefois, les élèves majoritaires ont globalement maintenu leur supériorité et, dans certains contextes, on a même noté un accroissement du hiatus. Les conséquences de l'intégration scolaire sur l'estime et l'image des élèves minoritaires sont également non concluantes. Certaines études montrent que celles-ci se seraient améliorées après quelques années, alors que d'autres pointent vers une baisse de l'estime de soi des garçons noirs intégrés au niveau secondaire. Par ailleurs, puisque l'objectif prioritaire de la réforme était l'égalité des chances pour les Noirs, il existe peu d'études d'envergure qui auraient évalué son impact sur les attitudes interethniques. Toutefois, lorsqu'elles existent, celles-ci sont pour le moins ambiguës, de même que les évaluations locales plus limitées qui se sont également penchées sur cet enjeu.

Au-delà de cette absence d'accord sur la pertinence de l'expérience, il existe toutefois un consensus assez partagé sur les limites de sa mise en œuvre[34]. Trois critiques sont particulièrement identifiées à cet égard. Tout

---

32. Bérubé (1995).
33. Bradley et Bradley (1977); Crain et Mahard (1981); Hawley et Smylie (1988); Schofield (1995).
34. Crain *et al.* (1982); Armor (1988); Bates (1990).

d'abord, la réforme a été conduite de manière bureaucratique et mécanique, confondant assez naïvement la déségrégation des élèves avec leur intégration. La seconde critique porte sur la nature unidirectionnelle du *busing* aux États-Unis. Seuls les élèves noirs, et la plupart du temps ceux qui appartenaient à des milieux économiquement désavantagés, ont été transportés vers les plus riches écoles blanches. C'est une situation qui a limité la possibilité de contacts égalitaires entre élèves, une condition pourtant centrale, d'après la psychologie sociale, à la maximisation des effets positifs de relations accrues[35]. Finalement, dans la plupart des cas, le personnel scolaire, tant noir que blanc, a été peu impliqué dans la mise en œuvre de la déségrégation et n'a pas eu l'occasion de jouer un rôle dynamique à cet égard.

Aujourd'hui, bien que le *busing* n'ait jamais été officiellement arrêté et que certains conseils scolaires le pratiquent encore, il a perdu beaucoup de son importance, à la fois comme enjeu de débat et comme mesure de promotion de la scolarisation commune aux États-Unis[36]. De nouvelles approches, largement incitatives, comme le *busing* volontaire, les *magnet schools* ou le *controlled choice* sont ainsi devenues plus populaires. Elles représentent une adaptation de la stratégie largement bureaucratique des années 1960 et 1970 à la nouvelle donne des années 1990 et 2000. Elles mettent de l'avant deux nouveaux paradigmes. Il s'agit, d'une part, du libre choix des parents qui s'impose de plus en plus comme la norme aux États-Unis et, d'autre part, de la mise sur pied de projets particuliers susceptibles d'attirer des clientèles diversifiées. Le *controlled choice,* plus récent, se distingue par le *monitoring* étroit qu'on y effectue de la composition ethnoculturelle des établissements. Les décideurs scolaires peuvent contraindre les parents ou les élèves à se rabattre sur un deuxième choix, dans l'hypothèse où le quota de leur groupe serait atteint dans l'école qu'ils auraient préféré fréquenter. Malgré cet apparent dynamisme, il faut toutefois noter que la ségrégation scolaire des Noirs aux États-Unis, ainsi que celle des hispanophones, qui avaient systématiquement décru durant les années 1980, ont recommencé à s'accroître depuis le milieu des années 1990[37].

---

35. Amir (1976).
36. Astor Stavee (1995) ; Orfield et Eaton (1996) ; Willis et Alves (1996).
37. Orfield *et al.* (1997).

L'intégration scolaire des Sépharades et des Ashkénazes en Israël

Outre l'expérience américaine qui s'impose par son ampleur et l'étendue de ses évaluations longitudinales mais qui touche une minorité nationale, d'autres initiatives de moindre envergure, visant des groupes d'origine immigrée, sont à signaler. La première, mise en œuvre en Israël dans les années 1970, visait à accroître la scolarisation commune des Juifs ashkénazes et sépharades. Ces deux populations n'ont jamais connu de ségrégation *de jure* mais, étant donné leurs différences socioéconomiques et leur ségrégation résidentielle, leur ségrégation scolaire *de facto* était élevée. De plus, la population juive sépharade connaissait une performance scolaire inférieure à la moyenne[38].

En 1969, une approche mixte, inspirée en partie du modèle américain, a donc été mise en œuvre afin d'assurer l'équilibre des clientèles scolaires dans les écoles publiques[39]. On associait un transport scolaire nettement plus limité à un processus où les districts étaient appelés à redéfinir leur bassin d'écoles. À l'opposé du *busing* aux États-Unis, la réforme visait autant l'amélioration des attitudes et des relations intergroupes que l'égalisation des chances, ce qui reflète le degré plus élevé de consensus, au sein de la société israélienne, sur la nécessité d'une intégration personnelle et sociale des Juifs sépharades et ashkénazes. Dans l'éclairage du débat québécois, cette caractéristique représente un des intérêts de l'expérience israélienne. En effet, toute proportion gardée, la recherche sur les changements d'attitudes conséquente à l'intégration scolaire y a été plus importante.

D'une façon générale, la mise en œuvre de la réforme a été complexe. D'une part, on a rencontré le même type de résistance qu'aux États-Unis à l'accueil d'élèves de statut inférieur de la part des parents ashkénazes dominants ou des enseignants eux-mêmes. D'autre part, la difficulté de mener parallèlement les deux objectifs contradictoires de la réforme est rapidement apparue évidente. En effet, pour assurer l'égalité des chances des élèves sépharades nouvellement intégrés dans les écoles dominantes, de nombreuses mesures compensatoires, allant parfois jusqu'à la fréquentation de classes ou d'activités spécifiques, se sont avérées nécessaires. Cela ne

---

38. Amir et Ben-Ari (1985).
39. Inbar (1981); Amir (1984); Ben-Dror (1986); Katz (1992).

pouvait qu'affecter négativement la promotion d'une meilleure image des élèves minoritaires et le rapprochement entre les deux groupes[40]. Pour toutes ces raisons, on considère que l'expérience d'intégration scolaire entre Ashkénazes et Sépharades en Israël, sans être un échec cuisant, n'a guère rempli ses promesses. La ségrégation *de facto* entre ces deux populations, bien que réduite significativement, représente toujours la norme plutôt que l'exception.

Il existe toutefois un certain consensus sur les conséquences positives qu'aurait eues la réforme sur la performance scolaire des deux groupes, et ce, surtout quand l'intégration a été réalisée dès le primaire[41]. Au secondaire, certaines conséquences négatives apparaissent lorsque les élèves minoritaires de bas statut ont été intégrés à des écoles majoritaires de milieu favorisé.

En ce qui concerne son impact sur les attitudes interethniques, la recherche pointe vers le caractère central des conditions de mise en œuvre[42]. Ainsi, les conséquences positives de la scolarisation commune sont étroitement associées à une intégration à l'école primaire. Au secondaire, on a constaté une augmentation des stéréotypes négatifs au sein des écoles qui pratiquaient le regroupement des élèves minoritaires dans des programmes spéciaux. Par ailleurs, la transformation des rapports ethniques est étroitement liée aux pédagogies alternatives où l'implication des élèves, des parents et des enseignants est privilégiée. La recherche montre aussi l'importance que les élèves et les personnels des deux groupes jouissent d'un statut d'égalité dans le contact. Le jumelage de milieux socioéconomiquement équivalents est donc préférable, pour le développement des attitudes positives, à des initiatives qui mettent en contact des groupes trop différents.

La déconcentration ethnique en Flandre

Alors que les deux expériences précédentes ont été mises en œuvre dans un contexte où l'intervention étatique en éducation jouissait d'un momentum, la politique de déconcentration ethnique, adoptée en 1993 par la

---

40. Schwarzwald et Cohen (1982).
41. Amir (1984) ; Goldring et Addi (1989).
42. Schwarzwald et Cohen (1982) ; Amir et Ben-Ari (1985) ; Katz (1992).

Communauté flamande de Belgique, fait un peu cavalier seul. En effet, aujourd'hui, dans les pays d'immigration, c'est plutôt le libre choix des écoles et la multiplication des projets éducatifs spécifiques qui dominent, que ce soit pour des motifs idéologiques ou à partir du constat du peu de succès des expériences volontaristes de scolarisation commune[43].

La réalité flamande est aussi très différente des deux autres[44]. La légitimité de la présence des populations immigrées en Belgique est bien inférieure à celle dont jouissaient les Juifs sépharades en Israël ou même les Noirs américains, une minorité nationale de longue date aux États-Unis. De plus, la redéfinition pluraliste de la communauté flamande est un phénomène récent et l'adaptation institutionnelle à la diversité commence tout juste à y être amorcée. Cet élément contribue d'ailleurs à rapprocher le cas flamand du cas québécois.

La politique de déconcentration a été mise en œuvre suite au constat d'une ségrégation marquée et persistante entre les populations natives et les populations immigrées. Elle est largement contraire au credo du libre choix de l'école prévalant en Belgique. Diverses analyses des processus d'attraction et de rejet des clientèles immigrées par les écoles, tant catholiques que laïques, ont ainsi confirmé l'existence d'une production active de la ségrégation scolaire, qui dépasse la situation susceptible d'être générée par les seules différences socioéconomiques ou la concentration résidentielle. Conjuguée à un déficit éducatif marqué des populations d'origine immigrée, cette situation paraissait justifier une intervention étatique significative[45].

Dans un contexte aussi décentralisé que celui de l'espace scolaire flamand, celle-ci est toutefois demeurée largement incitative. On a privilégié une perspective de terrain, qui force les différentes autorités scolaires et directions d'école à se concerter afin d'arrimer leurs stratégies d'attraction et de rétention de diverses clientèles minoritaires[46]. Les écoles où la clientèle d'origine immigrée est sous-représentée sont poussées à augmenter leur

---

43. Glazer (1993) ; Glenn et De Jong (1996) ; Foundation for Interethnic Relations (1999).
44. Leman (1993) ; Boussetta (2000).
45. Commissariat Royal à la Politique des Immigrés (1989) ; Conseil de la Communauté flamande (1993) ; Kesteloot (1990).
46. Verlot (1998) ; Fondation du Roi Beaudoin (1998) ; Leman (1999).

visibilité auprès des parents de ce groupe. À l'inverse, dans certaines écoles à haute concentration, on incitera fortement ces derniers à se diriger vers d'autres milieux. C'est d'ailleurs cet aspect de la réforme qui a suscité le plus de débats, certains groupes immigrés y voyant un traitement inégalitaire en matière de liberté de choix scolaire. Sans que des quotas ne soient clairement identifiés, l'équilibre des clientèles scolaires est également favorisé par la répartition des budgets spéciaux de soutien à l'intégration des élèves immigrés, maximaux au sein des établissements à moyenne concentration (autour de 50 %) et plus bas, dans les écoles à moins de 30 % ou à plus de 70 % de clientèle immigrée.

Cette approche flamande est intéressante en regard du débat québécois. Elle reconnaît qu'une masse critique d'élèves immigrés peut être une condition nécessaire au développement d'une pédagogie adaptée à leurs besoins mais que les écoles à moyenne concentration, victimes de leur succès, sont sans cesse menacées de basculer dans le camp des écoles à très forte concentration. La politique de déconcentration repose toutefois davantage sur un *a priori* normatif que sur des résultats de recherches. On ne possède, en effet, aucune donnée qui permettrait de contraster l'efficacité relative des écoles à faible, moyenne et haute densité ethnique au plan du succès scolaire des élèves immigrés. Par ailleurs, l'impact de la ségrégation scolaire sur l'intégration sociale ou les attitudes interethniques est rarement débattu, ce qui reflète sans doute l'état d'avancement de la question interculturelle en Flandre.

L'évaluation de la mise en œuvre de la politique de déconcentration ethnique s'avère partagée[47]. D'une part, en effet, elle a généré un niveau de coopération, entre réseaux scolaires et entre écoles, inconnu jusqu'alors en Flandre et probablement en Belgique. Des partenariats accrus ont été développés et le sentiment d'une responsabilité collective de l'intégration des populations d'origine immigrée semble graduellement émerger. Dans certains cas, des écoles qui n'avaient aucun contact avec les parents issus de l'immigration ont développé avec eux des liens significatifs, ainsi qu'avec les communautés qui les représentent. Toutefois, au plan des résultats

---

47. Mahieu (1999a, b) ; Verlot (2000).

quantifiables, les gains accomplis n'ont pas été suffisants pour empêcher l'accroissement de la ségrégation scolaire. Celle-ci s'expliquerait, d'une part, par l'intensification récente de l'immigration et, d'autre part, par la prospérité économique qui accroît le hiatus social et résidentiel entre la population native et la population immigrée.

Une évaluation plus vaste de l'impact global de la politique est attendue cette année. Toutefois, il semble, d'ores et déjà, que plutôt que de viser une représentation équilibrée de diverses clientèles dans l'ensemble des milieux, l'accent devrait être mis, dans les années à venir, sur le soutien spécifique et la préservation des écoles à moyenne densité.

Les écoles ethnospécifiques dans divers pays d'immigration

Alors que, durant les années 1960 et 1970, on a mis l'accent, dans divers pays d'immigration, sur la scolarisation commune des élèves de toutes origines, à partir des années 1980 et surtout des années 1990, la multiplication des espaces scolaires s'impose comme la norme plutôt que l'exception[48]. Dans certains contextes comme la France, où l'on résiste fortement à la marchandisation de l'éducation, l'offre scolaire devient minimalement plus diversifiée en fonction des besoins du marché du travail ou de la reconnaissance accrue de l'influence des parents sur le curriculum. Dans d'autres, notamment aux États-Unis et en Grande-Bretagne, la liberté des parents de choisir le type d'école qu'ils préfèrent pour leurs enfants connaît un fort momentum idéologique. Parallèlement au réseau des écoles publiques, ces sociétés favorisent le foisonnement des écoles alternatives ou privées, qui sont souvent financées par l'État, directement ou par le biais de *bons*, les *Voucher*, qu'on remet aux parents. Ces bons représentent des crédits équivalant au coût d'un élève à l'école publique. Dans d'autres sociétés où la tradition de systèmes scolaires parallèles reflétant les clivages confessionnels ou idéologiques a toujours été importante, comme la Belgique, la Hollande ou diverses provinces canadiennes, le soutien aux écoles privées s'accentue.

---

48. Beare et Boyd (1993) ; Balls et Van Zanten (1998) ; Van Haecht (1998).

Plusieurs de ces nouveaux espaces scolaires demeurent et demeureront sans doute largement multiethniques. Toutefois, dans nombre de cas, la nouvelle donne a généré une mobilisation de communautés d'origine immigrée qui, traditionnellement, avaient davantage cherché à transformer l'école publique qu'à assurer leur complétude institutionnelle. Cette tendance a été accentuée par deux facteurs. D'une part, l'échec scolaire persistant des Noirs américains et des minorités *raciales* un peu partout au sein des écoles publiques a été de plus en plus interprété non plus à partir d'une perspective compensatoire, mais comme un effet de l'*européanocentrisme* des curricula explicites et implicites qui y prévalent. Dans la foulée du mouvement du *Black is beautiful*, nombre de communautés revendiquent le contrôle d'écoles dont la socioculture serait plus étroitement liée à celle des familles et des élèves[49]. D'autre part, l'importance accrue de la présence musulmane au sein de divers pays d'immigration viendra ajouter à la légitimité des écoles ethnoreligieuses[50]. En effet, comme on l'a vu plus haut, la séparation beaucoup moins marquée entre la sphère publique et la sphère privée dans l'Islam rend souvent difficile l'adaptation des écoles publiques aux besoins et attentes des élèves et des parents de cette religion.

Durant les années 1990, trois mouvements, qui vont dans le sens d'une ethnicisation accrue de l'éducation, vont toucher les sociétés occidentales. Tout d'abord, les *Charter Schools*, qu'on retrouve dans 36 États, se sont multipliées aux États-Unis[51]. De 1996 à 2000, leur nombre est passé de 350 à 2000. Ces institutions sont caractérisées par leur diversité. Elles regroupent, en effet, à la fois des écoles alternatives, de l'éducation à la maison menée par des parents traditionalistes, ainsi que des écoles ethnospécifiques. Selon le rapport le plus récent du *US Department of Education* à cet égard, celles-ci représenteraient environ le quart des initiatives mises de l'avant. De plus, à l'opposé des perceptions prévalant chez certains intervenants de gauche, loin de présenter un profil élitiste, les *Charter Schools* ont tendance à desservir, davantage que les écoles publiques, les élèves minori-

---

49. Bennett (1990) ; Ball (1992) ; Dei (1996).
50. Waugh *et al.* (1991) ; Lewis et Schnapper (1992) ; Shadid et Van Koningsveld (1996).
51. Newman (1994) ; Schwartz (1996) ; US Department of Education (1999b) ; US Charter Schools (2001).

taires, d'origine immigrée ou d'un statut socioéconomique inférieur. Il semble donc que l'on assiste là à une utilisation maximale, par des parents insatisfaits des résultats du système, de la brèche ouverte, pour d'autres motifs, par les conservateurs américains. On connaît peu toutefois la nature des projets éducatifs privilégiés au sein de ces écoles, notamment dans quelle mesure les parents noirs ou hispanophones y privilégient une pédagogie traditionnelle *plus blanche que nature* ou, au contraire, mettent de l'avant des initiatives visant le maintien de leur culture ou de leur langue.

La popularité des écoles *afrocentristes* s'est également maintenue aux États-Unis et a même dépassé les frontières de notre voisin du Sud[52]. En effet, depuis 1990, dans un contexte nettement moins favorable puisque le gouvernement n'y finance pas l'enseignement privé, le débat fait rage en Ontario quant à la légitimité de créer un tel type d'établissement. Une première recommandation à cet effet est venue d'un groupe de travail sur la communauté africaine canadienne représentant divers niveaux de gouvernement. Ce groupe a suggéré la création de six écoles à *dominante noire* dans chacune des commissions scolaires du territoire torontois. Un accent particulier y aurait été mis sur l'histoire, la culture et la représentation de la communauté noire. Cette proposition a généré beaucoup de résistance, non seulement au sein de la communauté majoritaire mais aussi chez les représentants des *minorités visibles*, qui en craignaient les effets pervers potentiels en termes de ségrégation et d'isolement. C'est pourquoi la Commission royale sur l'enseignement de 1994 l'a quelque peu édulcorée. Elle a proposé, en effet, que dans les districts à forte proportion d'élèves noirs, les autorités scolaires, les facultés des sciences de l'éducation et les représentants de la communauté s'associent pour créer des écoles pilotes où les besoins de cette population seraient spécifiquement pris en compte. Sans représenter à proprement parler des écoles *afrocentristes*, de tels projets se seraient inscrits, pour le moins, dans la foulée du mouvement de contrôle communautaire de l'éducation par les minorités. Suite au conservatisme qui a suivi l'élection du gouvernement Harris, le projet est demeuré en suspens. Toutefois, il continue à avoir ses défenseurs au sein de la communauté.

---

52. Dei (1993, 1996); Commission royale sur l'éducation de l'Ontario (1994); Bérubé (1995); Gill (1998).

Finalement, dans une dynamique où l'égalité des chances est moins centrale, il faut noter l'accroissement de la demande pour des écoles musulmanes, notable dans la plupart des sociétés européennes. On rencontre trois types de situation à cet égard[53]. Dans certains pays, comme la France et l'Allemagne, il est légalement possible de fonder des écoles mais celles-ci ne peuvent recevoir un soutien étatique. Dans d'autres, comme la Belgique ou l'Angleterre, la possibilité d'un financement existe mais les développements ont été limités à cause de résistances publiques ou bureaucratiques. Finalement, aux Pays-Bas ou au Danemark, le développement des écoles musulmanes, financées partiellement ou totalement par l'État, est important.

Dans l'ensemble, les motifs qui poussent les parents à opter pour une offre scolaire ethnospécifique sont similaires. Il s'agit, entre autres, de la difficulté de pratiquer la religion au sein d'écoles laïques, et encore davantage si elles sont catholiques ou protestantes, de leur préoccupation face aux valeurs promues dans de tels contextes, ainsi que du problème de la coéducation des garçons et des filles[54]. À ces raisons s'ajoute parfois un sentiment de discrimination à l'école publique, notamment pour les communautés sous-performantes. L'opposition à de tels projets a parfois été très ouverte comme en Belgique, ou larvée mais tout aussi efficace comme en Grande-Bretagne. Elle porte généralement sur le danger de ghettoïser des populations perçues comme *visibles* et la crainte que les projets éducatifs de tels établissements ne soient contraires aux valeurs démocratiques ainsi qu'à l'égalité des chances entre les garçons et les filles. Certains font aussi valoir que le repli des communautés immigrantes vers les écoles ethnospécifiques pourrait diminuer la légitimité de la pression qui s'exerce actuellement sur les écoles publiques afin qu'elles deviennent davantage pluralistes.

Le poids de ces arguments est étroitement lié au contexte scolaire qui prévaut dans chacune des sociétés[55]. Ainsi, lorsqu'il n'existe qu'un seul

53. Commission for Racial Equality (CRE) (1990); Dwyer et Meyer (1995, 1996); Driessen et Bezemer (1999); Renaerts (1999).
54. Halstead (1986); The Educational Muslim Trust (1993).
55. Dwyer et Meyer (1996); Driessen et Bezemer (1999).

réseau scolaire laïque et unifié et que l'enseignement de la religion musulmane y est possible au même titre que celle des autres religions, les communautés peuvent difficilement invoquer l'argument de l'égalité des droits. À l'inverse, dans les contextes où la multiplicité des réseaux scolaires a historiquement prévalu, le poids de la démonstration revient plutôt à la communauté majoritaire. Celle-ci doit justifier, souvent par des circonvolutions hypocrites, pourquoi un traitement qu'elle a traditionnellement accordé aux religions judéo-chrétiennes ne saurait être étendu aux religions non chrétiennes.

Le cas de la Grande-Bretagne est particulièrement intéressant à cet égard[56]. En effet, en 1985, le *Rapport Swann* s'était prononcé catégoriquement contre l'existence d'écoles ethnoreligieuses. Toutefois, dans les années 1990, alors que le gouvernement Thatcher préconisait la liberté presque absolue des écoles et la privatisation de l'éducation, la pression en faveur des écoles musulmanes s'est accrue. Face à la résistance d'une partie non négligeable de l'opinion publique, le gouvernement n'en a pas moins continué à refuser les demandes à cet égard, suscitant nombre de controverses. Le moratoire a finalement été levé par le gouvernement Blair. Cependant, le *Department for Education and Employment* (DfEE) a clairement énoncé les balises imposées aux écoles ethnoreligieuses privées afin qu'elles puissent recevoir un financement étatique ; parmi ces balises, la promotion des valeurs démocratiques fondamentales et de l'égalité des sexes est centrale[57].

Le débat sur la légitimité des écoles ethnospécifiques, tant en Amérique du Nord qu'en Europe, est demeuré largement normatif. Lorsqu'elles sont revendiquées au nom d'une égalité des chances accrue pour des minorités marginalisées, on possède certes de nombreuses données qui prouvent l'échec de l'école traditionnelle à cet égard[58]. Toutefois, la recherche est insuffisamment développée ou trop localisée pour confirmer l'hypothèse qu'un arrimage plus étroit des cultures scolaires et familiales suffirait, à lui seul, à assurer un progrès marqué en matière de performance scolaire des minorités. Comme on l'a vu plus haut, en effet, la littérature américaine est

---

56. Swann (1985) ; CRE (1990) ; Cumper (1990) ; Dwyer (1993).
57. BBC News (1998) ; Department for Education and Employment (DfEE) (1998b).
58. Gibson et Ogbu (1991) ; Hargreaves (1996) ; Walford (1996) ; Tomlinson (1997).

largement non concluante quant aux avantages comparatifs de l'intégration scolaire ou du contrôle communautaire sur cet élément. Dans le contexte canadien, les partisans des écoles communautaires se limitent, la plupart du temps, à des arguments indirects à caractère psychologique ou idéologique portant, notamment, sur l'importance des *modèles de rôle* positifs et d'un curriculum auquel les élèves minoritaires peuvent s'identifier[59].

La seule étude expérimentale de grande envergure sur cette question a été menée au sein des écoles musulmanes des Pays-Bas, dont la clientèle est fortement défavorisée[60]. Elle a montré peu de différences significatives à cet égard avec la performance des écoles publiques. Les auteurs concluent que les déterminants du succès scolaire des minorités sont trop complexes pour pouvoir être déduits directement du degré de cohérence culturelle entre les clientèles et les institutions qui les accueillent, même si le contrôle communautaire de l'éducation a des effets bénéfiques au plan de l'estime de soi.

Le second motif qui peut pousser les parents à revendiquer une offre scolaire ethnospécifique est le désir de maintenir leur langue, leur culture et leur foi. C'est une évidence de postuler que les résultats des écoles ségréguées devraient être plus marqués, comme l'a d'ailleurs illustré l'étude néerlandaise citée plus haut. Toutefois, d'autres recherches[61] montrent que le partage d'institutions communes peut, à l'inverse, contribuer à la *salience* des identités ethniques et religieuses. Ces études traitaient, entre autres, de l'impact de la fréquentation de l'école intégrée pour les catholiques et les protestants en Irlande du Nord ou les rapports entre Blancs et Noirs au sein des écoles déségréguées américaines. Ici encore, les dynamiques de maintien ou de modification des frontières ethniques apparaissent suffisamment multivoques pour qu'on ne puisse, *a priori*, statuer sur un rapport unique entre les choix de scolarisation et le maintien des cultures.

Par ailleurs, même dans l'hypothèse probable que les écoles ethnospécifiques contribuent au renforcement des identités groupales, le débat

---

59. Mc Andrew (1988d) ; Dei (1996).
60. Driessen et Bezemer (1999).
61. Hunt et Hunt (1977) ; St. John (1975) ; McClenahan *et al.* (1996) ; Morgan (2000).

demeurerait ouvert quant à leur impact à plus long terme sur la dynamique des sociétés d'accueil. Aujourd'hui, les tenants du *pluralisme intégratif*, qui met l'accent sur le partage d'institutions communes, dominent au sein de la plupart des démocraties libérales[62]. Toutefois, on peut concevoir un *pluralisme dynamique* où la coexistence de communautés à valeurs radicalement différentes serait accommodée à travers un cadre civique beaucoup moins substantif[63]. La reproduction culturelle assurée par les écoles ethnospécifiques devient alors un des éléments garants du maintien du pluralisme au sein de la société, que le multiculturalisme de façade des écoles publiques contribuerait plutôt à réduire. En dernière instance, et au-delà des données qui manquent, c'est donc à des conceptions différenciées de la citoyenneté que renvoie le débat relatif aux divers modèles de scolarisation des populations d'origine immigrée.

Contribution potentielle au débat québécois

Le partage d'institutions scolaires par les élèves de toutes origines est-il une condition nécessaire à l'intégration ? Au contraire, doit-on considérer qu'une certaine ségrégation est inévitable, voire même souhaitable, comme le font valoir les partisans du contrôle communautaire ? S'il est une conclusion que l'on peut tirer des expériences très diverses recensées plus haut, c'est d'abord l'impossibilité de donner une réponse objective à ces questions, c'est-à-dire fondée sur les conséquences éducatives de l'un ou l'autre choix.

À l'exception des États-Unis, où les conclusions portent sur une minorité marginalisée de longue date et non sur une population d'origine immigrée, la plupart des autres pays d'immigration, on l'a vu, ont effectué très peu de recherches sur les extrants des divers modèles de scolarisation. À l'opposé de la situation qui prévaut au Québec et au Canada, la ségrégation scolaire des élèves d'origine immigrée y est généralement associée à une performance scolaire inférieure. Toutefois, on ignore s'il y a là un lien de cause à effet, c'est-à-dire si la fréquentation d'écoles où la clientèle

---

62. Carens (1985) ; Kymlicka (1996) ; Weinstock (1996).
63. Bourgeault et Pietrantonio (1996) ; Halstead (1986).

majoritaire domine changerait la donne. Les écoles contrôlées par les communautés n'ont pas non plus réussi à prouver, hors de tout doute, leur performance supérieure en cette matière. Quant aux conséquences d'une scolarisation commune ou ségréguée sur l'intégration sociale des populations immigrées, aucune des interventions décrites plus haut ne visait principalement cet objectif, à l'exception de l'expérience israélienne. Les conclusions émanant de ce contexte confirment un certain impact des contacts accrus sur l'amélioration des attitudes et des relations interethniques. Elles pointent, toutefois, surtout vers les conditions de mise en œuvre de telles réformes qui, en aucun cas, ne sauraient représenter une panacée. Par ailleurs, la dimension linguistique, si centrale au Québec, est presque totalement absente de la littérature canadienne de langue anglaise ou internationale. En dernière instance, la décision de privilégier une scolarisation commune ou le contrôle communautaire semble donc s'inscrire dans la marge de manœuvre légitime de l'exercice démocratique du pouvoir par les citoyens, du moins dans les limites définies par l'égalité des droits et privilèges des divers groupes et religions.

Dans le contexte québécois, il est probable que l'on décidera de continuer à mener concurremment les deux options, soit d'accentuer le partage des espaces scolaires communs entre les minorités d'origine immigrée récente et la majorité, tout en maintenant la complétude institutionnelle de certains groupes religieux. Toutefois, deux questions centrales demeurent ouvertes. D'une part, étant donné que l'expérience étrangère de rééquilibre des clientèles scolaires s'est révélée peu efficace, pourrait-on envisager que, dans le contexte québécois, de telles approches soient couronnées de succès? D'autre part, alors que l'intensification du contrôle communautaire représente une tendance lourde des pays d'immigration, quelles sont les balises qui devraient guider le choix de financer les institutions ethnospécifiques ainsi que la définition de leurs programmes?

En ce qui concerne la première question, le fait que les approches recensées visent une population défavorisée au plan scolaire constitue une importante limite de transférabilité des résultats qui en découlent. Le sens où joue cette limite n'est pas clair. Certains pourraient faire valoir qu'il serait plus facile, au Québec, d'assurer une des conditions maximisant l'efficacité du rééquilibre des clientèles scolaires, soit le jumelage d'élèves et de personnels scolaires ayant des statuts socioéconomiques sensiblement équivalents. Toutefois, la légitimité même d'une action dans le domaine en est amoindrie. En effet, l'intégration sociale ou le rapprochement inter-communautaire sont des objectifs sociaux nettement moins consensuels que l'égalité des chances, qu'on peut évaluer de manière plus rigoureuse et qui est largement prescrite par les chartes canadienne et québécoise.

L'approche bureaucratique semble donc à rejeter. Toutefois, l'examen des initiatives récentes de déségrégation scolaire aux États-Unis ainsi que certaines avancées de la politique de déconcentration flamande montrent que des approches incitatives de concertation entre milieux scolaires peuvent donner des résultats appréciables. Pour le moins, ces stratégies sont susceptibles d'empêcher que les écoles à moyenne ou haute concentration ethnique ne basculent dans la catégorie des écoles à très haute concentration. C'est une tendance constatée également au Québec. Si l'on juge important de préserver les occasions de contacts entre jeunes francophones natifs et jeunes d'origine immigrée, on pourrait donc s'inspirer de ce type de stratégie. L'expérience flamande est particulièrement intéressante parce qu'elle suppose, moins que le *controlled choice* ou le *busing* volontaire, l'existence d'une offre scolaire largement *dérégulée*. En effet, au Québec, on est encore loin du momentum idéologique qui prévaut en matière de marchandisation de l'éducation dans certaines provinces canadiennes ou aux États-Unis.

En ce qui concerne la légitimité des écoles ethnospécifiques, l'approche comparative nous indique d'abord que, lorsque celles-ci sont revendiquées pour des motifs religieux, il est très difficile pour une société de prétendre appliquer, à ses groupes minoritaires, une médecine qu'elle n'étendrait pas à son groupe majoritaire. Bien que nous ayons déconfessionnalisé nos structures, le fait que les religions catholique et protestante conservent encore des privilèges importants au sein de nos écoles plaide donc en faveur d'un soutien à la complétude institutionnelle des autres minorités religieuses. De plus, dans le passé, les écoles juives, orthodoxes et arméniennes ne se sont pas révélées des facteurs majeurs de clivages sociaux.

Le Québec n'est certes pas immunisé contre le sentiment antimusulman qu'on a connu dans d'autres contextes. Dans une société de droit comme la nôtre où le financement des écoles privées est soutenu, la seule solution acceptable semble être toutefois de respecter le choix des parents désireux de se prévaloir d'une offre scolaire ethnoreligieuse. Il faut parallèlement énoncer les balises nécessaires à la préservation des valeurs démocratiques et de l'égalité des citoyens et des citoyennes à l'intérieur de telles institutions. On pourrait, à cet égard, s'inspirer du modèle britannique où les limites du pluralisme institutionnel sont clairement établies.

On peut aussi se demander si le Québec connaîtra éventuellement, comme l'Ontario, un projet d'école *afrocentriste*. Divers facteurs ont limité la popularité de cette formule dans notre contexte particulier. Il s'agit, entre autres, de la division linguistique qui prévaut au sein de la communauté noire ainsi que de l'existence de nombreuses écoles *de facto* haïtiennes au sein de l'ancienne CEPGM, qui favorisait une adéquation des origines ethniques de la direction, du personnel et de la clientèle. Si elle émergeait, cette dynamique serait intéressante. En effet, pour la première fois, la ségrégation scolaire et le contrôle communautaire de l'éducation seraient discutés au Québec, à partir de leur rapport avec l'égalité des chances et non uniquement à travers un paradigme opposant l'intégration au pluralisme.

À court terme, on peut penser que les liens entre l'ethnicité et les structures scolaires devraient plutôt se stabiliser. En effet, il est improbable que toute intervention visant à contrer la concentration ethnique *de facto* ait un impact autre que mineur sur la dynamique générale d'augmentation de la présence de la population d'origine immigrée dans l'ensemble des écoles publiques de l'île de Montréal. De plus, l'histoire montre que la boîte de Pandore de la remise en question du financement des écoles privées est généralement rapidement refermée par les politiciens et les décideurs qui osent s'aventurer sur ce terrain glissant. En matière de scolarisation commune, il semble donc qu'on ait commencé à atteindre les limites des approches volontaristes, malgré l'impact indéniable qu'elles ont eu sur l'évolution des relations interethniques au sein de notre société.

CONCLUSION

Dans cet ouvrage, nous avons examiné divers enjeux relatifs à l'immigration et à la diversité au sein du système scolaire québécois ainsi que les liens qu'ils entretiennent avec des problématiques similaires dans d'autres sociétés. Que peut-on en conclure ? Ne serait-il pas présomptueux de tenir des propos prospectifs en plus des conclusions partielles déjà proposées suite aux six questions soulevées ? Sans doute, et c'est pourquoi nous avons l'intention de nous atteler à une tout autre tâche dans les pages qui suivent. En effet, ce qui nous intéresse ici, ce n'est pas de jouer les Salomon et les Cassandre en proposant des jugements d'ensemble ou des prédictions d'avenir. C'est plutôt de réfléchir de façon critique sur ce que nos analyses révèlent, non plus seulement au seul plan scolaire mais à celui de la société tout entière, sur l'état d'avancement du projet de redéfinition des rapports ethniques entrepris depuis une trentaine d'années au Québec.

On l'a dit plus haut — et c'est d'ailleurs une évidence — les politiques, programmes et pratiques scolaires ne peuvent être compris, tant en ce qui concerne leurs origines que leurs effets, en dehors du contexte plus large où ils s'inscrivent. Et c'est d'ailleurs ce que nous avons systématiquement tenté de faire pour le Québec comme pour les autres sociétés à l'étude. Réciproquement toutefois, les débats que suscitent ces interventions, voire les blocages qu'elles rencontrent, sont susceptibles de nous apprendre beaucoup sur les populations qui les ont mises en œuvre.

Un premier constat à caractère général s'impose, et ce, tout particulièrement dans la foulée de la perspective comparative: celui de la *normalisation* évidente des rapports ethniques au Québec. Le groupe francophone assume désormais clairement son statut de majorité sociologique au sein du système scolaire. C'est une évolution qui nous rapproche de la réalité vécue au sein des sociétés à dominance ethnique simple, comme les États-Unis, la France, la Grande-Bretagne et le Canada anglais, mais aussi des efforts entrepris dans des sociétés plus similaires à la nôtre au plan linguistique, notamment la Flandre.

Le récent passage des commissions scolaires confessionnelles aux commissions scolaires linguistiques représente — on l'a fait valoir au chapitre 6 — l'avancée la plus marquante à cet égard depuis l'adoption de la Loi 101. Il fait d'une école française unifiée le lieu presque exclusif de l'intégration des nouveaux arrivants et des communautés arrivées depuis trente ans. Mais, tout au long de cet ouvrage, cette *normalisation* n'a cessé de se manifester à travers d'autres indicateurs, souvent positifs mais parfois aussi plus problématiques ou ambigus.

Dans le premier cas, on peut penser, entre autres, aux acquis relatifs à la maîtrise et à l'usage du français chez les nouveaux arrivants ainsi qu'à une certaine *décrispation* des décideurs et des intervenants scolaires face à l'enjeu linguistique. Ces avancées nous amènent, bien qu'encore trop timidement, à explorer des formules plus variées et plus dynamiques en matière d'accueil. Il faut aussi mentionner l'attraction plus limitée que par le passé qu'exercent les écoles ethnospécifiques, désormais en compétition avec un système scolaire authentiquement public.

Dans le second, on ne peut passer sous silence la relative détérioration du statut des immigrés, et surtout des *minorités visibles*, dans le *pecking order* de la réussite scolaire, où les francophones n'occupent plus la troisième position. Deux tendances éducatives sont aussi à signaler. On note moins d'enthousiasme face au Programme d'enseignement des langues d'origine (PELO) chez certains décideurs, qui ne ressentent plus autant la nécessité d'attirer des communautés dont l'allégeance est désormais prise pour acquise. De plus, la nouvelle popularité de l'éducation à la citoyenneté peut être interprétée comme un retour en force des préoccupations du groupe majoritaire, même s'il n'y a pas consensus à cet égard. Le maintien, voire l'augmentation récente, du phénomène de concentration des clientèles d'origine immigrée dans certaines écoles témoigne également de la similarité des problématiques touchant le Québec avec celles qui prévalent ailleurs; à l'opposé, la situation drastique d'isolement intercommunautaire que nous vivions avant 1977 était très spécifique.

Cette *normalisation* s'accompagne — et ceci constitue notre second constat – d'un remplacement de plus en plus évident du *marqueur* linguistique par les *marqueurs* religieux et *racial*, dont la *salience* ne cesse de croître depuis trente ans. Au plan des rapports ethniques, et surtout des tensions, il est clair que l'accession — si l'on peut dire — de la communauté musulmane au statut de groupe cible relève d'abord et avant tout d'une dynamique internationale où l'impact des particularismes québécois est limité. Cette nouvelle donne s'est manifestée lors de la crise du hijab ou de la négociation de divers accommodements en milieu scolaire, du conflit entourant le développement d'un PELO arabe ou, plus discrètement mais non moins réellement, du débat sur la place de la religion à l'école. D'une façon plus générale, tant chez les élèves que chez les intervenants, les enjeux culturels et religieux occupent désormais l'avant-scène du partage d'un espace scolaire commun, en contraste, par exemple, avec la réalité essentiellement polarisée autour des questions linguistiques que décrivait *Xénofolies* en 1985.

Par ailleurs, au plan des inégalités — on l'a vu au chapitre 3 — c'est désormais le marqueur *racial* qu'il faudrait considérer pour sortir du constat autogratifiant et trop général voulant que l'intégration scolaire des élèves d'origine immigrée soit non problématique. À cet égard, le ministère de l'Éducation du Québec, qui collige des statistiques essentiellement basées sur la langue des élèves, semble nettement en retard sur les ministères qui s'occupent des populations adultes, où la spécificité des *minorités visibles* est largement reconnue.

L'accession des francophones au statut de majorité sociologique ainsi que le remplacement graduel du *marqueur* linguistique par les *marqueurs* religieux et *racial* s'imposent en milieu scolaire. Dans quelle mesure ces deux phénomènes sont-ils également manifestes dans la société dans son ensemble ? On pourrait en débattre longtemps, chacun y allant de son témoignage et de son vécu. Au minimum, il faudrait rappeler le hiatus Montréal/régions à cet égard, qui touche d'ailleurs autant le système scolaire que les autres espaces de la société civique et civile. Toutefois, répondre de manière rigoureuse à cette question dépasserait le cadre de cette conclusion. Il faudrait réaliser, dans d'autres domaines, une démarche aussi exhaustive que celle que nous avons menée au sein du monde de l'éducation.

Il nous paraît donc préférable de souligner plus simplement — en guise de dernier constat — le hiatus qui semble exister entre les acquis indéniables des trente dernières années et les perceptions des intervenants et des citoyens qui vivent quotidiennement ces changements. Ce décalage est perceptible autant dans le discours médiatique et les prises de position professionnelles qu'à travers les données émanant de recherches expérimentales ou qualitatives.

Pour se limiter ici au monde de l'éducation, il est évident que la réaction institutionnelle, professionnelle ou même publique en matière d'intégration des immigrants et d'adaptation à la diversité semble parfois décalée face à la nouvelle donne. On l'a vu, notamment, lors du débat concernant la redéfinition de l'accueil où la crispation syndicale s'appuyait sur une vision du statut du français sortie tout droit des années 1970. Les données positives et de plus en plus convergentes provenant d'études diverses sur la francisation des allophones ont également envoyé une onde de choc à certains porte-parole nationalistes. Ceux-ci semblent souvent préférer la menace linguistique, qu'ils connaissent bien, aux enjeux complexes suscités par la négociation interculturelle dans un espace de plus en plus francophone.

La difficulté des décideurs et des intervenants, voire des parents francophones, à percevoir la position relativement privilégiée qu'ils occupent désormais face aux populations d'origine immigrée est également manifeste. On peut en percevoir un écho dans la lenteur à redéfinir la clientèle cible des activités de lutte à l'échec scolaire, traditionnellement constituée par une population de *vieille souche*. Mais cette difficulté est surtout évidente dans le débat sur le *jusqu'où* et le *comment* de l'adaptation institutionnelle — qui a fait l'objet du chapitre 4. Cette question, bien qu'elle s'inscrive dans la foulée de tendances très internationales, ne cesse, en effet, d'être marquée au Québec par une particularité: la mémoire de *victimisation* passée des francophones.

Il est évidemment difficile d'évaluer avec rigueur l'étendue de ce hiatus *nouvelle donne/réactions du passé*. Il ne faudrait pas surestimer l'ampleur de ce phénomène, somme toute naturel, vu le caractère relativement récent des transformations décrites. Au contraire, nous avons vu, au fur et à mesure de cet ouvrage, à quel point le système scolaire québécois s'était montré capable d'évoluer et de s'adapter à ce que l'on appelait encore, il n'y a pas si longtemps, la *nouvelle* réalité multiethnique. De plus, nous vivons aujourd'hui une phase de remplacement rapide du personnel scolaire issu de la Révolution tranquille par des *enfants de la Loi 101*. Les nouveaux maîtres sont, certes, encore trop uniquement d'origine canadienne-française mais, pour le moins, ils ont clairement été socialisés dans un autre contexte de rapports ethniques.

Toutefois, il ne faut pas oublier que, malgré ses acquis indéniables, la *normalisation* des rapports ethniques au Québec n'a pas que des aspects positifs, notamment pour les clientèles d'origine immigrée désormais beaucoup plus clairement *minorisées* que par le passé. Il sera donc essentiel que la majorité francophone assume non seulement les droits mais surtout les obligations de son nouveau statut. On peut aussi souhaiter que nous nous inspirions, à cet égard, des réussites des expériences canadiennes et internationales plutôt que de leurs limites.

RÉFÉRENCES

ABDHALLAH-PRETCEILLE, M. (1992), *Quelle école pour quelle intégration?*, Paris, Hachette.

ABOU, S. (1992), *Cultures et droits de l'homme*, Paris, Hachette, coll. « Pluriel ».

ABU-LABAN, Y. et D. STASILIUS (1992), « Ethnic Pluralism Under Siege : Popular and Partisan Opposition to Multiculturalism », *Canadian Public Policy, 18*(4), 365-386.

Alliance des professeurs de Montréal (2000a), « Pas d'intégration sans respect de la convention », *Le Bis, 23*(19).

Alliance des professeurs de Montréal (2000b), « L'expérimentation à l'accueil, ça nous concerne tous », *Le Bis, 23*(20).

Alliance des professeurs de Montréal (2000c), « Francisation des immigrants. L'Alliance rencontre les ministres », *Le Bis, 23*(21).

AMIR, Y. (1976), « The Role of Intergroup Contact in Change of Prejudice and Ethnic Relations », *in* P.A. KATZ (dir.), *Towards the Elimination of Racism*, New York : Pergamon Press, p. 245-308.

AMIR, Y. (1984), « Equity and Excellence in Israel's Junior High Schools : Likehood or Illusion », communication présentée à l'*International Conference on Education in the 90's*, Tel Aviv, Israël.

AMIR, Y. et R. BEN-ARI (1985), « Approaches to Conflict Resolution between Ethnic and National Groups in Israel : Arab/Jewish and Western/Middle-Eastern Jewish Youth », communication présentée au *Circum-Mediterranean Regional IACCP Conference*, Malmo, Suède.

ANCTIL, P. (1984), « Double majorité et multiplicité ethnoculturelle à Montréal », *Recherches sociographiques, 25*(3), 441-450.

ANDERSON, T. et M. BOYER (1970), *Bilingual Schooling in the United States*, Austin, SW, Educational Development Laboratory.

APPLE, M.W. (1979), *Ideology and Curriculum*, London, Routledge, Kegan & Paul.

APPLE, M.W. (1999), « The Absent Presence of Race in Educational Reform », *Race Ethnicity and Education*, 2(1), 9-16.

ARMOR, D. (1988), « School Busing : A Time for Change », *in* P. KATZ et D. TAYLOR (dir.), *Eliminating Racism*, New York, Plenum Press, p. 259-281.

ASTOR STAVE, S. (1995), *Achieving Racial Balance : Case Studies of Contemporary School Desegregation*, Greenwook Publishing Group.

ATTAR, R. (1981), « L'accueil... dix ans après », *Dimensions*, 2(3), 8-10.

AUDIGIER, F. (1993), *Enseigner la société, transmettre des valeurs — L'initiation juridique dans l'éducation civique. Un enseignement secondaire pour l'Europe*, Conseil de la Coopération culturelle, Les Éditions du Conseil de l'Europe.

AUDIGIER, F., G. LAGELÉE et J. COSTA-LASCOUX (1996), *Éducation civique et initiation juridique dans les collèges*, Paris, INRP.

AUGUST, D. et K. HAKUTA (1977), *Improving Schooling for Language Minority Children : A Research Agenda*, Washington, DC, National Research Council.

AZDOUZ, R. (1997), « Entre ethnicité et citoyenneté : quelle place pour l'individu ? », communication présentée lors du Colloque de l'Association pour l'Éducation Interculturelle au Québec (APEIQ), *De l'interculturel à la citoyenneté : un plus pour la cohésion sociale ?*

AZOULAY, L. (1998), « L'école Maimonide : une école juive sépharade francophone où réussite, intégration, fierté de son identité et cohésion sociale cohabitent harmonieusement », M.Ed., Faculté d'éducation, Université de Montréal.

AZZAM, S. et M. MC ANDREW (1987), *Évaluation des services offerts dans le cadre du PELO et de l'impact de ce programme sur les élèves et les écoles de la CECM*, rapport de recherche, Montréal, CECM.

BALL, S. (1992), *Education, Majorism and the Curriculum of the Depth*, London, Center for Educational Study, King's College.

BALL, S. (1993), « Education Market Choice and Social Class : The Market as a Class Strategy in the UK and the US », *British Journal of Sociologic Education*, 14(1), 3-17.

BALLANTYNE, J.H. (1989), *The Sociology of Education : A Systematic Analysis*, Englewood Cliffs, NJ, Prentice Hall.

BALLION, R. (1986), « Le choix du collège. Le comportement "éclairé" des familles », *Revue française de sociologie*, XXVII, 719-734.

BALLS, S. et A. VAN ZANTEN (1998), « Logique de marchés et éthique contextualisées dans les systèmes scolaires français et britannique », *Éducation et Sociétés*, numéro spécial *L'éducation, l'État et le Local*, 1. Revue internationale de sociologie de l'éducation, INRP/De Boeck.

BANKS, J.A. (1988a), « Race, ethnicité et scolarisation aux États-Unis. Bilan et perspective », *in* F. OUELLET (dir.), *Pluralisme et école*, Québec, IQRC, p. 157-186.

BANKS, J.A. (1988b), *Multiethnic Education: Theory and Practice*, 2ᵉ édition, Boston, Allyn and Bacon.

BANKS, J.A. (1995), «Multicultural Education: Historical Development, Dimensions and Practices», *in* J.A. BANKS et C.A. McGEE-BANKS (dir.), *Handbook of Research on Multicultural Education*, New York, MacMillan.

BARRÈRE, A. et D. MARTUCELLI (1998), «La citoyenneté à l'école. Vers la définition d'une problématique sociologique», *Revue française de pédagogie, XXXIX*(4), 651-671.

BARRETTE, C., É. GAUDET et D. LEMAY (1988), *Interculturalisme et pratiques pédagogiques au collégial. Proposition de design pédagogique*, Montréal, Collèges Bois-de-Boulogne et Ahuntsic.

BARTH, J.L. (1993), «Social Studies: There Is a History, There Is a Body, But Is It Worth Saving?», *Social Studies, 57*(2).

BATAILLE, P., M. MC ANDREW et M. POTVIN (1998), «Racisme et antiracisme au Québec. Analyse et approches nouvelles», *Cahiers de recherche sociologique, 31*, 115-144.

BATES, P. (1990), «Desegregation: Can We Get There From Here?», *Phi Delta Kappan*, September 8-17.

BAUER, J. (1994), *Les minorités au Québec*, Montréal, Boréal, coll. «Boréal Express».

BBC News (1998), *Religious Schools*, Tuesday, May 19, BBC News Network. <bbcnews/england/religious>

BEARE, H. et W.L. BOYD (dir.) (1993), *Restructuring Schools: An International Perspective on the Movement To Transform the Control and Performance of Schools*, Bristol, Falmer Press.

BEAUCHESNE, A. (1987), *Les agents de liaison à Montréal, Toronto et Vancouver. Étude de leurs caractéristiques, de leurs conditions de travail, de leurs rôles et de l'impact de leurs interventions*, Montréal, CECM.

BEHIELS, M.D. (1986), «The Commission des Écoles Catholiques de Montréal and the Neo-Canadian Question: 1947-1963», *Études ethniques au Canada, 18*.

BEN-DROR, G. (1986), «Structural Reform in the Israel Educational System: Lessons of Experience», communication présentée à l'*Edusystems 2000 International Congress on Educational Facilities, Values, and Contents*, Jerusalem, Israël.

BENES, M.-F. (1990), «Se préparer au Québec de demain», *Vie pédagogique, 67*.

BENNETT, C.I. (1990), *Comprehensive Multicultural Education: Theory and Practice*, Boston, Allyn and Bacon.

BERNATCHEZ, S. (1996), *La prise en compte de la diversité religieuse et culturelle au Canada, aux États-Unis, en France et en Grande-Bretagne. Aspects juridiques*, rapport de recherche, GREAPE, Université de Montréal.

BERNATCHEZ, S. et G. BOURGEAULT (1999), «La prise en compte de la diversité religieuse et culturelle à l'école et l'"obligation d'accommodement". Aperçu des législations et jurisprudences au Canada, aux États-Unis, en France, au Royaume-Uni», *Études ethniques au Canada, 31*(1), 159-171.

BERQUE, J. (1985), *L'immigration à l'école de la République*, rapport d'un groupe de réflexion remis au ministre de l'Éducation Nationale, Centre national de documentation pédagogique, Paris, La Documentation française.

BERTHELOT, J. (1991), *Apprendre à vivre ensemble. Immigration, société et éducation*, Montréal, CEQ et les Éditions Saint-Martin.

BÉRUBÉ, M. (1995), *American School Reform: Progressive, Equity, and Excellence Movements, 1883-1993*, Wesport, Connecticut, Praeger.

BIALYSTOK, E. (1991), « Metalinguistic Dimensions of Bilingual Language Proficiency », *in* E. BIALYSTOK (dir.), *Language Processing in Bilingual Children*, Cambridge, Cambridge University Press, p. 113-140.

BIARNES, J. (1997), « Scolarisation des jeunes non francophones peu ou pas scolarisés antérieurement. Analyse d'une innovation pédagogique », *Migrants et formation*, 108, mars, 86-109.

BIBBY, R.W. (1990), *Mosaic Madness: The Poverty and Potential of Life in Canada*, Toronto, Stoddart.

BICKMORE, K. (1999), « Elementary Curriculum About Conflict Resolution: Can Children Handle Global Politics? », *Theory and Research in Social Education*, 27(1).

BIGELOW, B. (1999), « Standards and Multiculturalism: Rethinking Schools », *A Urban Education Journal*, 13(4), été, 6-7. <www.rethinkingsschools.org/archives/13_04/stands.htm>

BISSOONDATH, N. (1994), *Selling Illusions: The Cult of Multiculturalims in Canada*, Toronto, Penguin Books.

BITTON, J. (1984a), « L'enseignement des langues d'origine et ses relations avec l'enseignement de la langue française au Québec », *Québec français*, mai, 80.

BITTON, J. (1984b), « L'étude des langues d'origine favorise l'intégration des enfants », *Le Devoir*, cahier spécial *Les communautés culturelles à l'école*, 24 août.

BLAIR, M. et J. BOURNE (1998), *Making the Difference: Teaching and Learning Strategies in Successful Multiethnic Schools*, The Open University/Department for Education and Employment, Research Report 59.

BLANCHARD, T. (2000), « Education Action Zones — Real World Success », Communication présentée au séminaire international sur l'*Aide aux écoles des milieux défavorisés de grands centres urbains: determinants communs, trajectoires multiples*, MEQ, mars.

BLONDIN, D. (1991), « Les deux espèces humaines ou l'impossibilité de la communication interculturelle entre les races », *in* F. Ouellet (dir.), *Pluralisme et école*, Québec, IQRC, p. 485-510.

BLOOM, A. (1987), *The Closing of the American Mind*, New York, Simon and Schuster.

BLUN, L.A. (1996), « Antiracist Civic Education in the California Historical-Social Science Framework », *in* R.K. FULLINWIDER (dir.), *Public Education in a Multicultural Society: Policy, Theory, Critique*, New York, Cambridge University Press, p. 23-48.

Boaz, D. (1993), « Five Myths About School Choice », *Education Week, 12*(18), 24-36.

Bosset, P. (1988), *La discrimination indirecte dans le domaine de l'emploi. Aspects juridiques*, Montréal, Éditions Yvon Blais Inc.

Boulot, S. (1991), « Élèves étrangers. Obligation scolaire et classes d'accueil », *Cahiers pédagogiques*, 296. Hommes et migration, septembre.

Boulot, S. et D. Boyzon-Fradet (1984), « L'échec scolaire des enfants de travailleurs migrés. Un problème mal posé », *Les temps modernes*, 452/453, 1902-1914.

Boulot, S. et D. Fradet (1988), *Les immigrés et l'école. Une course d'obstacle*, Paris, L'Harmattan.

Bourgeault, G., F. Gagnon, M. Mc Andrew et M. Pagé (1995), « L'espace de la diversité culturelle et religieuse à l'école dans une démocratie de tradition libérale », *Revue européenne des migrations internationales, 11*(3), 79-103.

Bourgeault, G. et L. Pietrantonio (1996), « L'école dans une société pluraliste et "l'indépendance morale des individus" », *in* F. Gagnon, M. Mc Andrew et M. Pagé (dir.), *Pluralisme, citoyenneté et éducation*, Montréal, L'Harmattan, p. 231-254.

Bourhis, R. et J.J. Leyens (dir.) (1994), *Stéréotypes, discrimination et relations intergroupes*, Liège, Mardaga

Bourne, J. et J. McPake (1991), *Partnership Teaching : Cooperative Teaching Strategies for Language Support in Multilingual Classrooms*, London, HMSO.

Boussetta, H. (2000), « Intégration des immigrés et division communautaire. L'exemple de la Belgique », *in* M. Mc Andrew et F. Gagnon (dir.), *Relations ethniques et éducation dans les sociétés divisées : Québec, Irlande du Nord, Catalogne et Belgique*, Montréal/Paris, L'Harmattan, p. 59-85.

Bouveau, P. (1997), « Les ZEP et la ville. L'évolution d'une politique scolaire », *in* A. Van Zanten (dir.), *La scolarisation dans les milieux « difficiles ». Politiques, processus et pratiques*, Paris, INRP, p. 47-67.

Bouveau, P. et J.-Y. Rochex (1997), *Les ZEP, entre école et société*, Paris, CNDP, Hachette.

Boyzon-Fradet, D. (1993a), « Élèves non francophones. Du nouveau dans les politiques d'accueil ? », *Migrants et formation*, 95, décembre.

Boyzon-Fradet, D. (1993b), « Les structures d'accueil favorisent-elles l'intégration des élèves non francophones dans l'école française ? », *L'école de tous les élèves*, 57-70, Amiens, CRDP.

Boyzon-Fradet, D. et J.-L. Chiss (1997), *Enseigner le français en classes hétérogènes. École et immigration*, Paris, Éditions Nathan, Nathan Pédagogie : coll. « Perspectives didactiques ».

Bradley Commission on History in School (The) (1989), « Building a History Curriculum : Guidelines for Teaching History in Schools », *in* P. Gagnon (dir.), *Historical Literacy : The Case for History in American Education*, New York, MacMillan.

BRADLEY, L.A. et G.W. BRADLEY (1977), « The Academic Achievement of Black Students in Desegregated Schools », *Review of Educational Research*, 47, 399-449.

BRAUNGART, R. G. et M.M. BRAUNGART (1998), « Citizenship and Citizenship Education in the United States in the 1990's », *in* O. YCHILOV (dir.), *Citizenship and Citizenship Education in a Changing World*, London, The Woburn Press, p. 98-129.

BRETON, R. et J.K. REITZ (1994), *The Canadian Mosaic and the American Melting-pot: Is There Really a Difference?*, Toronto, C.D. Hall Institute.

British Columbia Teacher Federation (1994), *The Provision of ESL/ESD in Sixteen BC School Districts*, The BCTF ESL/ESD Research Project, Vancouver, BCTF.

British Columbia Teacher Federation (1999), *Teaching Human Rights, Valuying Dignity, Equity and Diversity*, Resource Guide, Vancouver, BCTF.

BRIZARD, A. (1995), « Comparaison des performances des élèves scolarisés en ZEP et hors-ZEP », *Éducation et Formations*, 41.

BROADFOOT, P. (2000), « Comparative Education for the 21st Century: Retrospect and Prospect », *Comparative Education*, *36*(3), 357-371.

BROCCOLICHIS, F. et A. VAN ZANTEN (1997), « Espace de concurrence et circuit de scolarisation : l'évitement des collèges publics d'un district de la banlieue parisienne », *Annales de la recherche urbaine*, 75, 5-17.

BROCHU, G. (1990), *L'éducation aux droits et aux responsabilités au secondaire. Recueil d'activités*, Québec: MEQ/CDP.

BUBLICK, R. (1979), « Development of the Ontario Heritage Languages Program : A Case Study of Administrative, Political and Ethnic Group Interests on the Making of Public Policy », mémoire, McMaster University.

BUSH, J. (1999), « Achievement and Opportunity: Keys to Quality Education », *Civic Bulletin*, October 22, Center for Civic Innovation at the Manhattan Institute. <www.manhattan-institute.org/html/cb_22.htm>

BYRAM, M. (1990a), « Return to the Home Country: The "Necesssary Dream" in Ethnic Identity », *in* M. BYRAM et J. LEMAN (dir.), *Bicultural and Trilingual Education: The Foyer Model in Brussels*, Clevendon, Philadelphia, Multilingual Matters Ltd., p. 77-94.

BYRAM, M. (1990b), « Teachers and Pupils: The Significance of Cultural Identity », *in* M. BYRAM et J. LEMAN (dir.), *Bicultural and Trilingual Education: The Foyer Model in Brussels*, Clevendon, Philadelphia, Multilingual Matters Ltd., p. 126-135.

BYRAM, M. et J. LEMAN (1990), *Bilingual and Trilingual Education: The Foyer Model in Brussels*, Philadelphia, Multilingual Matters Ltd.

CAIRNS, A. (1993), « The Fragmentation of Canadian Citizenship », *in* W. CAPLAN (dir.), *Belonging: The Meaning and Future of Canadian Citizenship*, Montréal, McGill/Queen's University Press, p. 181-220.

CAIRNS, A. (2000), *Citizens Plus: Aboriginal Peoples and the Canadian State*. Vancouver, UBC Press.

California State Board of Education (1998), *California State Board of Education:* *Title 5,* California Code of Regulation, Division 1, Chapter 11, Sub-Chapter 4 – English Language Learner Education.

California Secretariat of State (1998), *Proposition 227: English Language in Public Schools: Initiative Status,* Official title and summary prepared by the Attorney general. <primary 98.ss.ca.gov.voterguide.proposition/227.htm>

California State University Institute for Educational Reform (1995), *Effective Instruction for English Language Learners,* A discussion sponsored by the California Education Policy Seminar and The CSU Institute for Education Reform.

CAMILLERI, C. (1985), *Anthropologie culturelle et éducation,* Genève, Unesco-Delachaux et Niestlé.

CAMILLERI, C. (1990), « Identité et gestion de la disparité culturelle. Essai d'une typologie », *in* C. CAMILLERI *et al.* (dir.), *Stratégies identitaires,* Paris, PUF, p. 85-110.

CAPPON, R. (1975), *Conflit entre les Néo-Canadiens et les francophones de Montréal,* Québec, Université Laval, CIRB.

CARENS, J. (1989), « Membership and Morality: Admission to Citizenship in Liberal Democratic States », *in* W.R. BRUBAKER (dir.), *Immigration and the Politics of Citizenship in Europe and North America,* Lanjam, MD, German Marshall Fund and University Press of America, p. 311-349

CARENS, J.H. (1990), « Difference and Domination: Reflections on the Relation Between Pluralism and Equality », *in* J. CHAPMAN et A. WERTHEIMER (dir.), *Majorities and Minorities, Nomos XXXII,* New York, New York University Press.

Center for Civic Education (1994a), *National Standards for Civics and Government,* Founded by the US Department of Education and the Pew Charitbale Trust. <www.civiced.org/stds.html>

Center for Civic Education (1994b), *A Summary of Civitas: A Framework for Civic Education.* <vww.cived.org/civitasexec.html>

Center for Civic Education (1995), *Education for Democratic Citizenship: A Framework.* <www.civied.org/framework_index.html>

Centrale de l'enseignement du Québec (1972), *L'école au service de la classe dominante,* Manifeste présenté au XXIIᵉ congrès de la CEQ, juin, Québec.

Centrale de l'enseignement du Québec (1982), « Combattre le racisme », *Cahiers de pédagogie progressiste,* octobre.

Centrale de l'enseignement du Québec (CEQ) (1993), *Politique d'éducation interculturelle,* Document de consultation, D100 0059.

Centre d'Étude Arabe pour le Développement (1992), *Regards sur les Arabes,* Montréal, Dossiers du CEAD.

Centre National de Documentation Pédagogique (1995), *La laïcité. Des libertés sous caution,* Textes et documents pour la classe, Paris, 703.

CHARLAND, J.P. (2000), *L'entreprise éducative au Québec, 1840-1900.* Sainte-Foy, Québec, Presses de l'Université Laval.

CHARLOT, B. (1994), «École et "quartier", complémentarités, ambiguïtés, contradictions contradictoires», *Savoir, Éducation et Formation*, 1, 33-40.

CHAUVEAU, G. et E. ROGOVAS-CHAUVEAU (1990), «(Non)-"Réussite scolaire des immigrés", où sont les différences?», *Migrants et Formation*, 81, 25-34.

CHAVEZ, L. (1991), *Out of the Barrio: Towards a New Politic of Hispanic Assimilation*, New York, Basic Books.

CICERI, C. (1999), *Le foulard islamique à l'école publique. Analyse comparée du débat dans la presse française et québécoise francophone (1994-1995)*, Rapport de recherche, Montréal, Immigration et métropoles.

Citoyenneté et Immigration Canada (1994), *Vers le 21ᵉ siècle. Une stratégie pour l'immigration et la citoyenneté*, Canada, Gouvernement du Canada.

City of Chicago (1999a), *Chicago Public Schools Office of Accountability*.

City of Chicago (1999b), *Chicago Public Schools Trending Up, Four Year Education Progress Report*, July 1995-1999.

Coleman, J.S. (1966), *Equality of Educational Opportunities*, Washington, DC, Department of Education.

Commissariat Royal à la Politique des Immigrés (1989), *Rapport III: Données argumentaires*, Bruxelles.

Commission des Communautés européennes (1977), *Directive du 25 juillet 1977 sur l'éducation des enfants de migrants*, (77-486 EEC), Journal officiel des communautés européennes NOL 199/32 en date du 5 août 1977.

Commission des droits de la personne du Québec (1995), *Le pluralisme religieux au Québec: un défi d'éthique sociale*, Document soumis à la réflexion publique. Montréal, Gouvernement du Québec.

Commission des écoles catholiques de Montréal (1984), *Politiques de services aux élèves des communautés culturelles fréquentant les écoles françaises de la CECM*, Montréal, CECM, Service des études.

Commission des écoles catholiques de Montréal (1988), *Orientation de la CECM en matière d'éducation interculturelle*, Montréal, CECM, Service des études.

Commission des écoles catholiques de Montréal (1990), *Plan d'action de la CECM en matière d'éducation interculturelle*, Montréal, ORI.

Commission des écoles catholiques de Montréal (1993), *L'intégration des immigrants*, Modalités et pratiques de gestion du dossier dans sept commissions scolaires du Québec, Montréal, CECM, Service des études.

Commission des écoles protestantes du Grand Montréal (1988), *A Multicultural/ Multiracial Approach to Education in the Schools of the PSBGM*, Montréal, PSGBM.

Commission des écoles protestantes du Grand Montréal (1994), *Les services en accueil et en francisation à la CEPGM*, Livret d'information à l'intention des enseignants et des cadres scolaires, Montréal, Comité des politiques pédagogiques, CEPGM et AEEM.

Commission for Racial Equality (1986), *Teaching English as a Second Language,* Report of a formal investigation, Calderdale Local Education Authority, London.

Commission for Racial Equality (1989), *Code of Practice for the Elimination of Racial Discrimination in Education,* London.

Commission for Racial Equality (1990), *Schools of Faith: Religious Schools in a Multicultural Society,* London.

Commission for Racial Equality (1992a), *Set to Fail? Ethnic Minority Pupils in Secondary Education,* London.

Commission for Racial Equality (1992b), *Ethnic Monitoring in Education,* London.

Commission for Racial Equality (1999), *Ethnic Minorities in Britain,* London, CRE Factsheet.

Commission ontarienne des droits de la personne (1996a), *Politique sur la croyance et les mesures d'adaptation relative aux observances religieuses,* approuvée par la Commission le 20 octobre.

Commission ontarienne des droits de la personne (1996b), *Politique sur la mutilation génitale féminine,* approuvée par la Commission le 20 octobre.

Commission royale sur l'éducation (Ontario) (1994), *Pour l'amour d'apprendre: rapport,* Publications Ontario.

Commission scolaire Sainte-Croix (1988), *Résolution n⁰ cc87/88-88-06-163,* Demande d'implantation d'un PELO en langue arabe classique à l'école Henri-Beaulieu, Extraits du procès-verbal de l'Assemblée régulière du Conseil des commissaires tenue le 28 juin, Ville Saint-Laurent, CSSC.

Commission scolaire Sainte-Croix (1989a), *Politique d'éducation interculturelle. But, principes, objectifs,* Ville Saint-Laurent, CSSC, Services éducatifs.

Commission scolaire Sainte-Croix (1989b), *Rapport du Comité aviseur sur l'implantation du PELO arabe à l'école Henri-Beaulieu pour l'année scolaire 1988-1989,* juin, Ville Saint-Laurent, CSSC.

Commission scolaire Sainte-Croix (1991), *La commission scolaire Sainte-Croix... une réalité... un point de mire... des enjeux importants,* Résumé de l'analyse de l'Énoncé de politique en matière d'immigration et d'intégration : « Au Québec pour bâtir ensemble » et les niveaux d'immigration souhaités pour les années 1992-1993 et 1994, Ville Saint-Laurent, CSSC, Services éducatifs.

Communauté française de Belgique (1997), *Programme LCO,* Charte du partenariat 1997-2000, Scolarisation en milieu multiculturel.

Communauté hellénique de Montréal (1980), *La position des organismes éducationnels grecs vis-à-vis l'introduction de l'enseignement de la langue grecque dans le système scolaire public,* Montréal.

Conseil de la Communauté flamande (1993), *Déclaration de non discrimination,* 15 juillet.

Conseil de la langue française (sous la dir. de M. Plourde, avec la coll. de H. Duval et P. Georgeault) (2000), *Le français au Québec. 400 ans d'histoire et de vie,* Fides, Les Publications du Québec.

Conseil de la langue française (1987a), *Vivre la diversité en français. Le défi de l'école française à clientèle pluriethnique*. Notes et Documents, 64. Québec, CLF.

Conseil de la langue française (1987b), *Réfléchir ensemble sur l'école française pluriethnique*, Notes et Documents, 63, Québec, CLF.

Conseil de l'Europe (1992), « Éducation civique. Enseigner la société, transmettre des valeurs », Rapport au 57ᵉ *Séminaire du Conseil de l'Europe pour enseignants*. 17 octobre.

Conseil des communautés culturelles et de l'immigration (CCCI) (1988), *La valorisation du pluralisme culturel dans les manuels scolaires*, Avis présenté à la ministre.

Conseil des communautés culturelles et de l'immigration (1990), *Le rendement scolaire des élèves des communautés culturelles*, Bibliographie annotée.

Conseil des communautés culturelles et de l'immigration (1991), *La situation, les réalités et les actions préventives relatives aux jeunes des communautés culturelles et des minorités visibles*, Mémoire présenté au Groupe de travail pour les jeunes, du ministre de la Santé et des Services sociaux.

Conseil des communautés culturelles et de l'immigration (1993), *La gestion des conflits de normes par les organisations dans le contexte pluraliste de la société québécoise*, Avis présenté à la ministre.

Conseil des relations interculturelles (1997a), *Un Québec pour tous ses citoyens*, Avis présenté au ministre.

Conseil des relations interculturelles (1997b), *L'immigration et les régions du Québec : une expérience à revoir et à enrichir*, Montréal, CRI.

Conseil des relations interculturelles (2000), *Forum sur l'intégration et la citoyenneté. Avis présenté au ministre des Relations avec les citoyens et de l'Immigration*, CRI, Montréal.

Conseil du statut de la femme (1995), *Réflexion sur la question du voile à l'école*, Québec, CSF.

Conseil scolaire de l'île de Montréal (1991), *Les enfants des milieux défavorisés et ceux des communautés culturelles*, mémoire présenté au ministre de l'Éducation sur la situation des écoles des commissions scolaires de l'île de Montréal, février.

Conseil scolaire de l'île de Montréal (1993), *Carte de la défavorisation*, Guide d'accompagnement.

Conseil scolaire de l'île de Montréal (1999), *Rapport d'activités des commissions scolaires de l'année 1998-1999*, dossier *Éducation en milieu défavorisé*, novembre.

Conseil supérieur de l'éducation (1983), *L'éducation interculturelle*, avis au ministre de l'Éducation, Québec.

Conseil supérieur de l'éducation (1987), *Les défis éducatifs de la pluralité*, avis au ministre de l'Éducation, Québec.

Conseil supérieur de l'éducation (1993), *Pour un accueil et une intégration réussis des élèves des communautés culturelles*, avis au ministre de l'Éducation, Québec.

Conseil supérieur de l'éducation (1996), *La réussite à l'école montréalaise: une urgence pour la société québécoise*, avis au ministre de l'Éducation, Québec.

Conseil supérieur de l'éducation (1998), *L'éducation à la citoyenneté*, avis au ministre de l'Éducation, Québec.

COOK, S.W. (1988), «The 1954 Social Science Statement and School Desegregation», *in* P.H. KATZ et D.A. TAYLOR (dir.), *Eliminating Racism*, New York/London, Plenum Press, p. 237-256.

CORNBLETH, C. et D. WAUGHT (1995), *The Great Speckedbird: Multicultural Politics and Education Policy Making*, New York, St. Martin Press.

CRAIN, R.L. et R.E. MAHARD (1981), «Minority Achievement: Policy Implications of Research», *in* W. Hawley (dir.), *Effective School Desegregation Equity, Quality and Feasibility*, London, Sage, p. 55-84.

CRAIN, R.L., R.E. MAHARD et R.E. NAROT (1982), *Making Desegregation Work: How Schools Create Social Climates*, Cambridge, MA Ballinger.

CRAWFORD, J. (1997a), «The Campain Against Proposition 227: A Post-Mortem», *Bilingual Research Journal*, 21(1).

CRAWFORD, J. (1997b), *Best Evidence Research Foundation of The Bilingual Education Act*. Washington, DC, National Clearinghouse for Bilingual Education.

CRAWFORD, J. (1999), *Bilingual Education: History, Politics, Theory and Practice*, Los Angeles, Bilingual Education Services.

CUMMINGS-POTVIN, W., C. LESSARD et M. MC ANDREW (1994), «L'adaptation de l'institution scolaire québécoise à la pluriethnicité: continuité et rupture face aux discours officiels», *Revue des sciences de l'éducation*, XX(4), 679-696.

CUMMINS, J. (1979), «The Language and Culture Issue in the Education of Minority Language Children», *Interchange*, 10(4).

CUMMINS, J. (1989), *Empowering Minority Students*, Sacramento, CA, California Association for Bilingual Education.

CUMMINS, J. (1994), «Knowledge, Power, and Identity in Teaching English as a Second Language», *in* F. GENESEE (dir.), *Educating Second Language Children*, New York, Cambridge University Press, p. 33-58.

CUMMINS, J. et M. DANESI (1997), «Heritage Languages: The Development and Denial of Canada's Linguistic Resources», *in* T. FILEWYCH (dir.), *Trends and Issues Language Education*, Edmonton, Alberta, Alberta Education.

CUMPER, P. (1990), «Muslim Schools: The Implications of the Education Reform Act 1988», *New Community*, 16(3), 379-389.

CURTIS, L. et E. TABOREK (1994), «Presentation by TESL Ontario to the Royal Commission on Learning», *Contact*, 19(3), 23-26.

D'ANGLEJAN, A., J. HOHL, M. MC ANDREW et G. PAINCHAUD (1995), «L'adaptation à la nouvelle réalité multiethnique: une priorité à la Faculté des sciences de l'éducation de l'Université de Montréal», *in* F. OUELLET (dir.), *Les institutions face aux défis du pluralisme ethnoculturel*, Québec, IQRC, p. 391-402.

DAVIS, J. et P.M. FERNLUND (1995), «Civics: If Not, Why Not?», *Social Studies*, March-April, 56-59.

DAVIS, L. (1966), « Current Controversy: Minorities in American History Text-books », *Journal of Secondary Education, 31*, 291-294.

DAVIS, W. (1977), *Statement by the Premier of Ontario to a Multicultural Leadership Luncheon*, Queen's Park, Gouvernement de l'Ontario.

DEI, G. (1993), « The Challenge of Antiracism Education in Canada », *Canadian Ethnic Studies, 25*(2), 36-51.

DEI, G. (1996), *Antiracist Education: Theory and Practice*, Halifax, Fernwood Publishing.

Department for Education (1995), *Ethnic Monitoring of School Pupils: A Consultation Paper*, London, HMSO.

Department for Education and Employment (1997), *Excellence in Schools*, Cm 3681, London, HMSO.

Department for Education and Employment (1998a), *The Education Action Zone Handbook*, London. <www.dfee.gov.uk/handbook>

Department for Education and Employment (1998b), *The Religious Character of Schools (Designation Procedures) Regulation 1998*, Department for Education and Employment Standard and Effectiveness Unit, London.

Department for Education and Employment (1999), *Meet the Challenge: Education Action Zone*, Department for Education and Employment Standard and Effectiveness Unit, London.

Department for Education and Training (2000a), *About Citizenship in the National Curriculum*, London. <www.nc.uk.net/about/about_citizenship.html>

Department for Education and Training (2000b), *The Importance of Personal Social and Health Education*. London. <www.nc.uk.net/important/import_thse.html>

DOLSON, D.T. et J. MEYER (1992), « Longitudinal Study of Three Program Models for Language Minority Students: A Critical Examination of Reported Findings », *Bilingual Research Journal, 16*(1-2), 105-157.

DRIESSEN, G.W.J.M. et J.J. BEZEMER (1999), « Background and Achievement Levels of Islamic Schools in the Netherlands: Are the Reservations Justified? », *Race, Ethnicity and Education, 2*(2).

DROLET, M. (1992), « L'enseignement en milieu socioéconomique faible. Des pratiques pédagogiques ajustées aux caractéristiques socioculturelles », *in* CRIRES-FECS, *Pour favoriser la réussite scolaire, réflexions et pratiques*, Québec, Éditions Saint-Martin, p. 109-119.

DUMONT, J. (1991), *Distribution spatiale de la population immigrante et régionalisation de l'immigration. Bilan des expériences étrangères*, Montréal, MCCI.

DUMONT, F. (1995), *Raisons communes*, Montréal, Boréal.

DUNNIGAN, L. (1976), *Analyse des stéréotypes masculins et féminins dans les manuels scolaires du Québec*, Québec, Conseil du statut de la femme.

DWYER, C. (1993), « Constructions of Muslim Identity and the Contesting of Power: The Debate Over Muslim Schools in the United Kingdom », *in* P. JACKSON et J. PENROSE (dir.), *Constructions of Race, Place and Nation*, London, UCL, p. 143-159.

DWYER, C. et A. MEYER (1995), «The Institutionalisation of Islam in the Nether-lands and in the United Kingdom: The Case of Islamic Schools», *New Community*, 21, 37-54.

DWYER, C. et A. MEYER (1996), «The Establishment of Islamic Schools. A Controversial Phenomenon in Three European Countries», *in* W. SHADID et P. VAN KONINGSVELD (dir.), *Muslims in the Margin : Political Responses to the Presence of Islam in Western Europe*, Kampen, Kok Pharos, p. 93-113.

ELMORE, R.F. (1986), *Choice in Public Education*, Madison, WI, Center for Policy Research in Education.

Emploi et Immigration Canada (1991), *L'immigration au cours des années 90*, Rapport avec recommandations présenté à la ministre de l'Emploi et de l'Immigration par le Conseil consultatif canadien de l'emploi et de l'immigration, Ottawa, Gouvernement du Canada.

ENGLE, S. et A. OCHOA (1988), *Education for Democratic Citizenship: Decision Making in the Social Studies*, New York, Teachers College Press.

English for the Children (1997a), *The 1997-1998 California English for the Children Initiative*. <www.onenation.org/index.html>

English for the Children (1997b), *Proposition 227 : The 1997-1998 California English for the Children Initiative*. <www.onenation.org/fcats.html>

EPSTEIN, N. (1977), *Language, Ethnicity and the Schools: Policy Alternatives for Bilingual-Bicultural Education*, George Washington University.

ESTINVIL, M. (1993), *Population haïtienne dans les écoles de la CEPGM, année scolaire 1992-1993*, CEPGM, Service de l'éducation multiculturelle/multiraciale.

FARBER, B. (1991), *Crisis in Education: Stress and Burnout in the American Teacher*, San Francisco, Jossey-Bass.

FARRELL, J.P. (1979), «The Necessity of Comparisons in the Study of Education: The Salience of Science and the Problem of Comparability», *Comparative Education Review*, 23(1), 3-16.

FERRO, M. (1981), *Comment on raconte l'histoire aux enfants à travers le monde entier*, Paris, Payot.

FIFE, B.L. (1997), «The Supreme Court and School Desegregation Since 1896», *Equity and Excellence in Education*, 29(2), 46-55.

FIGUEROA, P. (1999), «Multiculturalism and Anti-Racism in a New ERA: A Critical Review», *Race Ethnicity and Education*, W(2), 281-299.

FILEWYCH, T. (1997), *Trends and Issues in Language Education*, Edmonton, Alberta, Alberta Education.

FISHMAN, J. (1976), *Bilingual Education: An International Sociological Perspective*, Rowley, Newbury House Publication.

FISHMAN, J. (1992), «The Displaced Exile of Anglo-American», *in* J. CRAWFORD (dir.), *Language Loyalties: A Source Book on the Official English Controversy*, Chicago, University of Chicago Press, p. 165-170.

First Amendment Center (1999a), *Teacher Guide to Religion in the Public School*, Washington, DC, First Amendment Center.

First Amendment Center (1999b), *Public School and Religious Communities*, Washington, DC, First Amendment Center.

Fondation du roi Beaudoin (in samenwerking met de Vlaamse Onderwijsraad) (Jan DE METS et Paul MAHIEU, éds.) (1998), Witte vlucht, zwarte magie? Stastenen in het opnieuw aantrekkelijk maken van concentratiescholen voor autochtone leerlingen. Bruxelles : Fondation du roi Beaudoin.

FOSTER, P. (1990), *Policy and Practices in Multicultural and Antiracism Education*, London, Routlege.

Foundation on Interethnic Relations (1998), *The Oslo Recommendations Regarding the Linguistic Rights of National Minorities and Explanatory Note*, La Haye, February.

FULLINWIDER, R.K. (1996a), *Public Education in a Multicultural Society : Policy, Theory, Critique*, New York, Cambridge University Press.

FULLINWIDER, R.K. (1996b), « Patriotic History », *in* R.K. FULLINWIDER (dir.), *Public Education in a Multicultural Society : Policy, Theory, Critique*, New York, Cambridge University Press, p. 203-230.

GAARDER, B. (1977), *Bilingual Education and the Survival of Spanish in the United States*, Rowley, Newbury House Publ.

GABB, M. (1989), « An ESL Perspective for Community Languages in the Curriculum », *in* J. GEACH et J. BROADBENT (dir.), *Coherence in Diversity : Britain's Multilingual Classroom*, London, CILT, p. 43-51.

GAGNÉ, M. et C. CHAMBERLAND (1999), « L'évolution des politiques d'intégration et d'immigration au Québec », *in* M. MC ANDREW, A.C. DECOUFLÉ et C. CICERI (dir.), *Les politiques d'immigration et d'intégration au Canada et en France : analyses comparées et perspectives de recherche*, Paris/Ottawa, Ministère de l'emploi et de la solidarité, CRSH, p. 71-90.

GALINDO, R. (1997), « Language Wars : The Ideological Dimensions of the Debates on Bilingual Education », *Bilingual Research Journal*, 21(2-3), Summer.

GANDARA, P. et B. MERINO (1993), « Measuring the Outcomes of LEP Programs : Text Score, Exit Rates and Other Methodological Data », *Educational Evaluation and Policy Analysis*, 15(3), 320-338.

GARCIA, A. et C. MORGAN (1997), *A 50 State Survey of Requirements for the Education of Language Minority Children*, Washington, DC, Center for Equal Opportunity.

GARCIA, E. (1988), « Attributes of Effective Schools for Language Minority Students », *Education and Urban Societies*, 20(4), 387-398.

GAY, G. (1992), « The state of Multicultural Education in the United States », *in* K.A. MOODLEY (dir.), *Beyond Multicultural Education : International Perspectives*, Calgary, Detselig Enterprises Ltd., p. 41-66.

GEACH, J. et J. BROADBENT (1989), *Coherence in Diversity : Britain's Multilingual Classrooms*, London, CILT.

GEADAH, Y. (1996), *Femmes voilées, intégrismes démasqués*, Montréal, VLB éditeur.

GENESEE, F. (1987), *Learning Through Two Languages: Studies of Immersion and Bilingual Education*, Cambridge, Newbury House.

GENESTIER, Ph. et J.L. LAVILLE (1994), « Au-delà du mythe républicain. Intégration et socialisation », *Le débat*, 82, 154-172.

GIBSON, M. et J. OGBU (1991), *Minority Status and Schooling: A Comparative Study of Immigrants and Involontary Minorities*, New York, Jarland Publishing.

GILL, W. (1998), *A Common Sense Guide to Non-Traditional Urban Education*, Nashville, James C. Winston Publishing Company, Inc.

GILLBORN, D. (1995), *Racism and Antiracism in Real Schools: Theory, Policy, Practices*, Buckingham, Open University Press.

GILLBORN, D. (1998), « Racism, Selection, Poverty and Parents: New Labour, Old Problems? », *Journal of Education Policy*, 13(6), 717-735.

GILLBORN, D. et D. DREW (1992), « "Race", Class and School Effects », *New Community*, 18(4), 551-565.

GILLBORN, D. et C. GIPPS (1996), *Recent Research on the Achievements of Ethnic Minority Pupils*, London, Office for Standards in Education.

GIRAUD, M. (1993), « Des élèves en quête de reconnaissance. Les jeunes originaires des DOM à l'école de la Métropole », *Migrants et formation* 94, septembre, p. 116-140, Paris, Centre national de documentation pédagogique.

GLAZER, N. (1993), « American Public Education: The Revelance of Choices », *Phi Delta Kappan*, 74(8), 647-650.

GLAZER, N. (1997), *We Are All Multiculturalists Now*, Cambridge, MA, Harvard University Press.

GLAZER, N. et R. VEDA (1983), *Ethnic Groups in History Textbooks*, Washington, DC, Ethnic and Public Policy Center.

GLENN, J.U. et E. DE JONG (1996), *Educating Immigrant Children: Schools and Language Minorities in Twelve Nations*, New York, Garland.

GLOBENSKY, G. (1987), *Étude sur le rendement académique en français et en mathématiques des élèves en provenance de l'école Nouveau-Monde après le deuxième bulletin au secteur régulier, 1985-1986*, Montréal, CECM.

GOLDRING, E.B. et A. ADDY (1989), « Using Meta-Analysis to Study Policy Issues: The Ethnic Composition of the Classroom and Achievement in Israel », *Studies in Educational Evaluation*, 15, 231-246.

GORMAN, M. (1993), « Education for Citizenship », *in* G.K. VERNA et P.D. PUMFREY (dir.), *Cultural Diversity and the Curriculum*, volume 4: *Cross-Cultural Contexts, Themes and Dimensions in Primary Schools*, London/Washington, DC, The Falmer Press.

Gouvernement du Canada (1969), *Rapport de la Commission royale d'enquête sur le bilinguisme et le biculturalisme*, Ottawa, Imprimeur de la reine.

Gouvernement du Québec (1977a), *La politique québécoise de la langue française au Québec*, Québec, Éditeur officiel.

Gouvernement du Québec (1977b), *Charte de la langue française*, Titre I — Chap. VIII, sanctionnée le 26 août 1977, Québec, Éditeur officiel

Gouvernement du Québec (1978), *La politique québécoise du développement cultu-rel*, Québec, Éditeur officiel.

Gouvernement du Québec (1996), *Exposé de la situation*, Québec, Commission des États généraux sur l'éducation.

GRANT, J.H. et R. GOLDSMITH (1979), *Bilingual Education and Federal Law: An Overview*, Austin, Dissemination and Assessment Center for Bilingual Education.

GREENE, J. (1998), *A Meta-Analysis of the Effectiveness of Bilingual Education*, Claremont/California, CA, Thòmas Rivera Policy Center.

GRESS-AZZAM, S. (1987), « Principes pédagogiques pour l'enseignement de la langue scolaire aux allophones », mémoire, Université de Montréal, Faculté des sciences de l'éducation.

GRINTER, R. (1992), « Multicultural or Antiracist Education? The Need to Choose », *in* J. LYNCH, C. MODGIL et S. MODGIL (dir.), *Cultural Diversity and the Schools, Volume One: Education for Cultural Diversity: Convergence and Divergence*, London/Washington, DC, The Falmer Press, p. 95-111.

Groupe consultatif sur la citoyenneté (1998), *Education for Citizenship and the Teaching of Democracy in Schools*, Londres, HMSO.

Groupe de travail sur l'éducation de la communauté noire (1978), *Rapport final des aspirations et des attentes de la communauté noire du Québec*, remis au Comité d'études sur les affaires interconfessionnelles et interculturelles du Conseil supérieur de l'éducation.

HAKUTA, K. (1986), *Mirror of Language: The Debate on Bilingualism*, New York, Basic Books.

HAKUTA, K. et R. DIAZ (1985), « The Relationship Between Degree of Bilingualism and Cognitive Ability: A Critical Discussion and Some New Longitudinal Data », *in* K.E. NELSON (dir.), *Children's Language* (vol. 3), Hilldsale, NJ, Erlbaum.

HALSTEAD, J.M. (1986), *The Case for Muslim Voluntary Aided schools: Some Philoso-phical Reflexions*, London, The Islamic Academy.

HARGREAVES, A. (1994), *Changing Teachers, Changing Times: Teacher's Work and Culture in the Postmodern Age*, New York, Teachers College Press.

HARGREAVES, D.H. (1996), « Diversity and Choice in School Education: A Modified Libertarian Approach », *Oxford Review of Education*, 22(2).

HARNEY, R. (1983), « The Italian Community in Toronto », *in* J. ELLIOT (dir.), *Two Nations, Many Cultures*, Scarborough, Prentice-Hall Canada.

HARVEY, J. (1991), « Culture publique, intégration et pluralisme », *Relations*, 239-241.

HARRIS, M.D. (1987), *African American Art: Traditions et Development*, Portland, Portland Public Schools, Multicultural/Multiethnic Education Baseline Essay Project.

Haut Conseil à l'Intégration (1990), *Pour un modèle français d'intégration*, Rapport officiel, Paris, La Documentation française.

Haut Conseil à l'Intégration (1992), *Conditions juridiques et culturelles de l'intégra-tion*, Rapport officiel, Paris, La Documentation française.

Haut Conseil à l'Intégration (1998), *Proposition pour mieux assurer le respect du principe d'égalité*, Rapport officiel, Paris, La Documentation française.

HAWLEY, W.D. et M.A. SMYLIE (1988), « The Contribution of School Desegregation to Academic Achievement and Racial Integration », *in* P.H. KATZ et D.A. TAYLOR (dir.), *Eliminating Racism*, New York/London, Plenum Press, p. 281-297.

HAYNES (2000), « Twenty-First Century America Must be Built Tight, Not Rifted ». February 1st, *The Freedom Forum on Line.* <www.freedomforum.org/religion/haynes2000>

HELLY, D. (1996), *Le Québec face à la pluralité culturelle 1977-1994. Bilan documentaire*, Sainte-Foy, PUL.

HELLY, D., M. LAVALLÉE et M. MC ANDREW (2000), « Citoyenneté et redéfinition des politiques publiques de gestion de la diversité. La position des organismes non-gouvernementaux québécois », *Recherches sociographiques*, XLI (2), 1-29.

HENRIOT-VAN ZANTEN, A. (1994), « Les politiques éducatives locales entre l'État et le marché », *Société française*, 106, 4-10.

HENRY, A. et S. BEST (1992), *Les zones d'éducation prioritaire*, Ministère de l'Éducation Nationale, Inspection générale de l'administration et de l'éducation nationale/Inspection générale de l'éducation nationale 1991-1992.

HENRY-LORCERIE, F. (1983), « Enfants d'immigrés et école française. À propos du mot d'ordre de pédagogie interculturelle », *in* L. TALHA (dir.), *Maghrébins en France, émigrés ou immigrés ?*, Paris, Éditions du CNRS. p. 267-298.

HENRY-LORCERIE, F. (1986), « Éducation interculturelle et changement institutionnel : l'expérience française », *Sociologie du Sud-Est*, 49/50, 103-126.

HENSLER, H. et A. BEAUCHESNE (1987), *L'école française à clientèle pluriethnique de l'île de Montréal*, Dossiers du Conseil de la langue française, n° 25, Québec, Les Publications du Québec.

HILL, P. (1999), « Getting it Right the Eighth Time : Reinventing the Federal Role », *in* M. KANSTOROOM et F. CHESTERS (dir.), *New Directions : Federal Educational Policy in the 21st Century*, New York, The Thomas Bay Fordhan Foundation in cooperation with the Manhattan Institute for Policy Research, March. <www.edex.net/library/newdrct.htm>

HOHL, J. (1985), *Les enfants n'aiment pas la pédagogie. L'école et les milieux socio-économiquement faibles*, 2ᵉ édition, Montréal, Éditions Saint-Martin.

HOHL, J. (1991a), *Singulier/Pluriel*, CSIM.

HOHL, J. (1991b), « L'enseignement dans les années 90. Le défi pluriethnique », *Écho du 25ᵉ anniversaire*, Tome 2, Les Publications de la Faculté des sciences de l'éducation, Université de Montréal.

HOHL, J. (1993a), « Les relations enseignantes-parents en milieu pluriethnique. De quelques malentendus et de leurs significations », *PRISME*, 3(3), 396-409.

HOHL, J. (1993b), « Le choc culturel de connaissance et de communication interculturelle », *in* M. MC ANDREW (dir.), *Pluralisme et éducation. Perspectives québécoises. Repères, Essais en éducation*, 15, 27-46.

HOHL, J. (1996), « Résistance à la diversité culturelle au sein des institutions scolaires », *in* M. PAGÉ, M. MC ANDREW et F. GAGNON (dir.), *Pluralisme, citoyenneté et éducation*, Montréal/Paris, L'Harmattan, p. 337-347.

HOHL, J. et M. COHEN-ÉMERIQUE (1999), « La menace identitaire chez les professionnels en situation interculturelle. Le déséquilibre entre scénario attendu et scénario reçu », *Revue canadienne d'études ethniques, 31*(1), 106-123.

HOHL, J. et M. NORMAND (1996), « Construction et stratégies identitaires des enfants et des adolescents en contexte migratoire. Le rôle des intervenants scolaires », *Revue française de pédagogie. L'école et la question de l'immigration*, 117, 39-52.

HOHL, J. et M. NORMAND (2000), « Enseigner en milieu pluriethnique dans une société divisée », *in* M. MC ANDREW et F. GAGNON (dir.), *Relations ethniques et éducation dans les sociétés divisées : Québec, Irlande du Nord, Catalogne et Belgique*, Montréal/Paris, L'Harmattan, p. 169-181.

HOLMES, B. (1981), *Comparative Education : A Study of Educational Factors and Traditions*, London, Routledge and Kegan Paul.

HOULE, R., C. MONTMARQUETTE, M. CRESPO et S. MAHSEREDJIAN (1986), « L'impact des interventions éducatives en milieux économiquement faibles. Le programme de l'Opération renouveau », *in* M. CRESPO et C. LESSARD (1985), *Éducation en milieu urbain*, Montréal, PUM, p. 31-54.

HUNT, J. et L. HUNT (1977), « Racial Inequality and Self-Image : Identity Maintenance as Identity Diffusion », *Sociology and Social Research*, 61, 539-559.

ILLICH, I.D. (1978), *Toward a History of Needs*, New York, Pantheon Books.

INBAR, D.E. (1981), « The Paradox of Feasible Planning : The Case of Israel », *Comparative Education Review*, 25, 13-27.

Inspection Générale de l'Éducation Nationale (1992), *L'enseignement des langues et des cultures d'origine dans le premier et le second degré*, Rapport annuel de l'IGEN, Paris, La Documentation française, p. 35-50.

Institute for National Statistic (1997), *Statistical Yearbook*, US Gouvenment.

Institut national de la statistique et des études économiques (INSEE) (2000), *INSEE Première, 717*, mai.

Intercultural development research association (2000). *Projects*. <www.idra.org>

JACQUET, M. (1992), « La représentation de l'altérité ethnoculturelle dans le matériel d'éducation interculturelle primaire », Mémoire, Département d'anthropologie, Université de Montréal.

JACQUET, M. (à paraître), « La prise de décision lors des demandes d'adaptation des normes et pratiques scolaires à la diversité culturelle et religieuse », thèse, Faculté des sciences de l'éducation, Université de Montréal.

JASPAERT, K. et G. LEMMENS (1990), « Linguistic Evaluation of Dutch as a Third Language », *in* M. BYRAM et J. LEMAN (dir.), *Bicultural and Trilingual Education : The Foyer Model in Brussels*, Clevendon, Philadelphia, Multilingual Matters Ltd., p. 30-56.

JODOIN, M. (2000), *Taux de clientèle immigrée des écoles bénéficiant des mesures de soutien de l'École montréalaise et du Conseil scolaire de l'île de Montréal*, compilation spéciale effectuée à partir des fichiers 1999-2000 du MEQ.

JODOIN, M., M. MC ANDREW et M. PAGÉ (1997), *Le vécu scolaire et social des élèves scolarisés dans les écoles secondaires de langue française de l'île de Montréal : une analyse comparative*, Rapport de recherche déposé au ministère des Relations avec les citoyens et de l'Immigration du Québec, GREAPE, Centre d'études ethniques, Université de Montréal.

JOHNSON, J. et R. ACERA (1999), *Hope for Urban Education : A Study of Nine High Performing, High Poverty Urban Elementary Schools*, Report of method to the US Department of Education, Planning and Evaluation Services, The Charles A. Donna Center, The University of Texas at Houston.

JOHNSON, R.K. et M. SWAIN (dir.) (1997), *Immersion Education : International Perspectives*, Cambridge, Cambridge University Press.

Journal de Montréal (1988), « Les Arabes imposent l'enseignement de la langue de Mahomet », 15 mai.

JUTEAU, D. (1996), « Citoyenneté, intégration et multiculturalisme canadien », *in* K. KULCSAR et D. SZABO (dir.), *Dual Images : Multiculturalism on Two Sides of the Atlantic*, Budapest, Institute of the Political Science of the Hungarian Academy of Sciences, p. 161-178.

JUTEAU, D. (2000a), *L'ethnicité et ses frontières*, Montréal, PUM.

JUTEAU, D. (2000b), « Du dualisme canadien au pluralisme québécois », *in* M. MC ANDREW et F. GAGNON (dir.), *Relations ethniques et éducation dans les sociétés divisées : Québec, Irlande du Nord, Catalogne et Belgique*, Montréal/Paris, L'Harmattan, p. 13-16.

JUTEAU, D., M. MC ANDREW et L. PIETRANTONIO (1998), « Multiculturalism à la Canadian et Intégration à la Québécoise : Transcending Their Limits », *in* R. BAUBOECK and J. RUNDELL (dir.), *Blurred Boundaries Migration, Ethnicity and Citizenship*, The Europen Centre, Vienna Ashgate, p. 95-110.

KATZ, J.Y. (1992), « Educational Interventions for Prejudice Reduction and Integration in Elementary Schools », *in* J. LYNCH, C. MODGIL et S. MODGIL (dir.), *Cultural Diversity and the Schools*, Vol. 2 — *Prejudice, Polemic or Progress*, London/ Washington, DC, The Falmer Press, p. 257-271.

KEEGAN, L.G. (1999), « Transforming American Education », *Civic Bulletin*, 19, July. Center for Civic Innovation at the Manhattan Institute. <www.manhattan-institute.org.html.cb_19>

KEHOE, J. (1984), « Achieving the Goal of Multicultural Education in the Classroom », *in* R. SAMUDA, J. BERRY et M. LAFERRIÈRE (dir.), *Multiculturalism in Canada : Social and Educational Perspectives*, Toronto, Allyn and Bacon.

KEPEL, G. (1989), « L'intégration suppose que soit brisée la logique communautaire », *in* C. WIHTOL DE WENDEN et A.M. CHARTIER (dir.), *École et intégration des immigrés. Problèmes politiques et sociaux*, n° 693.

KESTELOOT, C.P., P. MISTIEAN et ROELANDTS (1990), « L'espace des inégalités scolaires à Bruxelles », *Espaces, populations, sociétés*, (2), 107-120.

KILBRIDE, C. (1997), « Le rôle de l'éducation dans l'intégration des immigrants. Contextes spécifiques et recherches actuelles au CERIS », *in* C. CICERI et M. MC ANDREW (dir.), *Le rôle de l'éducation dans l'intégration des immigrants. Recherches actuelles et prospectives* (16-20), Montréal, Immigration et métropoles.

KING, A. (1993), « Introduction », *in* A.S. KING et M.J. REISS (dir.), *The Multicultural Dimensions of the National Curriculum*, London, The Falmer Press.

KJOLSETH, R. (1975), « Bilingual Education in the US : For Assimilation or Pluralism », *in* B. SPOLSKY, *Language Education of Minority Children*, Newbury House Publ.

KRASHEN, S. (1996), *Under Attack : The Case Against Bilingual Education*. Callvercity, CA, Language Education Associates.

KYMLICKA, W. (1995), *Multicultural Citizenship*, Oxford, Clarendon Press.

KYMLICKA, W. (1996), « Démocratie libérale et droits des cultures minoritaires », *in* F. GAGNON, M. MC ANDREW et M. PAGÉ (dir.), *Pluralisme, citoyenneté et éducation*, Montréal/Paris, L'Harmattan, p. 25-52.

Labour Party (1997), *New Labour : Because Britain Deserves Better*, The Labour Party Manifesto, London.

LAFERRIÈRE, M. (1983), « L'éducation des enfants des groupes minoritaires au Québec. De la définition des problèmes par les groupes eux-mêmes à l'intervention de l'État », *Sociologie et société*, XV(2), 117-132.

LAFERRIÈRE, M. (1985a), « Language and Cultural Programs for Ethnic Minorities in Quebec », *Canadian and International Education, 14*(1).

LAFERRIÈRE, M. (1985b), « Race, Culture and Ideology in Canadian Education », *Revue Éducation canadienne et internationale, 14*(1).

LAMARRE, M. (2000), « Les dispositifs administratifs, organisationnels et pédagogiques qui favorisent l'amélioration de la réussite éducative et scolaire », Communication présentée au séminaire international sur l'*Aide aux écoles des milieux défavorisés de grands centres urbains : determinants communs, trajectoires multiples*, MEQ, mars.

LAMARRE, P. (2000), « L'éducation et les relations entre anglophones et francophones : vers un agenda de recherche », *in* M. MC ANDREW et F. GAGNON (dir.), *Relations ethniques et éducation dans les sociétés divisées : Québec, Irlande du Nord, Catalogne et Belgique*, Montréal/Paris, L'Harmattan, p. 181-190.

LAPERRIÈRE, A. (1986), *L'expérience britannique. Les idéologies et pratiques d'intervention britannique concernant l'intégration scolaire des immigrant(e)s et minorités ethniques*, Montréal, CSIM.

LAPERRIÈRE, A. *et al.* (1991), « De l'indifférenciation à l'évitement », *in* F. OUELLET et M. PAGÉ (dir.), *Pluriethinicité, éducation et société*, Montréal : IQRC, p. 515-542.

LAPERRIÈRE, A. *et al.* (1994), « L'émergence d'une nouvelle génération cosmopolite ? », *Revue internationale d'action communautaire, 31*(71), 171-184.

LAPERRIÈRE, A. et P. DUMONT (2000), *La citoyenneté chez de jeunes Montréalais: vécu scolaire et représentations de la société*, Rapport de recherche, GREAPE, Université de Montréal.

La Presse (1988a), «Un travail de missionnaire», A. PRATTE, 28 mai. «Point de vue», C. GÉDÉON-KANDALAFT, 20 juin.

La Presse (1988b), «Les parents arabes ne veulent pas qu'on fasse des "cobayes" de leurs enfants», 29 juin.

LATIF. G. (1992), «La régionalisation de l'immigration et l'adaptation des services éducatifs offerts aux communautés culturelles», *Les personnes immigrantes: partenaires du développement régional*, Actes du Colloque national sur la représentation de l'immigration au Québec, tenu à l'Université du Québec à Hull, 22-23 novembre.

LAURIER, M., M. BOSQUET et J. CAMPBELL (1999), *L'enseignement des langues d'origine: un état de la situation dans différents contextes*, Rapport remis au ministère de l'Éducation, Direction des services aux communautés culturelles, avril, Centre de langues patrimoniales/CEETUM, Université de Montréal.

LEAMING, J. (1999), «Panelist Debate Proper Public Place for Thou Shalt Not», 13 septembre. *The Freedom Forum On Line.* <www.freedomforum.org/religion/1999/9/13/ten commandments. asp>

Le Devoir (1993), «La question juive marque l'ouverture de la saison au TNM», 8 octobre.

LEGENDRE, M.-F. (1998), «Pratique réflexive et étude de cas: quelques enjeux à l'utilisation de la méthode des cas en formation des maîtres», *Revue des sciences de l'éducation*, 24, 2, 379-406.

LEMAN, J. (1990), «Multilinguism As Norm, Monolingualism As Exception: The Foyer Model in Brussels», *in* M. BYRAM et J. LEMAN (dir.), *Bicultural and Trilingual Education: The Foyer Model in Brussels*, Clevendon, Philadelphia: Multilingual Matters Ltd, p. 7-29.

LEMAN, J. (1993), «Les politiques d'éducation interculturelle dans les communauté française et communauté flamande de Belgique», *Recherches en éducation: théorie et pratique*, 15, 33-40.

LEMAN, J. (1999), «School as a Structuring Force in Interethnic Hybridism», *International Journal of Educational Research*, 31, Chapitre 8, 341-353.

LEMAY, D. (1997), «Habiliter les enseignantes et enseignants du collégial à l'introduction de la diversité ethnoculturelle dans l'enseignement», thèse, Faculté des sciences de l'éducation, Université de Montréal.

Le Monde (1995), «Le Conseil d'État refuse l'interdiction totale du foulard islamique à l'école», P. BERNARD, 12 juillet.

LESSARD, C. (1991), *La profession enseignante*, Québec, MEQ.

LESSARD, C. (1987), «Equality and Inequality in Canadian Education», *in* R. GHOSH et D. RAY, *Social Change and Education in Canada*, Toronto, Harcourt Brace Jovanovich, p. 184-199.

LESSARD, C. et A. BRASSARD (1998), «L'expérience nord-américaine du changement en éducation : un double regard», *in* G. PELLETIER et R. CHARRON (dir.), *Diriger en période de transformation*, Montréal, AFIDES, p. 65-111.

LESSARD, C. et M. CRESPO (1992), «L'éducation multiculturelle au Canada : politiques et pratiques», *Repères*, 14, 125-182.

LE THÀNH KHÔI, L. (1981), *L'éducation comparée*, Paris, Armand Collin.

LE THÀNH KHÔI, L. (1991), *L'éducation. Cultures et société*, Paris, Publications de la Sorbonne.

LEVINE, M. (1990), *The Reconquest of Montreal : Language Policy and Social Changes in a Bilingual City*, Philadelphie, Stanford University Press.

LEWIS, B. et D. SCHNAPPER (dir.) (1992), *Les musulmans en Europe*, Paris, Acte Sud.

LEWIS, D.A. et K. NAKAGAWA (1995), *Race and Educational Reform in the American Metropolis : A Study of School Decentralization*, Albany, State University of New York Press.

LIEBERMAN, M. (1993), *Public Education : An Autopsy*, Cambridge, MA, Harvard University Press.

LISTER, I. (1991), «Civic education for positive pluralism», *in* E. SIGEL (dir.), *Civic Education in Multiethnic Societies*, Hillsdale, NJ, Lawrence Erlbaum.

LOEWELBERG, N. et B. WASS (1997), «Provision for the Development of the Linguistic Proficiency of Young Immigrants in England and France : A Comparative Study», *Comparative Education*, 33(3), 395-409.

LOEWEN, J.W. (1995), *Lies My Teacher Told Me. Everything Your American Text Book Got Wrong*, New York, WW. Norton and Company Inc.

LORCERIE, F. (1994a), «L'Islam dans les cours de langue et culture d'origine», *Migrants et formation*, 102, 107-130.

LORCERIE, F. (1994b), «Les sciences sociales au service de l'identité nationale», *in* D.C. MARTIN (dir.), *«Cartes d'identité» comment dit-on «Nous» en politique?*, Paris, FNSP, p. 245-281.

LORCERIE, F. (1995), «Scolarisation des enfants d'immigrés. État des lieux et état des questions en France», *Confluences Méditerranée*, 14, 15-60.

LORCERIE, F. (1996a), «À propos de la crise de la laïcité en France. Dissonnance normative», *in* F. GAGNON, M. MC ANDREW et M. PAGÉ (dir.), *Pluralisme, citoyenneté et éducation*, Montréal, L'Harmattan, p. 121-136.

LORCERIE, F. (1996b), «Laïcité 1996. La République à l'école de l'immigration?», *Revue française de pédagogie*, 117, 53-85.

LORCERIE, F. (1998), «La coopération des parents et des maîtres. Une approche non psychologique», *Villes, École et intégration*, septembre, 20-34.

LORCERIE, F. et M. MC ANDREW (1996), «Modèles, transferts et échanges d'expériences en éducation : le cas de l'éducation interculturelle en France et au Québec», *in* R. TOUSSAINT et O. GALATANU (dir.), *Modèles, transferts et échanges d'expériences en éducation : nécessité d'une analyse conceptuelle et d'une réflexion méthodologique*, Actes du 21ᵉ colloque annuel de l'AFEC, Publications de l'Université du Québec à Trois-Rivières, p. 203-219.

LOSLIER, S. (avec la collab. de G. BROCHU et S. VINCENT) (1993), *La romance des relations interculturelles*, Longueuil, Collège Édouard-Montpetit.

LYNCH. J. (1988), « Le développement de l'enseignement multiculturel au Royaume-Uni », *in* F. OUELLET (dir.), *Pluralisme et école*, Québec, IQRC, p. 137-156.

LYNN, L. (1998), « The Evolution of Creationism », *Rethinking Schools : An Urban Educational Journal*, 12(2), Winter.

MACKLEM, P. (2001), *Indigenous Difference and the Constitution of Canada*, Toronto, University of Toronto Press.

MACPHERSON, D. (1995), « Made-in-France Controversy : Hijab Ban Has no Logical Roots in Quebec Society », *The Gazette*, 16 février.

MAHIEU, P. (1999a), « Transforming Schools in a Transforming Society : The Case of Flemish Migrant Schools », *in* R. BOLAM et F. VAN WIERINGEN (dir.), *Research on Educational Management in Europe*, Münster/New York, Waxmann, p. 123-140.

MAHIEU, P. (1999b), « Minorities, Policies and Strategies in Europe : A Belgian (Flemish) View », *in* D. TURTON et J. GONZALEZ (dir.), *Cultural Identities and Ethnic Minorities in Europe*, Bilbao, University of Deusto, p. 35-42.

MAISONNEUVE, D. (1987), *Le cheminement scolaire des élèves ayant séjourné en classe d'accueil*, Québec, MEQ, Direction générale de la recherche et du développement.

MAJHANOVICH, S. (1992), « Multicultural Education : A Canadian Perspective », Communication présentée au *Annual Meeting of the American Association of Colleges for Teacher Education*, February.

MALLEA, J. (1977), *Quebec's Language Policy : Background and Responses*, Québec, CIRB.

MARAVÉLAKI, A. (1993), « Comparaison de la performance en lecture en L_1, L_2 et L_3 des élèves de secondaire 2, d'origine grecque à Montréal », Mémoire, Faculté des sciences de l'éducation, Université de Montréal.

MARCH, R. (1983), « Political Mobility of Ukrainians in Canada », *in* J. ELLIOT (dir.), *Two Nations, Many Cultures*, Scarborough, Prentice-Hall Canada.

MARLEAU, R. (1980), « L'idéologie des groupes de pression ethniques néo-québécois dans leur opposition au projet de Loi n° 1 », mémoire, Département de Sciences politiques, Université du Québec à Montréal.

MARTUCELLI, D. et P. ZAWADKI (1994), « L'Espace du débat scolaire dans les ZEP », *Migrants et formation*, 97, 49-62.

MASON, D. (1995), *Race and Ethnicity in Modern Britain*, Oxford, Oxford University Press.

MC ANDREW, M. (1982), « Éducation et survivance des langues et de cultures minoritaires. L'exemple du programme Codofil en Louisiane », mémoire, Sciences de l'éducation, Université de Montréal.

MC ANDREW, M. (1986), *Études sur l'ethnocentrisme dans les manuels scolaires de langue française au Québec*, Les Publications de la Faculté des sciences de l'éducation, Université de Montréal.

Mc ANDREW, M. (1987a), « Le multiculturalisme, l'éducation interculturelle et l'éducation en langue française au Canada », *Revue de l'Association canadienne d'éducation de langue française, XV*(2), 22-31.

Mc ANDREW, M. (1987b), *Le traitement de la diversité raciale, ethnique et culturelle et la valorisation du pluralisme dans le matériel didactique au Québec*, Montréal, CCCI.

Mc ANDREW, M. (1988a), *Étude de la documentation relative à l'impact de la présence de membres des minorités ethniques et raciales au sein du personnel enseignant et de direction du Québec*, Québec, MEQ, Services éducatifs aux communautés culturelles.

Mc ANDREW, M. (1988b), *Les relations École-Communautés en milieu pluriethnique montréalais*, Montréal, CSIM.

Mc ANDREW, M. (1988c), *L'ouverture du PELO à l'ensemble de la clientèle scolaire intéressée*, Rapport final, MEQ, juin.

Mc ANDREW, M. (1990), « Ethnicity, Multiculturalism and Multicultural Education in Canada », *in* D. RAY et R. GHOSH (dir.), *Social Change and Education in Canada*, 2ᵉ édition, Canada, Hartcourt, Brace, Jovanovich, p. 130-141.

Mc ANDREW, M. (1991), *L'enseignement des langues d'origine à l'école publique en Ontario et au Québec (1977-1989). Politiques et enjeux*, Rapport de recherche, nᵒ 039, Les Publications de la Faculté des sciences de l'éducation, Université de Montréal.

Mc ANDREW, M. (1992), « La lutte au racisme et à l'ethnocentrisme dans le matériel didactique. Problématique et interventions québécoises dans le domaine », *Le racisme et l'éducation : perspectives et expériences diverses*, Ottawa, Fédération canadienne des enseignantes et enseignants, p. 49-60.

Mc ANDREW, M. (1993a), « L'éducation interculturelle au Québec : dix ans après », *Revue Impression*, avril, Cégep Saint-Laurent, 5-7.

Mc ANDREW, M. (1993b), *L'intégration des élèves des minorités ethniques quinze ans après la Loi 101 : quelques enjeux confrontant les écoles publiques de langue française de la région montréalaise*, MCCI, Direction des études et de la recherche.

Mc ANDREW, M. (1994), « L'accommodement des conflits culturels entre enseignants et parents. Un exemple québécois », *Migrants-formation, L'école dans la ville : ouverture ou clôture*, 97, 171-183, Centre national de documentation pédagogique.

Mc ANDREW, M. (1995a), « Multiculturalisme canadien et interculturalisme québécois. Mythes et réalités », *in* M. Mc ANDREW, O. GALATANU et R. TOUSSAINT (dir.), *Pluralisme et éducation. Politiques et pratiques au Canada, en Europe et dans les pays du sud. L'apport de l'éducation comparée*, tome 1, Montréal/Paris, Les Publications de la Faculté des sciences de l'éducation/Association francophone d'éducation comparée, p. 33-51.

Mc ANDREW, M. (1995b), « Le procès actuel du multiculturalisme est-il fondé ? Une analyse de la politique ontarienne d'antiracisme et d'équité ethnoculturelle dans les conseils scolaires », *Éducation et francophonie*, printemps, 27-33.

Mc Andrew, M. (1996a), «L'intégration des élèves des minorités ethniques dans les écoles de langue française au Québec. Éléments d'un bilan», *in* K.A. McLeod et Z. De Koninck (dir.), *L'éducation multiculturelle: l'état de la question*, Association canadienne des professeurs de langue seconde, 1-23.

Mc Andrew, M. (1996b), «Diversité culturelle et religieuse. Divergences des rhétoriques, convergences des pratiques?», *in* F. Gagnon, M. Mc Andrew et M. Pagé (dir.), *Pluralisme, citoyenneté et éducation*, Montréal/Paris, L'Harmattan, p. 287-320.

Mc Andrew, M. (1996c), «Models of Common Schooling and Interethnic Relations: A Comparative Analysis of Policies and Practices in the United States, Israel and Northern Ireland», *Compare*, 26(3), 333-345.

Mc Andrew, M. (1997), «Les défis du pluralisme scolaire. L'éducation des élèves d'origine immigrée au Québec», *in* J.L. Rallu, Y. Courbage et V. Piché (dir.), *Old and New Minorities/Anciennes et nouvelles minorités*, Paris, John Libbey Eurotext, p. 309-331.

Mc Andrew, M. (1999), «L'éducation et la diversité socioculturelle. Un champ de recherche et d'intervention en redéfinition?», *in* M.A. Hilly et M.L. Lefebvre (dir.), *Identité collective et altérité. Diversité des espaces, spécificité des pratiques*, Paris, L'Harmattan, p. 285-304.

Mc Andrew, M. (2000), «Conclusion, comparabilité des expériences décrites et perspectives de collaboration», *in* M. Mc Andrew et F. Gagnon (dir), *Relations ethniques et éducation dans les sociétés divisées: Québec, Irlande du Nord, Catalogne et Belgique*, Montréal/Paris, L'Harmattan, p. 225-241.

Mc Andrew, M. (à paraître), «Should National Minorities/Majorities Share Common Institutions or Control Their Own Schools: A Comparison of Policies and Debates in Quebec, Northern Ireland and Catalonia», *in* S. Schmitt et D. Juteau (dir.), *The Social Construction of Diversity: Recasting the Master Narrative of Industrial Nations*, Bergham Books.

Mc Andrew, M. et C. Ciceri (1997), *Le rôle de l'éducation dans l'intégration des immigrants. Recherches actuelles et prospectives*, Actes du séminaire en éducation, projet Métropolis tenu à St. John, Terre-Neuve, 13 juin 1997, Montréal, Immigration et métropoles.

Mc Andrew, M. et C. Ciceri (1998), «Immigration, Diversity and Multilingual Education: The Canadian Example», *Zeitschrift für internationale erziehungs- und socialwissenschaftliche Forschung*, 15(2), 295-322.

Mc Andrew, M. et J.Y. Hardy (1992), *Les agents de milieu et de liaison. Un bilan*, rapport de recherche, CECM.

Mc Andrew, M. et M. Jacquet (1992), *La gestion des conflits de valeurs et la recherche d'accommodements et de stratégies de cheminement à l'école québécoise. Portraits-synthèse de six écoles*, MEQ, non publié.

Mc Andrew, M. et M. Jacquet (1996), «Le discours public des acteurs du monde de l'éducation sur l'immigration et l'intégration des élèves des minorités», *Recherches sociographiques*, 37, 1-41.

Mc Andrew, M., M. Jacquet et C. Ciceri (1997), « La prise en compte de la diversité culturelle et religieuse dans les normes et pratiques de gestion des établissements. Une étude exploratoire dans cinq provinces canadiennes », *Revue des sciences de l'éducation*, 23(1), 209-232.

Mc Andrew, M. et M. Jodoin (1999), *L'immigration à Montréal au milieu des années 90. Volet éducation*, Montréal, Immigration et métropoles.

Mc Andrew, M., M. Jodoin, M. Pagé et J. Rossell, J. (2000), « L'aptitude au français des élèves montréalais d'origine immigrée. Impact de la densité ethnique de l'école, du taux de francisation associé à la langue maternelle et de l'ancienneté d'implantation », *Cahiers québécois de démographie*, 29(1), 89-118.

Mc Andrew, M. et M. Ledoux (1994), *La concentration ethnique dans les écoles de langue française de l'île de Montréal. Portrait d'ensemble*, Rapport déposé à la Direction des études et de la recherche, MAIICC.

Mc Andrew, M. et M. Ledoux (1995), « La concentration ethnique dans les écoles de langue française de l'île de Montréal. Un portrait statistique », *Cahiers québécois de démographie*, 24(2), 343-370.

Mc Andrew, M. et M. Ledoux (1996), *Identification et analyse des facteurs socio-écologiques et scolaires influençant la dynamique de la concentration ethnique dans les écoles de langue française de l'île de Montréal*, Rapport soumis à la Direction des études et de la recherche, MAIICC.

Mc Andrew, M. et M. Ledoux (1998), « Identification et évaluation de l'impact relatif des facteurs influençant la dynamique de concentration ethnique dans les écoles de langue française de l'île de Montréal », *Revue canadienne des sciences régionales*, XX(1-2), 195-216.

Mc Andrew, M. et F. Lemire (1999), « La concentration ethnique dans les écoles de langue française de l'île de Montréal. Que pouvons-nous apprendre de la recherche américaine sur le busing », *Éducation canadienne et internationale*, 27(2), 1-24

Mc Andrew, M. et M. Pagé (1996), « Entre démagogie et démocratie. Le débat sur le hijab au Québec », *Collectif interculturel*, 2(2), 151-167.

Mc Andrew, M., M. Pagé, M. Jodoin et F. Lemire (1999), « Densité ethnique de l'école et intégration sociale des élèves néo-québécois », *Études ethniques au Canada*, 31(1), 5-25.

Mc Andrew, M. et M. Potvin (1996), *Le racisme au Québec. Éléments d'un diagnostic*, Rapport présenté à la Direction des politiques et programmes de relations interculturelles, MAIICC, Québec, Éditeur officiel du Québec, coll. « Études et Recherches », 13.

Mc Andrew, M. et J.P. Proulx (2000), « Éducation et ethnicité au Québec. Un portrait d'ensemble », *in* M. Mc Andrew et F. Gagnon (dir.), *Relations ethniques et éducation dans les sociétés divisées : Québec, Irlande du Nord, Catalogne et Belgique*, Montréal/Paris, L'Harmattan, p. 85-110.

Mc Andrew, M. et A. Saint-Pierre (1993), *Bienvenue à la retenue scolaire*, Rapport final de l'évaluation intégrée à l'action éducative de la mesure « Périodes d'études dirigées », Conseil scolaire de l'île de Montréal.

Mc Andrew, M., C. Tessier et G. Bourgeault (1997), « L'éducation à la citoyenneté en milieu scolaire au Canada, aux États-Unis et en France. Des orientations aux réalisations », *Revue française de pédagogie*, 121, octobre-novembre- décembre, 57-77.

Mc Andrew, M., C. Veltman, F. Lemire et J. Rossell (1999), *Concentration ethnique et usages linguistiques en milieu scolaire*, Rapport de recherche, Montréal, Immigration et métropoles.

Mc Andrew, M., C. Veltman, F. Lemire et J. Rossell (2001), « Les usages linguistiques en milieu scolaire pluriethnique à Montréal. Situation actuelle et déterminants institutionnels », *Revue des sciences de l'éducation*, 27(1), 105-126.

McClenahan, C., E. Cairns, S. Dunn et V. Morgan (1996), « Intergroup Friendships : Integrated and Desegregated Schools in Northern Ireland », *Journal of Social Psychology*, 136(5), 549-558.

McDiarmid, G. et D. Pratt (1971), *Teaching Prejudice*, Toronto, OISE.

McDonald, L.E. (1997), « Boston Public School White Enrollment Decline : White Flight or Demographic Factors ? », *Equity and Excellence Journal*, 30(3), 21-30.

McDonnell, M.W. (1992), « Accommodation of Religions : An Update and a Response to the Critics », *George Washington Review*, 60, 685-687.

McLeod, K. (1992), « Multiculturalism and Multicultural Education in Canada : Human Rights and Human Rights Education », *in* K.A. Moodley (dir.), *Beyond Multicultural Education, International Perspectives*, Calgary : Detselig Enterprise Ltd., p. 215-242.

McLeod, K. et Z. de Koninck, Z. (1996), *L'éducation multiculturelle. L'état de la question*, Association canadienne des professeurs de langue seconde.

McQuillan, J. et L. Tsé (1996), « Does Research Matter : An Analysis of Media Opinion on Bilingual Education 1894-1994 », *Bilingual Research Journal*, 20(1), 1-27.

Medhoune, A. et M. Lavallée (2000), « Le système scolaire en Belgique. Clivages et pratiques », *in* M. Mc Andrew et F. Gagnon (dir.), *Relations ethniques et éducation dans les sociétés divisées : Québec, Irlande du Nord, Catalogne et Belgique*, Montréal/Paris, L'Harmattan, p. 147-169.

Mehlinger, H.D. (1992), « The National Commission on Social Studies in Schools : An Example of the Politics of Curriculum Reform in the United States », *Social Education*, 149-153.

Messier, M. (1997), *Les modèles de services réservés aux élèves nouveaux arrivants. Une étude comparée entre Montréal et Toronto*, Montréal, Immigration et métropoles.

Metro Separate School Board (1986), *Race and Ethnic Relations and Multicultural Policy : Guideline and Procedure*, February.

Meuret, D. (1994), « L'efficacité de la politique ZEP dans les collèges », *Revue française de pédagogie*, 109, 12-94.

MICHEL, A. (1994), « L'éducation à la citoyenneté », *Administration et éducation*, 61, 29-43.

MIGUELEZ, R. (1977), *La comparaison interculturelle*, Montréal, PUM.

MILOT, M. (1991), « Religion, univers scolaire. Le sens en contresens. Le cas du Québec et de la France », *Revue internationale d'action* communautaire, 26/66, 99-107.

MILOT, M. et J.-P. PROULX (1999), *Les attentes sociales à l'égard de la religion à l'école publique*, Rapport de recherche, Groupe de travail sur la place de la religion à l'école, Étude n° 2, Québec, MEQ.

Ministère de la Culture et des Communications du Québec (1996), *Le français, langue commune. Enjeu de la société québécoise*, Rapport du Comité interministériel sur la situation de la langue française, Québec.

Ministère de l'Éducation de la Colombie-Britannique (1994), *Multicultural and Race Relations Education : Guidelines for School Districts*, Vancouver.

Ministère de l'Éducation de la Colombie-Britannique (1998), *Special Education Service : A Manual of Policies, Procedures and Guidelines*, Vancouver. <www.bced. gov.bc.ca/specialed/ppandg/iep_7. Htm>

Ministère de l'Éducation de la Colombie-Britannique (1999a), *English as a Second Language Learner : A Guide for Specialist*, Vancouver.

Ministère de l'Éducation de la Colombie-Britannique (1999b), *English as a Second Language : Policy Framework*, Vancouver.

Ministère de l'Éducation de l'Alberta (1988a), *Language Education Policy for Alberta*, Edmonton.

Ministère de l'Éducation de l'Alberta (1988b), *Student's Interactions. Development Framework : The Social Sphere*, Edmonton.

Ministère de l'Éducation de l'Alberta (1997), *Trends and Issues in Language Education*, Edmonton.

Ministère de l'Éducation de l'Alberta (1999), *The Common Curriculum Framework for Bilingual Programming in International Languages, Kindergarten to Grade 12*, Edmonton.

Ministère de l'Éducation de la Nouvelle-Écosse (1995), *Strategic Plan : Race Relations, Human Rights and Cross-Cultural Policy*, Halifax.

Ministère de l'Éducation de l'Ontario (1977), *Memorandum 46. 1976-1977*, Toronto.

Ministère de l'Éducation de l'Ontario (1980), *Heritage Language Fact Sheet*, Toronto.

Ministère de l'Éducation de l'Ontario (1987), *Proposal for Action, Ontario's Heritage Languages Program*, Toronto.

Ministère de l'Éducation du Québec (1978), *Projet d'enseignement des langues d'origine (PELO)*, Cadre général du projet. Québec.

Ministère de l'Éducation du Québec (1979), *L'École québécoise*, Énoncé de politique et plan d'action, Québec.

Ministère de l'Éducation du Québec (1980), *L'École s'adapte à son milieu. Énoncé de politique sur l'école en milieu économiquement faible*, Québec.

Ministère de l'Éducation du Québec (1982), *Proposition de modèles d'implantation des programmes d'enseignement des langues d'origine*, Montréal, Bureau des services aux communautés culturelles.

Ministère de l'Éducation du Québec (1983a), *Grille d'analyse des stéréotypes discriminatoires dans le matériel didactique*, Québec.

Ministère de l'Éducation du Québec (1983b), *Les programmes d'enseignement des langues d'origine (PELO). Pourquoi?* Montréal, Bureau des services aux communautés culturelles.

Ministère de l'Éducation du Québec (1983c), *Programme d'études primaires portugais/grec/italien, langues d'origine 1ère, 2e, 3e, 4e, 5e, 6e années*, Québec, Direction générale du développement pédagogique.

Ministère de l'Éducation du Québec (1983d), *Guides pédagogiques primaires portugais/grec/italien, langues d'origine, 1ère, 2e, 3e, 4e, 5e, 6e années*, Québec, Direction générale du développement pédagogique.

Ministère de l'Éducation du Québec (1983e), *Programmes d'enseignement des langues d'origine (PELO)*, État de la situation, Montréal, Bureau des services aux communautés culturelles.

Ministère de l'Éducation du Québec (1984), *Programme d'études primaires, français classe d'accueil, classe de francisation*, Québec, Direction générale des programmes.

Ministère de l'Éducation du Québec (1985), *L'école québécoise et les communautés culturelles*, Rapport Chancy, Québec, Direction des communications.

Ministère de l'Éducation du Québec (1986), *Programme d'études secondaires, français classe d'accueil, classe de francisation*, Québec, Direction générale des programmes.

Ministère de l'Éducation du Québec (1988a), *L'école québécoise et les communautés culturelles*, Rapport du Comité dirigé par G. Latif, Québec, Direction des services aux communautés culturelles.

Ministère de l'Éducation du Québec (1988b), *Guide pour l'élimination des stéréotypes discriminatoires dans le matériel didactique*, Québec, Direction des ressources didactiques, Bureau d'approbation du matériel didactique.

Ministère de l'Éducation du Québec (1990), *Modèles organisationnels des classes d'accueil et des classes de francisation*, Document de travail, Montréal, Direction des services aux communautés culturelles.

Ministère de l'Éducation du Québec (1992), *Chacun ses devoirs: plan d'action sur la réussite éducative. Notre force d'avenir: l'éducation*, Plan Pagé, Québec.

Ministère de l'Éducation du Québec (1994a), *La prise en compte de la diversité religieuse et culturelle en milieu scolaire. Un module de formation à l'intention des gestionnaires*, Montréal, Direction des services aux communautés culturelles.

Ministère de l'Éducation du Québec (1994b), *Performance des élèves aux épreuves ministérielles en langue française et en langue anglaise selon leur origine linguistique*, Document de travail non publié, Québec, Direction de la recherche.

Ministère de l'Éducation du Québec (1994c), *Se souvenir et devenir*, Rapport du groupe de travail sur l'enseignement de l'histoire (Lacoursière), Québec.

Ministère de l'Éducation du Québec (1994d), *Répertoire des programmes de formation générale à l'éducation préscolaire et à l'enseignement primaire et secondaire*, Québec, Direction générale du développement pédagogique.

Ministère de l'Éducation du Québec (1994e), *Rapport du groupe de travail du milieu scolaire sur la connaissance de la société québécoise en milieu pluriethnique*, Montréal, Direction des services aux communautés culturelles.

Ministère de l'Éducation du Québec (1995a), *Parents partenaires*, Répertoire de projets favorisant la participation des parents en milieu scolaire, Montréal, Direction des services aux communautés culturelles.

Ministère de l'Éducation du Québec (1995b), *Projet de scolarisation des élèves en difficulté d'intégration scolaire au primaire et au secondaire*, Rapport de la seconde étape, Document de travail, Montréal, Direction des services aux communautés culturelles.

Ministère de l'Éducation du Québec (1995c), *La violence à l'école*, État de la situation et bilan des actions, Document de travail, Groupe de travail interministériel sur la violence à l'école, Québec.

Ministère de l'Éducation du Québec (1996a), *Le point sur les services d'accueil et de francisation de l'école publique québécoise. Pratiques actuelles et résultats des élèves*, Montréal, Direction des services aux communautés culturelles.

Ministère de l'Éducation du Québec (1996b), *Projet d'enseignement des langues d'origine. Bilan annuel 1995-1996*, Montréal, Direction des services aux communautés culturelles.

Ministère de l'Éducation du Québec (1997a), *Réalités linguistiques et réussite scolaire au Québec*, Document de travail non publié, Québec, Direction de la recherche.

Ministère de l'Éducation du Québec (1997b), *Une école d'avenir. Intégration scolaire et éducation interculturelle*, Projet de politique, Québec.

Ministère de l'Éducation du Québec (1997c), *L'École tout un programme*, Québec.

Ministère de l'Éducation du Québec (1997d), *Réaffirmer l'École. Prendre le virage du succès*, Rapport du groupe de travail sur la réforme du curriculum, Rapport Inschauspé, Québec.

Ministère de l'Éducation du Québec (1998a), *Répartition des élèves inscrits en 1997-1998*, Données provisoires du réseau catholique public selon la langue d'enseignement et la religion de l'élève, Données provisoires du réseau protestant public selon la langue d'enseignement et la religion de l'élève, Réf. SM7 JS015, Québec, Compilation spéciale, 3 juillet.

Ministère de l'Éducation du Québec (1998b), *Une école d'avenir. Intégration scolaire et éducation interculturelle*, Québec.

Ministère de l'Éducation du Québec (1999), *Prendre le virage du succès. Soutenir l'école montréalaise*, Plan d'action ministériel pour la réforme de l'éducation, Montréal.

Ministère de l'Éducation du Québec (2000a), *Consolider la collaboration entre le milieu scolaire et le milieu communautaire. Une mesure clé pour la réussite éducative des jeunes*, Montréal, École montréalaise.

Ministère de l'Éducation du Québec (2000b), «Programme des programmes», *in* MEQ, *Programme de formation de l'école québécoise: Éducation préscolaire, enseignement primaire (1ᵉʳ cycle) (version approuvée); enseignement primaire (2ᵉ et 3ᵉ cycles) (version provisoire). Le virage du succès ensemble*, Québec, p. 15-71.

Ministère de l'Éducation du Québec (2000c), *Compilation spéciale efffectuée à partir des fichiers 1998-1999*, Québec, Direction de l'enseignement privé.

Ministère de l'Éducation et de la Formation de l'Ontario (1993a), *L'antiracisme et l'équité ethnoculturelle dans les conseils scolaires*, Lignes directrices pour l'élaboration et la mise en œuvre d'une politique, Toronto.

Ministère de l'Éducation et de la Formation de l'Ontario (1993b), *Vers une nouvelle optique*, Guide sur l'éducation en matière d'antiracisme et d'équité ethnoculturelle, Toronto.

Ministère de l'Éducation et de la Formation de l'Ontario (1995), *International Languages Program 1994-1995 Report*. Toronto.

Ministère de l'Éducation et de la Formation de l'Ontario (1996a), *Board Report/ Rapport des conseils scolaires*, Toronto, septembre.

Ministère de l'Éducation et de la Formation de l'Ontario (1996b), *Values, Influences and Peers: A Resource Guide*, Édition révisée, Toronto.

Ministère de l'Éducation et de la Formation de l'Ontario (1998), *The Ontario Curriculum. Social Studies: Grade 1 to 6. History and Geography: Grade 7 and 8*, Toronto.

Ministère de l'Éducation et de la Formation de l'Ontario (1999a), *The Ontario Curriculum: Classical and International Languages 1999*, Toronto.

Ministère de l'Éducation et de la Formation de l'Ontario (1999b), *The Ontario Curriculum. Grade 9 and 10. Canadian and World Studies*, Toronto.

Ministère de l'Éducation Nationale (1989), *Avis du Conseil d'État et déclaration du Ministre concernant le port de signes d'appartenance à une communauté religieuse dans les établissements scolaires*, Paris.

Ministère de l'Éducation Nationale (1993), *L'état de l'École: 30 indicateurs sur le système éducatif*, Paris, MEN, Direction de l'évaluation et de la prospective.

Ministère de l'Éducation Nationale (1994a), *La neutralité de l'enseignement public*. Circulaire DIR/CAB/n° 1649 du 20 septembre, Bulletin officiel, n° 35, 2528-2529, Paris.

Ministère de l'Éducation Nationale (1994b), *Un nouveau contrat pour l'école*, Paris.

Ministère de l'Éducation Nationale, de la Recherche et de la Technologie (1996), *Les classes d'accueil à Paris. Enquête 1995-1996*, Rectorat de Paris, CEFISEM.

Ministère de l'Éducation Nationale, de la Recherche et de la Technologie (1997a), *Les classes d'accueil à Paris. Enquête 1996-1997*, Rectorat de Paris, CEFISEM.

Ministère de l'Éducation Nationale, de la Recherche et de la Technologie (1997b), *Politique éducative*, Circulaire n° 97-233-311097 RLR 510-1; 520-0, Paris.

Ministère de l'Éducation Nationale, de la Recherche et de la Technologie (1997c), <www.education.gouv.fr/prim.progec/...> <www.education.gouv.fr./coll. progec/...> Paris.

Ministère de l'Éducation Nationale, de la Recherche et de la Technologie (1998a), *Les élèves des classes d'accueil des collèges. Enquête 1997-1998*, Rectorat de Paris, CEFISEM.

Ministère de l'Éducation Nationale, de la Recherche et de la Technologie (1998b), *Les classes d'initiation à Paris. Enquête 1997-1998*, CEFISEM, Rectorat de Paris.

Ministère de l'Éducation Nationale, de la Recherche et de la Technologie (1998c), *Pratiques innovantes. L'éducation à la citoyenneté*, Paris, MENRT/INRP.

Ministère de l'Éducation Nationale, de la Recherche et de la Technologie (1999), «Relance de l'éducation prioritaire: élaboration, pilotage et accompagnement des contrats de réussite des réseaux d'éducation prioritaire», *Bulletin officiel de l'Éducation Nationale*, 4, 28 janvier.

Ministère des Affaires internationales, de l'Immigration et des Communautés culturelles (1995), *Profils des communautés culturelles du Québec*, Québec.

Ministère des Communautés culturelles et de l'Immigration (1990a), *Au Québec pour bâtir ensemble*, Énoncé de politique en matière d'immigration et d'intégration, Montréal, Direction des communications.

Ministère des Communautés culturelles et de l'Immigration (1990b), *Le mouvement d'immigration d'hier à aujourd'hui*, Montréal, Direction des communications.

Ministère des Communautés culturelles et de l'Immigration (1990c), *Profil de la population immigrée recensée au Québec en 1986*, Montréal, Direction des communications.

Ministère des Relations avec les citoyens et de l'Immigration (1997a), *Le Québec en mouvement: statistiques sur l'immigration*, Montréal, Direction des communications.

Ministère des Relations avec les citoyens et de l'Immigration (1997b), *Synthèse de la consultation publique sur les niveaux d'immigration pour la période 1998-2000*, Montréal, Direction des politiques et programmes d'immigration.

Ministère des Relations avec les citoyens et de l'Immigration (2001), *Plan stratégique 2001-2004*, Montréal.

MOISAN, G. (2000), «Aide aux écoles de milieux défavorisés de grands centres urbains: déterminants communs et trajectoires multiples», Communication présentée au séminaire international sur l'*Aide aux écoles des milieux défavorisés de grands centres urbains: determinants communs, trajectoires multiples*, MEQ, mars.

MOISAN, C. et J. SIMON (1997), *Les déterminants de la réussite scolaire en zone d'éducation prioritaire*, INRP/Ministère de l'Éducation Nationale, Inspection générale de l'administration et de l'éducation nationale/Inspection générale de l'éducation nationale, Paris.

MOISSET, J., M. MELLOUKI, R. OUELLET et M. DIAMBOMBA (1995), «Les jeunes des communautés culturelles du Québec et leur rendement scolaire», *CRIRES*, 2(4).

MOODLEY, K.A. (1988), «L'éducation multiculturelle au Canada. Des espoirs aux réalités», *in* F. OUELLET (dir.), *Pluralisme et école*, Québec, IQRC, p. 187-222.

MOODLEY, K.A. (1992), *Beyond Multicultural Education: International Perspectives*, Calgary, Destselig Enterprises Ltd.

MORGAN, V. (2000), « L'évolution récente des structures et des programmes scolaires en Irlande du Nord », *in* M. MC ANDREW et F. GAGNON (dir.), *Relations ethniques et éducation dans les sociétés divisées : Québec, Irlande du Nord, Catalogne et Belgique*, Montréal/Paris, L'Harmattan, p. 191-202.

Multiculturalisme et Citoyenneté Canada (1993), *L'éducation civique au Canada*, Ottawa, Service de la recherche.

MURPHY, R. et A. DENNIS (1979), « Schools and the Conservation of the Vertical Mosaic », *in* D. JUTEAU-LEE (dir.), *Frontières ethniques en devenir*. Ottawa, Éditions de l'Université d'Ottawa.

NASH, G.B. (1996), « Multiculturalism and History : Historical Perspectives and Present Prospects », *in* R.K. FULLINWIDER (dir.), *Public Education in a Multicultural Society : Policy, Theory, Critique*, New York, Cambridge University Press, p. 183-202.

National Advisory Commission on Civil Disorders (1968), *Report of the National Advisory Commission on Civil Disorders*, New York, Bantam Book.

National Center for History in the Schools (1996), *National Standards for History : Basic Edition*, Los Angeles, CA, University of California.

National Institute for Dispute Resolution (2000), *Conflict Resolution Education Network*. <www.continet.com/nidr>

National Reseach Council (1997), *Improving Schooling for Language Minority Children : A Research Agenda*. Commission on Behaviorial and Social Sciences and Education, Committee on Developing a Research Agenda on the Education of Limited English Proficience and Bilingual Students.

Newman, M. (1994), « California School vying for New Students Under a State Plan for Open Enrollment », *The New York Times*, May 25, B-9.

New York State Education Department (1989), *A Curriculum of Inclusion*, Report of the Commissioner's Task Force on Minorities : Equity and Excellence, Albany, July.

New York State Education Department (1991), *One Nation, Many Peoples : A Declaration of Cultural Interdependance*, The Report of the New York State Social Studies Review and Development Committee, Albany

NOËL, P. (1984), *Rapport sur la problématique des tensions raciales et du racisme en milieu scolaire*, CECM, août.

North York Board of Education (1995), *Language for Learning : Policy in North York Schools*, North York.

North York Board of Education (1996), *ESL/ESD, Reception, Orientation, Program Delivery, Monitoring*, Document de travail pour les écoles, North York, Development Committee.

Nous tous un Soleil (1997), *Nos passés, notre avenir. Un projet d'éducation interculturelle*, Montréal, Éditions Saint-Martin.

NUTTALL, D.L., H. GOLDSTEIN, R. PROSSER et J. RABASH (1989), « Differential School Effectiveness », *International Journal of Educational Research*, 13, 769-776.

Office for Standards in Education (1996), *Raising Achievement of Bilingual Pupils 1995-1996*, London.

Office for Standards in Education (1997), *The Assessment of the Language Development of Bilingual Pupils*, London.

Office for Standards in Education (1999), *Raising the Attainment of Minority Ethnic Pupils, Schools and LIA Responses*, London.

Office national du film (1985), *Xénofolies*, Michel Moreau.

ORFIELD, G., M.D. BACHMEIER, D.R. JAMES et T. EITLE (1997), « Deepening Segregation in American Public Schools : A Special Report from the Harvard Project on School Desegregation », *Equity and Excellence in Education Journal*, 30(2), 5-25.

ORFIELD, G. et S.E. EATON (1996), *Dismantling Desegregation : The Quiet Reversal of Brown v. Board of Education*, Harvard Project on School Desegregation, The New Press.

OUELLET, F. (1984), « Intercultural Education : Teachers in Service Training », Communication présentée à la 2nd *National Conference on Multicultural and Intercultural Education*, Toronto, November 7-10. Working Paper, Université de Sherbrooke, Faculté de théologie.

OUELLET, F. (1991), *L'éducation interculturelle. Essai sur le contenu de la formation des maîtres*, Paris, L'Harmattan.

OUELLET, F., C. CHARBONNEAU et R. GOSH (2000), *Formation interculturelle au Québec (1986-1996). Évaluation des sessions*, Rapport de recherche, Immigration et Métropoles, Université de Sherbrooke.

OULD-SIDI-FALL, F. (1997), « Un atelier d'écriture littéraire en classe d'accueil. Un accès à la langue scolaire », *Migrants et formation*, 108, 109-126.

OVANDO, C. et V.P. COLLIER (1998), *Bilingual and ESL Classrooms : Teaching in Multicultural Contexts*, Boston, McGraw-Hill.

OVERINGTON, A. (1999), Réponse de la personne ressource responsable des *Education Action Zone* du Department for Education and Employment (DfEE) aux questions de l'auteure.

PAGÉ, M. (1988), « L'éducation interculturelle au Québec. Bilan critique », *in* F. OUELLET (dir.), *Pluralisme et école*, Québec, IQRC, p. 271-300.

PAGÉ, M. (1995), « Une approche pluraliste en éducation. Le cas de l'enseignement de l'histoire », *Éducation et francophonie*, juin, 34-42.

PAGÉ, M. (1997), « Interculturel et citoyenneté. Une complémentarité nécessaire », Communication présentée au Colloque de l'Association pour l'Éducation Interculturelle au Québec (APEIQ), *De l'interculturel à la citoyenneté. Un plus pour la cohésion sociale ?* Mai.

PAGÉ, M. avec la coll. de J. PROVENCHER et D. RAMIREZ (1993), *Courants d'idées actuels en éducation des clientèles scolaires multiethniques*, Québec, CSE.

PAGÉ, M. et F. GAGNON (1999), *Les approches de la citoyenneté dans six démocraties libérales*, Ottawa, Ministère du Patrimoine canadien, mai.

PAGÉ, M., M. JODOIN et M. MC ANDREW (1998), «Pluralisme et style d'acculturation d'adolescents néo-québécois», *Revue québécoise de psychologie, XIX*(3), 115-149.

PAILLÉ, J. (1996), «La scolarisation des enfants et des jeunes issus de l'immigration en France», *Revue française de pédagogie, 117*, octobre-novembre-décembre, 89-117.

PAINCHAUD, G., A. D'ANGLEJAN, F. ARMAND et M. JESAK (1993), «Diversité culturelle et littératie», *in* M. MC ANDREW (dir.), *Pluralisme et éducation. Perspectives québécoises. Repères, Essais en éducation, 15*, 77-94.

PAQUETTE, H. et D. BRASSARD (1985), «La participation des parents à l'école. Pluralisme de concepts et de pratiques», *in* M. CRESPO et C. LESSARD (dir.), *Éducation en milieu urbain*, Montréal, PUM, p. 273-323.

PARADIS, E. (1987), *Problématique des milieux socio-économiquement faibles et des milieux pluriethniques*, Québec, CEQ.

PASSELL, J.S. (1998), «Undocumented Immigration to the United States : Numbers, Trends and Characteristics», communication présentée à la conférence *Managing Migration in the 21st Century : On the Politics and Economic of Illegal Immigration*, Hambourg, Germany, June 21-22.

PAULSTON, C. (1980), *Bilingual Education : Theories and Issues*, Rowley, Newbury House Publ.

PAYET, J.P. (1995), *Collèges de banlieue. Ethnographie d'un monde scolaire*, Paris, Méridiens Klincksieck.

PAYET, J.P. (1996), «La catégorie ethnique dans l'espace relationnel des collèges de banlieue. Entre censure et soulignement», Actes du colloque *Réussite scolaire et universitaire, égalité des chances et discriminations à l'embauche des jeunes issus de l'immigration*, Université Paris 7, CNR-Université Paris 8.

PAYET, J.P. (1999), «L'école et la question de l'immigration en France. Une mise à l'épreuve», *in* M. MC ANDREW, A.-C. DÉCOUFFLÉ et C. CICERI (dir.), *Les politiques d'immigration et d'intégration au Canada et en France. Analyses comparées et perspectives de recherche*, Paris/Ottawa, Ministère de l'emploi et de la solidarité, CRSH, p. 353-369.

PEACH, C. (1997), «La mesure et la signification de la ségrégation des immigrants et des minorités», *in* M. MC ANDREW et N. LAPIERRE-VINCENT (dir.), *Métropolis - An II. Le développement d'un agenda de recherche comparatif. Actes de la 2ᵉ Conférence nationale et du Séminaire thématique — Logement et vie de quartier*, Montréal, Immigration et métropoles, p. 233-252.

PELLETIER, G. et M. CRESPO (1979), *Le jeune immigrant dans le système scolaire*, une étude socio-scolaire réalisée sur les finissants des classes d'accueil de la Commission des écoles catholiques de Montréal, Rapport soumis au Ministère de l'Éducation du Québec.

PERRENOUD, Ph. (1984), *La fabrication de l'excellence scolaire. Du curriculum aux pratiques d'évaluation vers une analyse de la réussite, de l'échec et des inégalités comme réalité construite par le système scolaire*, Genève, Droz.

PERRENOUD, Ph. (1994), *La formation des enseignants. Entre théorie et pratique*, Paris, L'Harmattan.

PERRY, G. (1992), « Designing Citizenship Education Programs for Urban Secondary Schools », *NASSP Bulletin*, October 13-18.

PERRY, T. et L. DELPIT (1997), « The Real Ebonic Debate : Power, Language, and the Education of African-American Children », *Rethinking Schools, An Urban Educational Journal*, 12(1).

PIETRANTONIO, L., D. JUTEAU et M. MC ANDREW (1996), « Multiculturalisme ou intégration : un faux débat », *in* K. FALLS, D. HADJ-MOUSSA et D. SIMEONI (dir.), *Les convergences culturelles dans les sociétés pluriethniques*. Montréal, Presses de l'Université du Québec, p. 147-158.

PLANTE-PROULX, L. (1987), *Problématique des élèves non francophones analphabètes ou en retard scolaire dans les écoles françaises de Montréal et pistes d'intervention*, Montréal, MEQ, Direction des services aux communautés culturelles.

PLOURDE, M. (1988), *La politique linguistique du Québec 1977-1987*, Montréal, IQRC.

POTHIER, N. (1997), *L'école et les droits de la personne. Recueil de documents*, Montréal, Commission des droits de la personne et des droits de la jeunesse.

PREISWERK, R. et D. PERROT (1975), *Ethnocentrisme et histoire. L'Afrique, l'Amérique indienne et l'Asie dans les manuels occidentaux*, Paris, Éditions Anthropos.

PROBYN, E. (1987), « Bodies and Anti-bodies : Feminism and the Post-modern », *Cultural Studies*, 1(3), 340-360

PROULX, J.P. (1993), « Le pluralisme religieux à l'école. Bilan analytique et critique », *in* M. MC ANDREW (dir.), *Pluralisme et éducation. Perspectives québécoises. Repères, Essais en éducation*, 15, 157-210.

PROULX, J.P. (1995a), « La prise en compte de la diversité religieuse à l'école québécoise. Une tentative avortée, l'enseignement coranique à l'école publique », *in* M. MC ANDREW, O. GALATANU et R. TOUSSAINT (dir.), *Pluralisme et éducation. Politiques et pratiques au Canada, en Europe et dans les pays du sud. L'apport de l'éducation comparée* (tome 1), Montréal/Paris, Les Publications de la Faculté des sciences de l'éducation/Association francophone d'éducation comparée, p. 251-266.

PROULX, J.P. (1995b), « Le pluralisme religieux à l'école. Les voies de l'impasse », *in* A. CHARRON (dir.), *La religion à l'école le débat*, Montréal, Fides, p. 151-188.

PROULX, J.P. (1999), *Laïcité et religions. Perspective nouvelle pour l'école québécoise*, Rapport du Groupe de travail sur la place de la religion à l'école, Québec, MEQ.

PROULX, J.P. et J. WOEHRLING (1997), « La restructuration du système scolaire québécois et la modification de l'article 93 de la Loi constitutionnelle de 1867 », *Revue juridique Thémis*, 31(2), 399-510

RAMADAN, T. (1994), *Les musulmans dans la laïcité. Responsabilités et droits des musulmans dans les sociétés occidentales*, Lyon, Éditions Tawhid.

RAMIREZ et al. (1991), *Longitudinal Study of Structured English Immersion Strategy, Early Exit, and Late Exit Transitional Bilingual Education Program for Language Minority Children*, San Matteo, CA, Aguirre International.

Rasero, L.S., N.L. Calvet, J.G. Garreta Bochaca et M.-H. Chastenay, (2000), « Éducation et ethnicité. Le cas catalan », *in* M. Mc Andrew et F. Gagnon (dir.), *Relations ethniques et éducation dans les sociétés divisées: Québec, Irlande du Nord, Catalogne et Belgique*, Montréal/Paris: L'Harmattan, p. 127-147.

Ravitch, D. (1989), « The Plight of History in American School », *in* P. Gagnon (dir.), *Historical Literacy: The Case for History in American Education*, New York, MacMillan.

Ravitch, D. (1995), *National Standards in American Education: A Citizen's Guide.* Washington, DC, The Brookings Institution.

Ravitch, D. (1999), « Student Performance: The National Agenda in Education », *in* M. Kanstoroom et F. Chesters (dir.), *New Directions: Federal Educational Policy in the 21st Century*, New York, The Thomas Bay Fordhan Foundation in cooperation with the Manhattan Institute for Policy Research, March. <www. edex.net/library/newdrct.htm>

Rebuffot, J. (1993), *Le point sur l'immersion au Canada*, Québec, CEC.

Régnault, É. (1998), *De l'éducation interculturelle à l'éducation à la citoyenneté. Étude des textes officiels en France de 1970 à nos jours*, communication présentée au congrès mondial des Sociétés d'éducation comparée, Le Cap, juillet.

Renaerts, M. (1999), « Processes of Homogenization in the Muslim Educational World in Brussels », *International Journal of Educational Research*, 31, Chapitre 3, 283-294.

Roche, G. (1993), *L'apprenti-citoyen. Une éducation civique et morale de notre temps*, Paris, ESF.

Rossell, C.H. et K. Baker (1996), « The Educational Effectivenes of Bilingual Education », *Research in the Teaching of English*, 30(1).

Rossell, C.H. et W. Hawley (1981), « Understanding White Flight and Doing Something About It », *in* W. Hawley (dir.), *Effective School Desegregation: Equity, Quality, and Feasibility*, London, Sage Publication, p. 157-184.

Rossell, J. (1996), « Le rendement scolaire des enfants allophones et des enfants immigrés de sixième année dans les écoles de la CECM (secteur régulier franco-phone) », mémoire, Département des sciences de l'éducation, Université du Québec à Montréal.

Roudet, B. (1995), « Conseil des délégués et droits des élèves: apprentissage ou exercice de la citoyenneté », *Vers l'éducation nouvelle*, 469, 4-8.

Rouland, N. (1994), « La tradition juridique française et la diversité culturelle », *Droit et société*, 27, 281-319.

Rust, V.D., A. Soumaré, O. Pescador et M. Shibuya (1999), « Research Strategies in Comparative Education », *Comparative Education Review*, 4(1), 86-109.

Sammon, P., S. Thomas, P. Mortimore, C. Owen et H. Pennell (1994), *Assessing School Effectiveness: Developing Measures to Put School Performance in Context*, London, University of London Institute of Education.

SAMMONS, P., J. HILLMAN et P. MORTIMORE (1995), *Key Characteristics of Effective Schools: A Review of School Effectiveness Research*, London, University of London Institute of Education.

SAMUDA, R., J. BERRY et M. LAFERRIÈRE (1984), *Multiculturalism in Canada: Social and Educational Perspectives*, Toronto, Allyn and Bacon.

SCHLESSINGER, A.M. (1993), *La désunion de l'Amérique. Réflexion sur une société multiculturelle*, Paris, Liana Levy.

SCHMIDT, R.J. (1993), « Language Policy and Conflicts in the United States », *in* C. YOUNG (dir.), *The Rising Tide of Controlled Pluralism: The Nation State at Bay?*, Maddison, The University of Wisconsin Press, p. 73-92.

SCHNAPPER, D. (1994), *La communauté des citoyens*, Paris, Gallimard.

SCHOFIELD, J.W. (1995), « Review of Research on School Desegregation's Impact on Elementary and Secondary School Students », *in* J.A. BANKS et C.A McGEE-BANKS (dir.), *Handbook of Research on Multicultural Education*, New York: MacMillan, p. 597-613.

School Curriculum and Assessment Authority (1994), *Value-Added Performance Indicators for Schools*. London.

SCHWARTZ, W. (1996), « How Well Are Charter Schools Serving Urban and Minority Students? », *ERIC/CUE Digest*, 119.

SCHWARZWALD, J. et S. COHEN (1982), « Relationship Between Academic Tracking and the Degree of Interethnic Acceptance », *Journal of Educational Psychology*, 74, 588-597.

SEARS, A. (1994), « Citizenship Education in Canada: Review of Research », *Theory and Research in the Social Studies, XXII*(1).

SEARS, A. (1997), « Social Studies in Canada », *in* I. WRIGHT et A. SEARS (dir.), *Trends and Issues in Canadian Social Studies*, Vancouver, Pacific Educational Press, p. 18-38.

SEIGEI, S. et V. ROCKWOOD (1993), « Democratic Education, Student Empowerment, and Community Service: Theory and Practice », *Equity and Excellence in Education, 26*(2), 65-70.

SENSI, D. (1995), *Enquête sur les pratiques de partenariat avec les enseignants de langue et de culture d'origine*, Audit sur le programme, Liège, Université de Liège, Faculté de psychologie et des sciences de l'éducation.

Service interculturel collégial (1991), « Anglophones et allophones. Le discours interculturel les incluent-ils? » Mémoire soumis à la Commission de la Culture, Assemblée nationale du Québec dans le cadre de la consultation sur l'Énoncé de politique en matière d'intégration et d'immigration « Au Québec pour bâtir ensemble».

SEWALL, G.T. (1996), « A Conflict of Visions, Multiculturalism and the Social Studies », *in* R.K. FULLINWIDER (dir.), *Public Education in a Multicultural Society: Policy, Theory, Critique*, New York, Cambridge University Press, p. 49-64.

SHADID, W. et P. VAN KONINGSVELD (1996), « Politics and Islam in Western Europe : An Introduction », *in* W. SHADID et P. VAN KONINGSVELD (dir.), *Muslims in the Margin : Political Responses to the Presence of Islam in Western Europe*, Kampen, Kok Pharos, p. 1-14.

SHAHEEN, J.G. (1984), *The TV Arab*, Bowling Green, Bowling Green State University Popular Press.

SHAMAÏ, S. (1985), *Ethnic Relations in the Canadian Context : The Heritage Languages Program Conflict in Toronto*, communication présentée au 8ᵉ Colloque biennal de la Société canadienne d'études ethniques, 15-19 octobre.

SHANKER, A. (1994), « Charter Schools », *The New York Times*, June 26, E-7.

SHAW, B. (1992), « The Case Against Antiracist Education », *in* S. LYNCH, C. MODGIL et S. MODGIL (dir.), *Cultural Diversity and the Schools*, vol. 1 : *Education for Cultural Diversity : Divergence and Convergence*, London, The Falmer Press, p. 125-140.

SIGEL, R. et M. HOSKIN (1991), *Education for Democratic Citizenship : A Challenge for Multiethnic Societies*, Library of Congress Cataloging in Publication Data.

SIMARD, J.-J. (1984), « Par-delà le blanc et le mal. Rapport identitaire et colonialisme au pays des Inuits », *Sociologie et sociétés*, 15(2), 55-71.

SIMON, P. (1980), *The Tongue-Tied America : Confronting the Foreign Language Crisis*, New York, Continuum Library of Congress.

SMEEKENS, L. (1990), « Structural Change : From Monocultural to Bicultural Schools », *in* M. BYRAM et J. LEMAN (dir.), *Bicultural and Trilingual Education : The Foyer Model in Brussels*, Clevendon, Philadelphia, Multilingual Matters Ltd., p. 136-146.

SOKOLOWSKI, J. (1993), « Ukrainian bilingual education », *in* D. HUSAR STRUK (dir.), *Encyclopedia of Ukraine*, vol. 5, Toronto, Toronto University Press.

SOLÉ, C. (2000), « L'identité nationale et régionale en Espagne », *in* M. MC ANDREW et F. GAGNON (dir.), *Relations ethniques et éducation dans les sociétés divisées : Québec, Irlande du Nord, Catalogne et Belgique*, Montréal/Paris, L'Harmattan, p. 45-59.

SPOLSKY, B. (1975), *Language Education of Minority Children*, Rowley, Newbury House Publ.

ST. JOHN, N. (1975), *School Desegregation Outcomes for Children*, New York, John Wiley.

SWANN, L. (1985), *Education for All*, Final Report of the Committee of Inquiry into the Education of Children from Ethnic Minority, CMND 9453, London, HMSO.

SWANSON, A.D. (1995), « Educational Reform in England and the United States : The Significance of Contextual Differences », *International Journal of Educational Reform*, 4(1), 4-17.

SYLVAIN, L., L. LAFORCE et C. TROTTIER (1985), *Les cheminements scolaires des francophones, des anglophones et des allophones du Québec au cours des années 70*, Québec, Dossiers du Conseil de la langue française. Études et Recherches, 24.

TAGUIEFF, P.-A. (1988), *La force du préjugé. Essai sur le racisme et ses doubles*, Paris, La Découverte.

TAJFEL, H. (1982), *Human Groups and Social Categories*, Cambridge, Cambridge University Press.

TASHMAN, B. (1992), « Hobson's Choice : Free-market Education Plan Voucher for Bush's Favorite Class », *Village Voice*, 37(3), 9-14.

TAYLOR, C. (1992), *Multiculturalism and the Politics of Recognition*, New Jersey, Princeton University Press.

Tessier, C., G. BOURGEAULT, M. MC ANDREW et M. PAGÉ (dir.) (1998), *Pratiques novatrices d'éducation à la citoyenneté dans des écoles de Montréal et de Toronto*, Rapport de recherche, GREAPE, Université de Montréal.

TESSIER, C. et M. MC ANDREW (1997), « L'éducation à la citoyenneté en milieu scolaire au Québec. Bilan critique et perspectives comparatives », *Études ethniques au Canada*, 29(2), 58-81.

TESSIER, C. et M. MC ANDREW (2001), « L'éducation à la citoyenneté », *in* C. GOYER et S. LAURIN (dir.), *Entre culture, compétence et contenu. La formation fondamentale un espace à redéfinir*, Montréal, Éditions Logiques, p. 319-342.

The Educational Muslim Trust (1993), *British Muslim and Schools*.

The Gazette (1988), « Don't Drop the Program... », June 22.

The Globe and Mail (1994a), « Being Canadian Can Include Head Scarf », August 22.

The Globe and Mail (1994b), « Their Canada Includes Hijab », August 22.

The Globe and Mail (1995), « My Hijab is an Act of Worship—and None of Your Business », February 15.

The Guardian (1998), « A Crowded Curriculum », *The Guardian Education Supplement*, September 22.

Thélot, C. (1994), « Compétences en français et carrières scolaires des élèves étrangers en France », *Actes du séminaire sur les indicateurs d'intégration des immigrants*, Montréal, MAIICC et CEETUM, p. 179-206.

The Stanford Working Group (1995), *Federal Education Program for Limited English Proficience Students : A Blue-Print for the Second Generation*, Stanford University School of Education, The Stanford Working Group.

The Toronto Star (1993), « The $8 Million Musical Showboat is Still Sailing After North York Education Trustees Voted Unanimously to Defer a Motion Denouncing it as Racist », February 25.

TOMLINSON, S. (1997), « Diversity, Choice and Equality : The Effects of Educational Markets on Ethnic Minorities », *Oxford Review of Education*, 23(1).

TOOLEY, J. (1997), « Choice and Diversity in Education : A Defense », *Oxford Review of Education*, 23(1), 103-122.

Toronto Board of Education (1976a), *An Evaluation of the 1975-1976 Chinese Canadian Bicultural Program*, Research Report no. 137, Toronto.

Toronto Board of Education (1976b), *Final Report of the Work Group on Multiculturalism Program*, Toronto.

Toronto Board of Education (1979), *Final Report of the Sub-Committee on Race Relations*, May, Toronto.

Toronto Board of Education (1982), *Towards a Comprehensive Language Policy. Final Report of the Work Group on Third Language Instruction*, March, Toronto.

Toronto Board of Education (1990), *ESL/ESD, Handbook of Procedures for School and Reception Welcoming Centre Staff*, Toronto.

Toronto Board of Education (1993), *The 1991 Every Secondary Student Survey Part 2: Detailed Profiles of Toronto Secondary School Students*, Toronto, Research Services.

Toronto Board of Education (1994), *Supporting Language Learners in the Mainstream Classroom*, Toronto, ESL/ESD Department.

Toronto Board of Education (1999), *A Study of the Grade 9 Cohort of 1993-1998: The Last Grade 9 Cohort of the Toronto Board of Education*, A Toronto District School Board Research Report, no. 229. Toronto.

Toronto District School Board (1999a), *Minutes of the Toronto District School Board*, June 23, Toronto.

Toronto District School Board (1999b), *Commitments to Equity Policy Implementation, Minutes of the Toronto District School Board*, December 15, Toronto.

TOURAINE, A. (1994), *Qu'est-ce que la démocratie?* Paris, Fayard.

TROYNA, D. (1993), *Racism and Education: Research Perspectives*, Buckingham, Open University Press.

TROYNA, D. et I. SIRAJ-BLATCHFORD (1993), « Providing Support or Denying Access? The Experiences of Students Designated as ESL and "SN" in a Multiethnic Secondary School », *Education Review*, 45(1), 3-11.

TRUDEL, M. et G. JAIN (1969), *L'Histoire du Canada: enquête sur les manuels*, Étude de la Commission royale d'enquête sur le bilinguisme et le biculturalisme, Ottawa, Information Canada.

Unesco (1994), *Citoyens de demain. Quelle éducation fondamentale pour une citoyenneté active?* Congrès ONG/Unesco, IXe Consultation collective des ONG — Alphabétisation et Éducation pour tous. Paris.

US Charter Schools (2001), *Overview of Charter Schools*. <www.uscharterschools.org>

US Commission on Civil Rights (1975), *Twenty Years After Brown: Equality of Educational Oppportunity*, Washington, DC, US Government Printing Office.

US Department of Education (1994), *Racial Incidents and Harassment Against Students at Educational Institutions: Investigative Guidance*, Office for Civil Rights, Federal Register, 69(47), March, Notice, Washington, DC. <www.head.gov/offices/ocr/race394.html>

US Department of Education (1995a), *Model Strategies in Bilingual Education: Professionnal Development*, US Department of Education Report, Washington, DC.

US Department of Education (1995b), *School Reform and Student Diversity*, vol. 1: *Findings and Conclusions*, Washington, DC, September. <www.head.gov/pubs/ser/diversity>

US Deparment of Education (1996), *Goal 2000 : A Progress Report for 1996*, Washington, DC. Automn.

US Department of Education (1998a), *Goal 2000. Reforming Education to Improve the Achievement*. Washington, DC. <www.head.gov/pubs/g2kreforming>

US Department of Education (1998b), *Student Assignment and Title 6 in Elementary and Secondary School*. Washington, DC, Office for Civil Rights, September. <www.head.gov/offices/ocr/tviassgn.html>

US Department of Education (1999a), *Our Mission and Responsabilities*, Washington, DC, Office for Civil Rights. <www.head.gov/offices/ocr/aboutus.html>

US Department of Education (1999b), *The State of Charter Schools*, Third Year Report, National Study of Charter School, Washington, DC, Office of Educational Research and Improvement and National Institute on Student Achievement Curriculum and Assessment. <www.head.gov/pubs/chartertrdyear/title.html>

US Department of Education (1999c), *Secretary's Statement on Religious Expression*, Washington, DC. <Farell ://A : \secretarystatementonreligiousexpression.htm>

US Department of Education (1999d), *Education Research Organization Directory*, Washington, DC. <www.ed.gov/basis>

US Government (1968), *United States Public Law 90-247. Bilingual Act, Title 7, Elementary and Secondary Education Act of 1965*, Washington, DC. Amendé en janvier 1967.

US Government (1994), *Improving America's School Act of 1994*, HR6 103rd Congress of the United States of America. An Act to extend for five years the authorization of appropriations for the Program under elementary and secondary education Act 1975, and for certain other processes, Washington, DC.

Vachon, R. (1985), « Éducation interculturelle et attitude à l'égard du deux tiers-monde », *Interculture*, XVIII(2), cahier 87, Montréal, Centre interculturel Monchanin.

VALENTINE, C.A. (1971), « The Culture of Poverty : Its Scientific Significance and its Implications for Action », *in* E.B. Leacock, *The Culture of Poverty : A Critique*, New York, Simon and Schuster, p. 193-225.

VALLAS, P.G. (1999), *Saving Public School 1999*, New York, Center for Civic Innovation, Manhattan Institute for Policy Research. <www.manhattan-institute.org/html/cb_16htm>

VALLET, L.A et J.P. CAILLÉ (1996a), « Les élèves étrangers ou issus de l'immigration dans l'école et le collège français. Une étude d'ensemble », *Les Dossiers d'éducation et formations, 67*.

VALLET, L.A. et J.P. CAILLÉ (1996b), « Les élèves étrangers ou issus de l'immigration : les résultats du panel français dans une perspective comparative », *Migrants et formation, 104*, mars, 66-86.

Vancouver School Board (1995), *Multiculturalism and Antiracism Policy*, Vancouver, June.

VAN DROMME (RUIMY) H., J. LEFEBVRE et L. VAN DROMME (1985), *L'école et l'intégration des communautés ethnoculturelles au Québec. Une étude des perceptions des leaders ethniques,* Rapport de recherche, projet de recherche sur l'éducation des minorités, Montréal, UQAM/Université McGill.

VAN DROMME (RUIMY), H., L. VAN DROMME et P. LIAMCHIN (1991), « Bilan d'une expérience d'évaluation des élèves de l'accueil », *Québec français, 83,* 69-71.

VAN HAECHT, A. (1998), « Les politiques éducatives : figures exemplaires des politiques publiques », *Éducation et Sociétés,* numéro spécial : *L'éducation, l'État et le Local,* 1, Revue internationale de sociologie de l'éducation, INRP/De Boeck.

VAN ZANTEN, A. (1996), « La scolarisation des enfants et des jeunes des minorités ethniques aux États-Unis et en Grande-Bretagne », *Revue française de pédagogie, L'école et la question de l'immigration,* 117, octobre-novembre-décembre, p. 117-149.

VERLOT, M. (1998), « Un pacte de non-discrimination », *Agenda interculturel,* 163, avril, 16-22.

VERLOT, M. (2000), *Implementing Intercultural Education in Flanders-Belgium : Patterns and Ambiguities,* 5ᵉ conference internationale Métropolis, Vancouver, 13-17 novembre.

WALDINGER, C. (1997), *Which Way LA ? Immigration and Ethnic Changes in Southern California,* California Policy Seminar Immigration Panel. <migration.ucdavis.edu/ tc/ 397cps.htm>

WALFORD, G. (1996), « Diversity and Choice in School Education : An Alternative view », *Oxford Review of Education, 22*(2).

WAUGH, E.H., S. McIRVIN ABU-LABAN et R. BURCKHARDT QURESHI (dir.) (1991), *Muslim Families in North America,* Edmonton, The University of Alberta Press.

WEBSTER, A. et C. ADELMAN (1993), « Education for Citizenship », *in* G.K. VERNA et P.D. PUMFREY (dir.), *Cultural Diversity and the Curriculum : Cross-Cultural Contexts, Themes and Dimensions in Secondary Schools* (volume 2), London/ Washington, DC, The Falmer Press.

WEINSTOCK, D. (1996), « Droits collectifs et libéralisme. Une synthèse », *in* F. GAGNON, M. MC ANDREW et M. PAGÉ (dir.), *Pluralisme, citoyenneté et éducation,* Montréal/ Paris, L'Harmattan, p. 53-81.

WELLS, A.M., A. LOPEZ, J. SCOTT et J.J. HOLME (1999), « Charter Schools as Post-Modern Paradox : A Rethinking Social Certification in an Age of Deregulated School Choice », *Harvard Educational Review, 69*(2), Summer.

WIEVIORKA, M. (dir.), P. BATAILLE, D. JACQUIN, D. MARTUCELLI, A. PERALVA et P. ZAWADZKI (1992), *La France raciste,* Paris, Seuil.

WILLIS, C.W. et M. ALVES, (1996), *Controlled Choice : A New Approach to Desegregated Education and School Improvement,* Education Alliance Press and the New England Desegregation Assistance Center, Brown University.

WILLIS, P. (1977), *Learning to Labour : How Working Class Kids Get Working Class Jobs,* Farnborough, Gower.

MEMBRE DE SCABRINI MEDIA

Québec, Canada
2001